I0636464
Gemeentelijke Bibliotheek
Beveren
Uitleenpost
Kallo

Dansen met de ongenode gast

JULIA WALLIS MARTIN

Dansen met de ongenode gast

UITGEVERIJ AREOPAGUS

Oorspronkelijke titel
Dancing with the uninvited guest
Uitgave
Hodder and Stoughton, a division of Hodder Headline, Londen

Vertaling
Henk Popken
Omslagontwerp
Studio Jan de Boer BNO, Amsterdam
Foto auteur
Anette Haug

ISBN 90 5108 717 9
NUR 305

Voor T.F.

Mijn oprechte dank aan professor Robert L. Morris,
Afdeling Koestler Parapsychologie,
Universiteit van Edinburgh

Proloog

Claudia kwam de kamer binnen en zag haar zoon weggedoken in een hoekje, zijn knieën tegen zijn borst en de handen voor de ogen. Hij hoorde haar binnenkomen, maar bewoog niet. Ze sprak tegen hem, met onvaste stem. 'Nicholas, kom...'

Hij stapte over de wrakstukken van wat eens een tafel was geweest, de poten gebroken, het tafelblad dat wel bekrast leek door de klauwen van een beer. Ernaast lagen boeken op de grond, de bladzijden verscheurd, de omslagen eraf getrokken, maar omdat de ervaring had geleerd breekbare zaken uit zijn kamer te weren, was de schade dit keer minder erg dan in het verleden: alleen maar een plafondlamp en wat kleine, ronde wandlampjes die uit hun fitting waren gerukt. Ze bungelden aan hun draden als ogen die nog vastzaten aan de oogzenuw, en de aanblik ervan voelde als een belediging. Haar maag draaide om.

'Breng me naar buiten,' zei hij. 'Maar alsjeblieft – laat me niet in de steek.'

De tuin werd door granieten muurtjes van het ruige, sombere landschap van Northumberland gescheiden. Bomen vormden een prieel boven hun hoofd en toen ze er onderdoor liepen, zei Claudia: 'En als we je nu eens hier weghaalden?'

'Wat heeft dat voor zin?'

Goede vraag, dacht Claudia, want wat het ook was, het achtervolgde hem. Zelfs als hij het huis verliet, kon het er niet toe worden overgehaald hem met rust te laten.

'Ik ben zijn prooi,' zei Nicholas.

Het pad maakte een bocht en Lyndle Hall kwam weer in zicht. Het stond met zijn muren in een slotgracht, en de borstwering van een stenen brug leidde het oog naar een binnenplaats. De torens en puntgevels lagen er troosteloos bij en het struikgewas rukte op.

Vanuit deze hoek, en op dit tijdstip van de dag, was het huis op zijn somberst en deed het je denken aan heftiger tijden. Het was aan haar om het te behouden voor toekomstige generaties, maar ze zou het net zo lief in brand steken. Misschien zou dat uiteindelijk zelfs wel het antwoord op alle problemen zijn.

'Ik weet niet hoe lang ik dit nog kan verdragen,' zei Nicholas, en als ze zo naar hem keek, was het voor Claudia heel moeilijk zich hem te herinneren als de vrolijke, gelukkige jongen die in deze bomen klom en op deze gazons speelde en op haar af kwam rennen met varenbladen of kleine, geurige bloemen.

Hij kromp plotseling ineen van de pijn en bracht zijn hand naar zijn nek. Even ontspande hij, maar direct daarop herhaalde het zich en op de huid van zijn keel verschenen felrode striemen. Het duurde even voor ze begreep waardoor die werden veroorzaakt, maar toen ze het zich realiseerde, deinsde ze vol afschuw terug.

'Wat is er?' zei hij, en nog steeds terugdeinzend tilde ze haar hand op en wees: 'Het bijt je,' zei ze. 'Mijn God, Nicholas – *het bijt je.*'

1

Er bestaat een vis die vijf kilometer diep in de Atlantische Oceaan leeft. Hij brengt zijn hele leven in het pikkedonker door. Hij kan niet zien en ook niet door zijn soortgenoten gezien worden. En dat is zijn wereld. Dat is het enige dat hij kent. Als je hem zou vragen wat er zich boven het wateroppervlak bevindt, zou hij niet alleen geen idee hebben wat een oppervlak is, hij zou zich geen enkele voorstelling kunnen maken van de wereld van licht en lucht die daarboven bestaat. En misschien is er een zekere overeenkomst tussen het bestaan van die vis en ons eigen bestaan, want wij zijn bezig te ontdekken of er een wereld is, een bestaan, buiten de wereld die wij kennen, en of sommigen die naar die andere wereld zijn overgegaan in staat zijn om vijf kilometer omlaag te duiken om met ons te communiceren, om ons te vertellen hoe het eruit ziet, daarboven in die wereld van licht en lucht.

Dat was Audrah Sidows inleiding in de cursus parapsychologie aan het Britse Instituut voor Paranormaal Onderzoek, het BIPR, en maar heel weinig van haar studenten zouden de analogie ooit nog vergeten.

Ze had het verzonnen in een tijd dat ze nog bereid was de mogelijkheid te overwegen van ondenkbare werelden die erop wachtten ontdekt te worden. Maar dat was voordat ze zich realiseerde dat er op aarde niets was waar niet een rationele verklaring voor bestond.

Toen ze eenmaal tot die conclusie was gekomen, stelde ze

zichzelf de vraag of het te rechtvaardigen was dat iemand zijn hele professionele leven zocht naar iets wat er helemaal niet bleek te *zijn*. Het was een vraag die ze af en toe ook aan haar studenten voorlegde, en het leverde altijd de reactie op die ze verwachtte. Zij zelf mocht dan cynisch zijn geworden, maar zij waren bereid hun geest open te stellen. Er was tenslotte altijd de kans dat jij degene zou zijn die zou bewijzen dat er een bovennatuurlijke wereld was en dat de idee van een parallel universum, van tijdreizen, het vermogen om naar willekeur objecten te verbergen of in beweging te brengen of te communiceren met de doden niet slechts tot het terrein van de sciencefiction behoorde.

Ze vermoedde dat het juist haar cynisme was dat voorkwam dat zich in haar aanwezigheid daadwerkelijk paranormale fenomenen manifesteerden. Het was tenslotte algemeen bekend dat vooroordelen voor of tegen het geloof in het paranormale de resultaten van een onderzoek konden corrumperen. Zij die wilden geloven dat een psychische aanwezigheid zojuist een bal een fractie van een centimeter over een tafel had voortbewogen, waren nogal eens geneigd om het feit te negeren dat het tafelblad iets helde. Maar evenzogoed zou het onmogelijk zijn om iemand als zijzelf ervan te overtuigen dat de bal was bewogen door de macht van de telekinese.

Het probleem was dat ze nog steeds de persoon moest tegenkomen die haar ervan kon overtuigen dat hij of zij bovennatuurlijke krachten bezat, en jaren van onderzoek hadden haar ervan overtuigd dat ze zo iemand ook nooit zou ontmoeten. Daarom had ze aangekondigd dat ze van plan was ontslag te nemen.

Het Instituut verlaten zou betekenen dat ze niet alleen Edinburgh zou verlaten, maar ook dit elegante gebouw en de kamers die ze als haar thuis was gaan zien. Ze keken uit op een binnenplaats en in bepaalde jaargetijden werd het gebouw gefotografeerd door toeristen. Slechts weinigen zagen het zoals nu, als zich op de muren rond de Master's Garden dolken van ijs vormden.

Ze wendde zich af van het raam en keek de kamer in, waarin twee comfortabele banken van elkaar werden gescheiden door een lange, lage tafel. Ruimte was in het Instituut schaars en het was voor haar heel gewoon hier in deze kamer studiebegeleiding te geven. Ook op dit moment had ze een van haar studenten bij zich. Van alle nieuwe aanwas, was hij degene die haar het meest interesseerde, want hij was een van de weinige studenten parapsychologie die er prat op gingen een geest te hebben gezien, hoewel dat wat hij als geest bestempelde niet altijd overeen hoefde te komen met wat anderen daarvoor aanzagen.

Tijdens het gesprek dat voorafging aan zijn inschrijving, beschreef hij haar de ervaring.

'Enige maanden na het overlijden van mijn partner was ik op de bloemenshow van Chelsea, nota bene. Natalie ging daar elk jaar heen en ik ging meer voor haar dan voor mezelf, maar vraag me niet wat ik daarmee bedoel, want dat weet ik eigenlijk niet. Ik liep langs de verschillende stands en vroeg me af wat ik hiermee wilde bereiken. En plotseling... was ze daar, kijkend naar een prachtige vetplant – een protea.

Eerst wist ik niet wat ik ervan moest denken. Ik wist dat ik me moest vergissen, maar de welving van haar nek, de manier waarop haar haar naar voren viel – ik moest naar die vrouw toe, al was het alleen maar om haar gezicht beter te kunnen zien. En terwijl ik op haar afliep, zag ze me en glimlachte. En toen... verdampte ze. Tenminste, daar leek het op.'

'Welk gevoel had je bij die ervaring?'

'In het begin was ik bang. Ik heb een moeilijke tijd gehad na Natalies dood. Tijdens haar ziekte ging het prima, had ik het op de een of andere manier onder controle, maar na haar overlijden...' Hij zweeg even en ging toen verder.

'Het was zes maanden geleden dat ze was gestorven, maar ik was er nog steeds niet overheen. Ik zag niet in hoe ik ooit nog een nieuw leven zou kunnen beginnen – althans, niet een leven dat ik zou willen leven. En ik kon me ook niet voorstellen dat ik ooit nog iemand zou ontmoeten die me het gevoel zou geven... Ik geloof dat wat ik probeer te zeggen, is dat toen ik haar zag... nou ja, om eerlijk te zijn, ik was bang dat ik gek aan het worden was. Maar nadat de eerste schok voorbij was, vond ik de ervaring heel vertroostend.'

'Hadden jij en Natalie weleens besproken wat het voor jou betekende dat ze stervende was?'

'We hebben er zeker over gesproken. Niet zoveel, maar genoeg. En we spraken over het al dan niet bestaan van een leven na de dood. Daar geloofden we eigenlijk geen van tweeën in, geloof ik. Niet echt. Wij waren wat je noemt duimende christenen. Maar Natalie zei dat als bleek dat we het bij het verkeerde eind hadden, ze zou proberen op de een of andere manier contact met me te maken. Dus toen ik haar zag... nou ja... toen had ik het idee dat ze dat had gedaan. En ik had het gevoel... ik had het gevoel dat ik haar toch niet kwijt was.'

'Wat je zegt, is dat jij denkt dat je haar geest gezien hebt.'

'Ja – toen wel.'

'En nu?'

'En nu geloof ik dat niet langer.'

'Hoe verklaar je het dan?'

Nadat hij had gezegd dat hij dat niet kon, maar hoopte daar op een dag toe in staat te zijn, werd hij als student toegelaten.

De aantekeningen voor zijn dissertatie lagen op de tafel voor hem. Hij pakte ze op toen Audrah zich naar hem omdraaide en hem voorstelde ze met haar door te nemen.

'Mijn uitgangspunt,' zei hij, 'is in essentie de hypothese dat het produceren van wat als bovennatuurlijke verschijnselen wordt *waargenomen*, heel wel een psychologische reactie op een emotioneel trauma kan zijn.'

'Over wat voor soort bovennatuurlijke verschijnselen hebben we het dan?'

'Verschijningen. Voorgevoelens. En verder alles dat eruit ziet alsof het relevant zou kunnen zijn.'

Het maakte deel uit van haar taak om studenten advies te geven over de geschiktheid van de ideeën die ze in hun proefschriften wilden verwerken. Vaak was waarmee zij aankwamen al eerder beschreven, in welk geval ze een nieuwe invalshoek moesten zien te vinden, wilde hun werk als oorspronkelijk worden beschouwd. Wat deze student opperde, klonk als een onderwerp dat al door de wetenschappelijke wereld was omarmd en in dat geval moest ze er zeker van zijn dat hij niet alleen maar informatie herkauwde die hij uit medische tijdschriften had gehaald. Ze wilde ook weten wat hij bedoelde met de term 'produceren'. Ze vroeg het hem en hij antwoordde dat het 'produceren' van bovennatuurlijke verschijnselen iets was wat een persoon misschien onbewust doet: 'Ik bedoel niet dat ze uit lakens geesten maken zonder te weten dat ze dat doen. Ik heb het over mensen die iets ervaren wat ze niet kunnen verklaren zonder zich te realiseren dat het uit hun eigen onderbewustzijn komt.'

'Je had het over emotionele trauma's,' zei Audrah. 'Hebben we het dan over het trauma van een sterfgeval?'

'Niet per se. Ik ben bijvoorbeeld van plan om in mijn proefschrift het verslag op te nemen van een gesprek met een vrouw wier man gegijzeld is geweest in Irak. Er waren onbevestigde berichten dat hij was geëxecuteerd en ze was naar de kerk gegaan om te bidden. Toen ze daar was, zag ze plotseling haar echtgenoot naast zich knielen – heel even maar, maar genoeg om haar ervan te overtuigen dat de berichten over zijn dood juist waren. Hij werd in feite enkele maanden later vrijgelaten, maar het nieuws dat hij was geëxecuteerd, veroorzaakte bij haar naar mijn mening een door een crisis opgeroepen verschijning.'

Het zag er naar uit dat dit weleens een heel interessant proefschrift zou kunnen worden. 'Heb je ook nagedacht over het mogelijke nut van dergelijke ervaringen?'

'Slechts in zoverre dat ze altijd nut lijken te hebben. Ze gebeuren nooit zonder dat de persoon die het ondergaat er baat bij heeft.'

'Zoals?'

'Soms biedt de verschijning advies. Soms, zoals in het geval dat ik dacht Natalie te zien, is het gewoon een troost op zich.'

'En als de verschijning of het visioen nu eens duivels is?'

'Dat gebeurt gewoonlijk alleen als de betrokken persoon lijdt aan een herkenbare psychiatrische afwijking.'

Na hier even over te hebben nagedacht, zei Audrah: 'Stel dat we hiermee verdergaan. Stel dat we accepteren dat het produceren van verschijnselen een psychologische respons op een trauma *zou kunnen zijn* – zijn troost en advies dan het enige nut dat ze verschaffen?'

'Dat weet ik op dit moment eerlijk gezegd nog niet, maar ik vermoed dat ze in extreme gevallen nog veel meer dan dat kunnen verschaffen.'

'Kun je dat uitleggen?'

Hij antwoordde: 'Wat als er, in gevallen waarin het leven van een persoon op het spel staat en waarin de kans op overleving nihil lijkt, een of ander mechanisme in werking treedt dat die persoon motiveert iets radicaals te doen om te overleven?'

Audrah speelde de advocaat van de duivel. 'En als de logica nu dicteert dat de kans op overleven simpelweg niet aanwezig is?'

'Dan geeft dit "mechanisme" de mensen misschien de moed om de dood onder ogen te zien. Misschien overtuigt het ze ervan dat de dood niet het einde betekent...'

De dood, dacht Audrah, was zeer zeker het einde. Daar had jarenlang onderzoek naar zogenaamde paranormale verschijnselen haar in ieder geval van overtuigd.

Voor één keer had professor Mallory Wober zijn tweedjasje verwisseld voor een met fleece gevoerde jas. 'Zullen we een eindje gaan wandelen?' opperde hij.

Het was niet het soort weer waarin mensen graag wandelden, maar Audrah dacht wel te weten wat er aan de hand was. Haar ontslag was bij Wober hard aangekomen en hij zou nu proberen haar ertoe over te halen er nog eens over te denken.

Ze stopte een massa kastanjebruin haar onder haar hoed, pakte een ski-jack en trok de rits helemaal dicht toen ze de gang op liepen. Enkele ogenblikken later staken ze de binnenplaats over naar een hek dat toegang gaf tot het park. In de verte vormde een rij bomen een scheiding met de siervijver. Aan de overkant ervan stonden gebouwen als die waarin het Instituut was gevestigd. Het winterzonnetje weerkaatste in de ramen.

Het was nauwelijks zes jaar geleden dat ze die gebouwen voor het eerst had gezien en er was in die tijd heel wat veranderd. Vervlogen waren de dagen dat mensen achter een scherm werden gezet, waarna ze gevraagd werd te raden wat voor vorm er op een stuk papier werd getekend. De parapsychologen van tegenwoordig waren meer geïnteresseerd in het onderzoek naar de hersendelen die zorgden voor de hallucinaties die mensen ervoeren als bovennatuurlijke ervaringen. Wober bijvoorbeeld was een autoriteit op het gebied van religieuze zieners en er was bepaald geen gebrek aan dergelijke mensen, wier ervaringen uiteenliepen van visioenen van Christus tot voorspellingen omtrent de Apocalyps. Hij zou tot aan de zondeval in ieder geval niet zonder onderzoeksgelden zitten. 'Laat me eens raden,' zei Wober. 'Je bent weggekocht...'

Audrah was inmiddels doctor in de parapsychologie en dat maakte haar tot een gewilde partij. 'Als mij een aanbod was gedaan dat ik niet had kunnen weigeren, had ik dat wel gezegd.'

'Waarom vertrek je dan?'

Net als Wober had Audrah zich gespecialiseerd in een richting die meer met pure psychologie te maken had dan met het bovennatuurlijke. Het ging daarbij om psychische fraude, met speciale nadruk op pseudo-spiritisten die de aandacht van de media vingen als er een vermist persoon of een moordzaak in het nieuws kwam. Hen ontmaskeren had ooit een waardevolle bezigheid geleken. Maar nu niet meer. 'Laten we het er maar op houden dat ik het gevoel heb dat ik al het mogelijke heb bereikt.'

'Niet echt,' zei Wober. 'En John Cranmer dan?'

Die opmerking kwam niet over omdat op dat moment de bomen weken voor de siervijver. Hij was bevroren en over het oppervlak waggelden mandarijneenden, houterig als gevernist opwindspeelgoed. Een man in een suède jack liep hun richting op en ze schuifelden nu naar het met sneeuw bedekte gras op de oever. De man was te ver weg om hem te kunnen herkennen, maar iets aan hem deed Audrah denken aan iemand die ze eens had gekend. Ze voelde geen behoefte om omlaag te lopen naar het meer en haar fantasie in scherven te zien vallen, want hij leek zoveel op hem dat ze nog even van dat beeld wilde genieten.

Hij, en wat er van hem geworden was, hadden haar heel veel gekost en het was tijd om dat los te laten. Tijd om op te houden met die voortdurende jacht op iets wat toch niet gevonden kon worden, op een stem die nooit meer gehoord zou worden, een gezicht dat nooit meer zou worden gezien en een mysterie dat naar alle waarschijnlijkheid nooit zou worden opgelost.

2

Eind oktober was niet de ideale tijd om over de woeste gronden van Northumberland te rijden, maar Tate had niet veel keus. Politiezaken hadden hem naar Lyndle gevoerd, diep verscholen in Northumbria's Nationale Park.

De lucht boven hem, hoewel bewolkt, hield op dit moment zijn lading vast. Maar dat zou niet lang meer duren. De afgelopen dagen was er af en toe al sneeuw gevallen. Nog even en dan zou het menens worden. Hij wilde niet het risico lopen dan op de heide te zijn.

Maar toch, toen hij een lage stenen muur bovenaan een helling bereikte, zette hij de auto stil. Hij bleef nog even zitten en bedacht of het wel verstandig was wat hij nu ging doen. Er waren mensen gestorven omdat ze het risico verkeerd hadden ingeschat, hun lichamen op een paar honderd meter van waar hun auto in de sneeuw was vastgelopen.

De gebeurtenissen die tot hun dood hadden geleid, vertoonden vaak hetzelfde patroon: ze hadden de motor aangelaten om de verwarming aan de gang te houden; maar als de benzine op was, daalde de temperatuur in de auto drastisch.

Mensen die stierven aan onderkoeling raakten in de war. En dat was het moment dat ze ertoe neigden hun auto te verlaten en de heide op te lopen, om vervolgens in elkaar te zakken, in een coma te geraken en te sterven. Tate was niet van plan hun voorbeeld te volgen.

Hij stapte uit, enigszins moeizaam vanwege zijn dikke kleding, en haalde vervolgens zijn rugzak uit de kofferbak. Daarin zaten een thermodeken, kaarten, een kompas, chocoladerepen, fakkels, een zaklantaarn, lucifers, een kaars, een mobiele telefoon en een verbanddoos. Als extra voorzorgsmaatregel had hij ervoor gezorgd dat er op zijn minst één iemand was die wist waar hij was. Die persoon was hoofdagent-rechercheur Fletcher. Net als Tate was hij vrijwilliger bij de Northumbria Reddingsbrigade. Dat schepte een band. *Als ik om zes uur nog niet terug ben, en als ik niet bel om te zeggen wat me ophoudt, verwacht ik dat je naar me op zoek gaat...*

Hij schoof zijn armen door de riemen van de rugzak en liep vervolgens naar de lage stenen muur die hem scheidde van een zeventig meter diepe afgrond. Achter de muur ontrolde zich een van de spectaculairste uitzichten van Northumberland. Maar Tate was hier niet om van het uitzicht te genieten. Niet vandaag.

Een opening in de muur leidde naar een pad met een stevig hek erlangs, dat moest voorkomen dat kinderen in de diepte verdwenen. Het zigzagde omlaag naar waar een dennenbos begon. Geen van de bomen was echt volgroeid. Ze stonden daarvoor te dicht op elkaar, en omdat ook het licht en de lucht die ze nodig hadden schaars waren, waren een aantal bomen bijna bladerloos. Ze waren echter wel snel omhoog geschoten in hun gevecht om te overleven en het uiteindelijke resultaat was een bosje telefoonpalen.

Een weg breed genoeg voor houtwagens dicteerde zijn koers en hij volgde die tot hij uit het dennenbos was. De bomen hadden hem beschut tegen de wind, maar zodra hij er tussenuit was, zette hij een sneeuwbril op. Hoewel die wel enige bescherming bood, werd ook de wereld om hem heen er vager door, en hij vond het effect tamelijk deprimerend en angstaanjagend.

Korte tijd later liep hij een helling af naar de bodem van de vallei. Onder hem strekte zich in noordelijke richting een oud bosgebied uit, waarvan de bomen al even dicht op elkaar stonden als in het dennenbos.

Hij wist van het bestaan van deze bossen, maar tot voor kort had hij niet geweten dat er daar beneden een huis lag, vooral ook omdat het van de weg af niet zichtbaar was. Maar het stond geregistreerd en zo'n vijftig jaar geleden had de architectuurhistoricus Bischel er in een brief aan een collega gewag van gemaakt. Een paar dagen geleden was er een uittreksel van in de krant verschenen:

> *Ondanks de slotgracht kan Lyndle niet als kasteel worden aangemerkt. Het is, in feite, het vroegst bekende voorbeeld van een middeleeuws Engels landhuis. Ik wilde het graag zien, maar aangezien mij de toegang vanaf de weg werd ontzegd, benaderde ik het vanuit een dorp aan de andere kant van het bos. Het was vervallen, de arbeidershuisjes waren verlaten, maar erachter lag een verzonken weg die het huis eens met het dorp had verbonden.*
>
> *De bomen torenden nu hoog boven me uit, hun takken met elkaar verstrengeld, alle licht blokkerend, en net toen ik begon te vrezen dat ik verdwaald was, rees het op uit het water van de gracht...*

Tate volgde dezelfde route als Bischel, tot hij bij een pad kwam dat het bos in voerde. Er zou ooit wel een tijd geweest zijn dat het breed genoeg was geweest voor vee, maar het was door jarenlange verwaarlozing steeds smaller geworden. Eeuwenlang gebruik had het pad behoorlijk uitgesleten, hier en daar tot meer dan een meter, en het had nu veel weg van een greppel, met onderin water. Bischel had het niet over water gehad, maar hij was hier in de zomer geweest. Nu was het winter. Toch vond Tate dat hij in het voordeel was, want Bischel was nogal plotseling op het huis gestuit terwijl hijzelf de omtrekken ervan door de bomen heen kon zien.

Een tijdlang bleef hij aan de rand van het bos staan kijken

naar Lyndle, want dat was wat ook Bischel had gedaan en hij wilde zijn eigen indruk vergelijken met die van de man die als een van de grote autoriteiten op het gebied van Engelands historische huizen werd beschouwd.

Mijn vriend, het was een obsceniteit, een belediging voor alles wat goed is, en zuiver. En toch bezat het een sinistere schoonheid.

Een sinistere schoonheid. Tate had niet begrepen wat hij daarmee bedoelde, tot op dit moment.

Bischel had het gehad over gazons die 'onberispelijk' werden bijgehouden, maar die waren verdwenen. Het enige dat ervan over was, waren golvende weiden die het huis van het bos scheidden. Hij stak ze over op weg naar een brug die de slotgracht overspande. Via een poort kwam hij op de binnenhof. En toen stond hij voor de stevige eiken deuren van Lyndle's Great Hall.

De vleugels aan weerskanten ervan waren opgetrokken uit zwarte steen, de ramen hoog en zonder opsmuk, vele met gebroken ruiten. Maar moeilijker tijden, of misschien wel de grillen van de tijd, hadden ertoe geleid dat de vleugel achter hem anders was. De muren bestonden uit met leem opgevuld vlechtwerk in een stevig houten geraamte. Alleen om die reden had het de tand des tijds minder goed doorstaan dan de rest van het gebouw. Al lang geleden was het glas uit de spijltjesramen gevallen en het helde voorover naar de gracht omdat de grote houten balken hopeloos waren kromgetrokken.

Dat soort dingen gebeurde nu eenmaal met dergelijke constructies. Het geraamte begon als botten door de huid heen te breken. Op een dag zou er niets meer van de bekleding over zijn. Maar het hoofdgebouw zou nog minstens duizend jaar blijven staan. Het dak zou instorten en de muren zouden overwoekerd worden door klimop. Maar de muren zouden wel blijven staan.

Het had geen zin om op deze grote eiken deuren te kloppen. Het had ook geen zin om te roepen. Hij had geen zin om wie er zich dan ook in dat huis bevond de bevrediging te gunnen om te weten dat hij er niet in was geslaagd hun aandacht te trekken. Hij kon ze maar beter het idee geven dat hij zijn tijd wel kon afwachten.

Het afgelopen half uur had de hemel een dreigende, paarse gloed gekregen. Tate wist wat dat betekende. Hij keek nog een laatste keer om zich heen en begon toen aan de terugtocht.

Tegen de tijd dat hij zijn auto bereikte, doken er sneeuwschuivers op uit het duister; hun koplampen wierpen een diffuus geel licht op de weg. Hij gebruikte de afstandsbediening om de portieren van het slot te doen en voelde een steek van opwinding toen het lichtje opgloeide, maar de sloten vergrendeld bleven. Hij probeerde het nog een keer en dit keer hoorde hij het welkome geklik. Daarna opende hij het portier, pakte zijn schoenen en schopte zijn laarzen uit.

Hij wist niet precies op welk moment hij het gevoel kreeg dat hij in de gaten werd gehouden, maar het was niet ongebruikelijk om hier het gevoel te krijgen dat je bekeken werd. Het had iets te maken met de verlatenheid, de zekerheid dat er elk moment iets zou kunnen gebeuren.

Hij pakte zijn laarzen en gooide ze achterin. En toen hij zich omdraaide...

... stond er iemand vlakbij hem, zijn gezicht verscholen in de schaduw van zijn capuchon.

Tate had zo langzamerhand al met heel wat verkeerde figuren te maken gehad en zijn eerste reactie was om zich af te vragen of dit iemand was die er met opzet op uit was geweest hem op een zo eenzaam en afgelegen mogelijke plaats op te zoeken. In dat geval was dit beslist de juiste plek. In dit jaargetijde kwamen hier hoogstens twee auto's per uur langs.

'Inspecteur Tate?' zei de man, en het feit dat hij zijn naam kende, vergrootte Tates overtuiging dat dit een gezicht uit het verleden was. Toen de man in zijn jaszak tastte, deed Tate een stap achteruit, maar hij trok geen wapen. Wat hij wel tevoorschijn haalde, was een visitekaartje. 'John Cranmer,' zei hij.

Tate kende de naam. De afgelopen dagen had Cranmer geprobeerd hem te bereiken op het bureau, bewerende dat hij informatie had over de situatie in Lyndle. Tate zou normaal gesproken wel op die telefoontjes gereageerd hebben als de dienstdoende agent er niet bij had gezegd: 'Ik zou er niet te veel adem aan verspillen... hij zegt dat hij paranormaal begaafd is.'

Cranmer had echter volgehouden. Toen Tate hem niet terugbelde, belde hij elk uur, op het hele uur, totdat hij een waarschuwing kreeg. Hij was gestoord. Niet dat dit besef Tate op zijn gemak stelde. Het was een opluchting te weten dat hij niet door een gezicht uit het verleden zou worden neergeschoten, maar het leek hem verstandig, voorlopig althans, hem als een potentieel gevaar te zien...

'U hebt mijn telefoontjes niet beantwoord.'

'Ik ben een druk bezet man.'

'Maar goed,' zei Cranmer, 'nu u mij met het probleem hebt opgezadeld op de een of andere manier uw aandacht te trekken, kunt u toch op zijn minst mijn visitekaartje accepteren.'

Hij stak het Tate opnieuw toe, maar die wilde niet te dicht in de buurt komen en toen Cranmer besefte dat hij niet van plan was het kaartje aan te nemen, liep hij naar de auto en stak het onder de ruitenwisser. 'Daarop staan de naam en het telefoonnummer van iemand die voor me in kan staan,' zei hij. Toen draaide hij zich om en loste op in de duisternis.

Tate staarde hem na. En al binnen een paar tellen vond hij het moeilijk te geloven dat de man hier ooit geweest was. Hij bleef nog een seconde of dertig staan waar hij stond, trok toen het kaartje onder de ruitenwisser vandaan en stapte in zijn auto, waarna hij alle vier de portieren vergrendelde.

Het hele gedoe had hem van zijn stuk gebracht, want hoewel er van geweld geen sprake was geweest, kon de ernst van wat er zojuist gebeurd was niet genoeg worden benadrukt. Cranmer moest hem gevolgd zijn toen hij vanochtend het bureau verliet. Ofwel dat, of hij was erachter gekomen wat zijn plannen voor die dag waren. En als hij de moeite had genomen om daarachter te komen, zou hij dan ook niet weten waar Tate woonde?

Zijn huis aan de rand van Hexham was nog geen uur rijden hier vandaan. Als Cranmer nu eens onderweg was daar naartoe?

Tate gebruikte zijn mobiele telefoon om het bureau te bellen en te vragen of er een surveillancewagen langs zijn huis kon worden gestuurd. Vervolgens belde hij zijn vrouw en vertelde wat er was gebeurd.

'Waar zijn de kinderen?' vroeg hij.

June was een kalme, intelligente vrouw die les gaf op de plaatselijke school. Ze raakte niet zo snel in paniek, maar ook haar stond het niets aan dat iemand mogelijk haar echtgenoot was gevolgd. 'Becky is op haar kamer en is bezig met haar huiswerk. Steven zit achter zijn Play Station.'

'Haal ze naar beneden,' zei Tate. 'Houd ze in je buurt tot ik thuis ben. En probeer je niet te veel zorgen te maken. Er kunnen nu elk ogenblik twee grote, van de sneeuw druipende agenten je keuken binnenstappen... Zij blijven bij je tot ik terug ben.'

Tate hing op en startte de motor, maar hij trok niet direct op. Hij deed het binnenlicht aan en las wat er op het kaartje stond. Op de voorkant stond het embleem van de politie van Los Angeles en de naam 'inspecteur George Iwanowski'. Achterop had Cranmer zijn eigen naam geschreven. Eronder stond 'The Grange Hotel, Hexham'.

The Grange was een van de betere hotels in Hexham, maar Tate betwijfelde of dat de reden was dat Cranmer daar had geboekt. Het lag vrijwel recht tegenover het politiebureau.

Hij draaide de auto en reed weg in de richting waarin Cranmer in het duister was verdwenen. Er was geen enkel teken van hem, noch van zijn auto.

Het had enige minuten gekost om June en het bureau te bellen. Als Cranmer verderop geparkeerd had gestaan, waren die paar minuten voldoende geweest om hem een voorsprong te geven. Niet dat het er iets toe deed. Hij was niet van plan om te proberen hem in te halen. Dit was een B-weg die langs vervaarlijke rotspartijen kronkelde en het was bij goede omstandigheden al gevaarlijk genoeg. Bovendien had hij plannen met Cranmer en daar hoorde een confrontatie hier buiten niet bij.

Toen hij op het bureau terug was, zocht hij Fletcher op, die hem verzekerde dat hij tegen niemand had verteld wat zijn plannen voor die dag waren. Dat had Tate ook niet verwacht, maar het was toch een opluchting het bevestigd te krijgen. En hoewel het niet verklaarde hoe Cranmer hem had weten te vinden, was ook dat niet onoverkomelijk: Tate was van plan om hem naar het bureau te halen en het van hemzelf te horen te krijgen.

Fletcher had de misleidend luie blik van een bergleeuw. Hij gaapte en zei: 'Waar zit hij?'

'Hij logeert in The Grange.'

'Dan moet hij zo ongeveer miljonair zijn.'

'Ja, dat zou je wel denken,' zei Tate.

The Grange richtte zich op mensen die lekker wilden eten en die zich aan het einde van een dag slenteren over Hadrians Wall in een hemelbed wilden vlijen. In dit jaargetijde hanteerde men aangepaste prijzen, maar het was nog steeds het beste hotel in de wijde omtrek.

Hij besloot een telefoontje te plegen om te controleren of Cranmer daar inderdaad logeerde alvorens bij de receptie op te duiken en de eigenaars in verlegenheid te brengen. Fletcher, een man van drieëndertig, kon nog wel voor wat anders dan een smeris doorgaan. Tate, die vierenveertig was, droeg vaak een pak of de vrijetijdskleding waarmee je ook in de plaatselijke pub niet uit de toon viel. Maar hij bleef eruit zien als een politieman. En de eigenaars van The Grange zouden een bezoekje van de politie zonder gegronde redenen niet op prijs stellen. Ze kregen niet het soort gasten dat een dergelijke verstoring rechtvaardigde.

De receptioniste controleerde het register en bevestigde dat Cranmer vijf dagen geleden zijn intrek in het hotel had genomen.

'Is hij op dit moment aanwezig?' vroeg Tate, en ze zei dat ze zijn kamer zou proberen.

Enige ogenblikken daarna nam Cranmer de telefoon op en dat vertelde Tate alles wat hij weten wilde.

Hij verbrak de verbinding en draaide toen het visitekaartje om. Agenten hadden tegenwoordig ook visitekaartjes, net als ieder ander. Ze waren gewoon handig. *Als je nog iets te binnen schiet, schat, bel me dan.*

Hij had geen idee of dit kaartje echt was. Het leek er wel op, maar dat zei nog niets. Cranmer kon het gemakkelijk zelf hebben laten drukken. Er was maar één manier om dat uit te vinden en dat was door het nummer te draaien, en dat deed hij dan ook.

Enkele ogenblikken later deelde een blikkerige stem hem mee dat hij doorverbonden zou worden met de voicemail van inspecteur Iwanowski, maar dat als hij echt dringend iemand wilde spreken, hij een ander nummer moest draaien...

Tate was verrast te ontdekken dat Iwanowski echt bestond. Maar het feit dat er een inspecteur Iwanowski bij de LAPD in dienst was, betekende nog niets. Het wilde niet zeggen dat hij zijn kaartje aan Cranmer had gegeven of dat hij Tate iets over hem kon vertellen als hij hem aan de lijn kreeg.

Tate had liever eerst met Iwanowski gesproken alvorens Cranmer naar het bureau te roepen, maar aangezien hij niet aanwezig was, leek het erop dat dat zou moeten wachten. Hij liet een boodschap achter met de vraag of Iwanowski hem wilde terugbellen en verbrak toen de verbinding. 'Laten we maar eens kijken wat Cranmer zelf te melden heeft,' zei hij, waarna hij samen met Fletcher het bureau verliet.

3

Tate en Fletcher gingen The Grange binnen, toonden hun politiepenning aan het meisje achter de balie en vroegen haar of ze naar Cranmers kamer wilde bellen.

'Maar zeg er niet bij dat er hier beneden politie is om hem te spreken,' zei Tate. 'Vraag hem alleen om naar beneden te komen teneinde een probleempje met zijn rekening uit de weg te helpen. Laat de rest maar aan ons over.'

Toen hij zich realiseerde dat ze niet luisterde, maar naar iets achter hen keek, draaide Tate zich om naar een paar banken die rond een koffietafel gegroepeerd stonden. Terwijl hij dat deed, stond er iemand van een van de banken op en kwam op hen af.

'Inspecteur Tate,' zei hij. Hij stak zijn hand uit. 'John Cranmer...'

Eerder op de heide had Tate de indruk gekregen dat Cranmer een grote man was. Hij moest dat nu echter herroepen, want Cranmer was minder groot dan hij eerst dacht. Hij was ongeveer één meter vijfenzeventig, zeker niet langer, en ook zijn krachtige gelaatstrekken en zijn plechtige, halfgeloken blik waren niet wat Tate had verwacht te vinden onder de capuchon die hij eerder op had gehad. De kleren die hij nu aan had, konden niet meer verschillen van de bergbeklimmersuitrusting die hem twee keer zo groot had doen lijken en die zijn uiterlijk zo goed had weten te verbergen. Hij was op dit moment gekleed in een leigrijs pak en een kasjmieren coltrui. De riem was van Italiaans leer en iets donkerder grijs dan het pak, en de schoenen pasten perfect bij de riem. Ze leken handgemaakt.

Toen Tate zijn uitgestoken hand niet accepteerde, trok Cranmer hem terug en zei: 'Laat me eens raden – u wilt van gedachten wisselen over wat er eerder is voorgevallen?'

Het accent was dat van iemand die op een privé-school had gezeten, maar het klonk ook een beetje alsof Cranmer een tijd in de Verenigde Staten had gewoond. Dat zou kunnen kloppen, want hij zag er Amerikaans uit. De kleren, zijn uiterlijk, zelfs zijn manier van doen. Het zou beslist interessant zijn erachter te komen wat een man als hij in Northumberland te zoeken had.

Cranmer knikte naar een doorgang naar een goed geoutilleerde bar. 'Waarom zoeken we niet een wat rustiger plekje?'

'Er zijn voldoende rustige plekjes op het politiebureau,' antwoordde Tate.

Cranmer glimlachte. 'Zoals u wilt...'

Hij pakte een jas van de rugleuning van de bank, trok hem over zijn pak heen aan en sloeg een kasjmieren sjaal rond zijn nek. Fletcher bekeek al die handelingen alsof hij een exotisch dier bestudeerde. Zoals de meeste mensen die geboren en getogen waren in Newcastle leek hij bijna immuun voor de kou. Hij droeg zelden meer dan een jack op een T-shirt en een spijkerbroek. Geen handschoenen. Geen sjaal. Geen belangstelling voor het feit dat buiten de sneeuw viel in vlokken ter grootte van een vuist.

Hij hield de deur open voor Cranmer en nadat Tate de mannen gevolgd was naar de straat keek deze nog even om naar het hotel. Het was naar moderne maatstaven gemeten niet groot. Het telde misschien twintig kamers, waarvan de helft zich aan de achterzijde bevond. De kamers aan de voorkant keken uit op een rij winkels. Ze waren van het bureau gescheiden door een zijstraat en hoewel het niet mogelijk was om vanuit het hotel in het politiebureau te kijken, was het al heel lang een bron van zorg dat de hoofdingang van het bureau schuin tegenover een plek lag waar een misdadiger heel eenvoudig met een semi-automatisch wapen achter een van die hotelramen kon gaan zitten om te wachten tot zijn favoriete agent naar buiten kwam.

Hij stelde zich Cranmer in een van die kamers voor, uitkijkend naar hemzelf. Niet dat dat veel zou opleveren. Hij gebruikte zelden de hoofdingang. Hij maakte er nu wel gebruik van trouwens, en terwijl hij en Fletcher Cranmer naar binnen geleidden, verbaasde hij zich erover hoe kalm de man leek. De meeste mensen in zijn positie zouden toch wat bang zijn voor wat komen ging, maar Cranmer zag er totaal niet bang of gespannen uit. Hij leek zelfs nauwelijks van zijn stuk gebracht.

Ze gingen hem voor een betonnen trap af naar een verhoorkamer naast het cellenblok. Het stonk er naar desinfecterende middelen, want eerder die dag had iemand op de vloer gepist uit protest tegen zijn opsluiting wegens inbraak met geweld. Er was geen noemenswaardige verwarming. Geen ramen. Alleen maar een tafel, twee stoelen en een deuk in de muur waar de wildplasser had geprobeerd te ontsnappen door er doorheen te springen.

'Doe alsof u thuis bent,' zei Tate, naar een van de twee stoelen knikkend.

Fletcher sloot de deur en leunde er vervolgens tegenaan terwijl Cranmer ging zitten, met de tafel tussen hen in, de poten vastgeklonken aan de betonnen vloer.

'Goed,' zei Tate. 'Nu u dan eindelijk mijn aandacht heeft, zou u me misschien kunnen vertellen wat u dacht te bereiken.'

'Hoor eens,' zei Cranmer. 'Wat ik vandaag heb gedaan, deugt niet, maar u liet me geen keus. Ik heb voortdurend boodschappen voor u achtergelaten. U reageerde er niet op.'

'Waar komt u vandaan?' vroeg Tate.

'Oorspronkelijk?'

'Bijvoorbeeld.'

'Uit de omgeving van Londen, de Home Counties.'

'Dat is geen antwoord op mijn vraag.'

'Ik weet niet of daar wel een antwoord op is – ik heb heel wat rondgezworven.'

De grapjas die eerder die dag op de vloer had gepist, zat op dit moment in een van de cellen en bevuilde nu ongetwijfeld zijn bed. Als hij niet uitkeek, kon Cranmer hem, Italiaans pak of niet, binnenkort gezelschap gaan houden. 'Als u de nacht hier wilt doorbrengen, moet u vooral zo doorgaan.'

'Ik probeer alleen maar een eerlijk antwoord op uw vragen te geven.'

'Waar woont u?' vroeg Tate.

'De Verenigde Staten.'

'Hoe lang woont u daar al?'

'Bijna twaalf jaar.'

'Waarom de Verenigde Staten?'

'Ik werd uitgenodigd om deel te nemen aan bepaalde experimenten.'

'Door wie?'

'De Amerikaanse regering.'

Die knaap was een fantast. 'Waar is uw paspoort?'

Cranmer haalde het uit zijn zak. Tate keek het even in. Het was minder dan vijf jaar geleden verlengd, maar de informatie die het bevatte, leek er op te wijzen dat Cranmer in de Verenigde Staten woonde, maar heel veel door Europa reisde.

'U leidt een druk bestaan.'

'Dat geldt dan voor ons beiden,' zei Cranmer. 'En u wilt waarschijnlijk net zomin uw tijd verdoen als ik, hetgeen ook de reden is dat ik ophield met u proberen te bellen en besloot u te gaan zoeken.'

Fletcher glimlachte en sloeg zijn ogen neer toen Tate Cranmer inschatte. Aan de ene kant was het onzinnig wat hij had gedaan. Aan de andere kant kwam hij niet bepaald over als een gestoorde. Hij klonk plausibel, beschaafd en vooral kalm, alsof hij gewend was om met de politie om te gaan.

'U zegt dat de Amerikaanse regering u heeft uitgenodigd aan bepaalde experimenten deel te nemen. Wat voor experimenten?'

Cranmer keek omlaag naar de tafel en zijn blik gleed over de krassen en brandplekken op het tafelblad, om uiteindelijk te blijven rusten op Tates trommelende vingers. 'Heeft u ooit gehoord van mensen die hun astrale zelf kunnen projecteren naar plekken die fysiek onbereikbaar zijn voor hen?'

Fletcher moest opnieuw een glimlach onderdrukken.

'Het is een gave,' zei Cranmer. 'Het Amerikaanse leger vroeg me naar de Golf te gaan om daar een gebouw binnen te dringen. Vervolgens moest ik aan hen rapporteren of het een ziekenhuis of een wapenopslagplaats was.'

Dit vertrek was in de loop der jaren getuige geweest van heel wat fantastische verhalen en het zag er naar uit dat dit een wel heel gedenkwaardig geval zou worden. Maar wat Tate betrof was het interessantste aan wat Cranmer vertelde de *manier* waarop hij het vertelde. Hij klonk zo verstandig. 'Laten we die Golf even laten voor wat het is,' zei Tate. 'Want wat ik wil weten, is wat u hier doet en waarom u mij achtervolgt.'

'Ik ben speciaal van de Verenigde Staten hierheen gevlogen om u te helpen.'

'Waarmee dan wel?'

'Het onderzoek.'

'Welk onderzoek.'

'Lyndle.'

'Wat is uw belang bij Lyndle?'

'Ik liep door het bos–'

'Wanneer?'

'Een tijdje terug. Maar ik wist niet waar ik was tot ik erover las.'

'Hoe bedoelt u – u wist niet waar u was?'

Cranmer antwoordde: 'Ik bedoel, ik was daar wel, maar niet fysiek. Ik projecteerde mezelf.'

Tate voelde de verleiding om zelf ook iets te projecteren, maar voordat hij Cranmer kon vertellen hoe hij diens onmiddellijke toekomst zag, kwam er een agent binnen om hem te vertellen dat er iemand uit Los Angeles aan de lijn was die hem wilde spreken. Het klonk dringend.

Tate had zijn blik niet van Cranmer afgewend. Dat deed hij nu wel. 'Ik neem het telefoontje wel in mijn kantoor,' zei hij.

Toen hij in zijn kantoor was, drukte Tate de deur dicht met zijn voet en nam de telefoon op. Geen Iwanowski. Niets. Slechts een dode lijn.

Hij legde de hoorn weer neer en terwijl hij wachtte tot het gesprek werd doorverbonden, nam hij de situatie nog eens door. Hij was er nog steeds niet zeker van of Cranmer het nu eigenlijk waard was om je zorgen over te maken. Hij hoopte dat zou blijken dat de man gewoon een kick kreeg van het volgen van mensen die moeilijker te traceren waren dan de gemiddelde burger, dit vanwege de veiligheidsmaatregelen waarmee ze beroepshalve omgeven waren. Als dat zo was, dan zou het succesvol opsporen van een hogere politiebeambte en het in het donker voor hem opduiken waarschijnlijk al voldoende bevrediging hebben gegeven. Hij hoopte het maar.

Zijn blik dwaalde van de telefoon naar de papieren op zijn bureau. Ertussen lag een dossier betreffende Ginny Mulholland, een meisje van achttien dat een deel van afgelopen zomer op Lyndle Hall had gewerkt. Hij trok het dossier naar zich toe en sloeg het open. Het bevatte de gebruikelijke verklaringen en rapporten. Er lag ook een nieuw bericht met betrekking tot Cranmer. Er werd melding in gemaakt van het feit dat om 11.17 uur die ochtend Cranmer het bureau was binnengekomen en naar Tate had gevraagd. De agent achter de balie had uitgelegd dat Tate niet bereikbaar was en bood aan hem met iemand anders te laten praten. Cranmer bedankte en vertrok.

Geen van de voorgaande berichten had Tate veel zorgen gebaard, maar dit was anders, want om 11.17 uur was Tate op weg geweest naar Durham om met Ginny's vader te praten. Als Cranmer het bureau was binnengewandeld terwijl hij onderweg was naar Durham, betekende dit dat hij hem niet gevolgd kon zijn. En dat was raar.

De telefoon ging en hij griste de hoorn van de haak. 'Tate,' zei hij.

Iwanowski antwoordde met: 'U heeft een boodschap op mijn voicemail achtergelaten.'

'Bedankt dat u terugbelt.'

'Wat is het probleem?'

'John Cranmer,' zei Tate. 'Zegt die naam u iets?'

Iwanowski bevestigde dat hij Cranmer kende.

'Vertelt u eens iets over hem,' zei Tate.

'Waar wilt u dat ik begin?'

'Hoe kent u hem?'

'Een paar jaar geleden liep hij het politiebureau binnen en beweerde dat hij informatie had over een vrouw die al enkele maanden vermist werd,' zei Iwanowski. 'Hij vertelde ons dat ze dood was. Toen bestudeerde hij in mijn kantoor een landkaart, trok een cirkel rond een bepaald gebied en zei dat we het lichaam in die omgeving zouden kunnen vinden. We gingen erheen. We vonden het. Wat moet ik er verder over zeggen?'

Na enkele ogenblikken antwoordde Tate: 'Als iemand bij mij langskwam met een dergelijk verhaal, zou ik geneigd zijn te denken dat die iemand iets te maken had met het feit dat het lichaam daar lag.'

'Die gedachte is ook bij ons opgekomen, geloof me.'

'Waar was het?'

'In een kloof,' zei Iwanowski. 'Uiteindelijk bleek dat haar auto van de weg was geraakt.'

'Hoe kon het dat ze niet eerder gevonden werd?'

'Haar lichaam werd door bomen aan het oog onttrokken. Het was ook vanuit de lucht onzichtbaar. Als Cranmer er niet geweest was... nou ja, ik betwijfel of we haar dan ooit gevonden hadden.'

Tate had geen enkele grond voor het beeld dat hij van Iwanowski had, maar hij stelde zich hem voor als een grote, nuchtere man en zeker niet als iemand die veel op zou hebben met mensen die beweerden over paranormale gaven te beschikken. Hetgeen maar weer eens bewees hoezeer je je kon vergissen, want Iwanowski zat er vol van.

'Hoor eens,' zei hij, 'er zijn zat mensen bereid om voor Cranmer in te staan. Ik zou u namen kunnen geven, maar wat zou dat voor zin hebben? U zult die knaap zelf moeten ervaren en daarna uw eigen conclusies trekken. Wat heeft u te verliezen?'

Tate kon zich wel zo'n beetje voorstellen wat hij te verliezen had: zijn geloofwaardigheid bijvoorbeeld, of het respect van zijn meerderen, zijn kansen op een toekomstige promotie. 'Ik heb u niet gebeld om uw mening te horen over Cranmers al dan niet paranormale gaven,' zei Tate. 'Waar ik me zorgen over maak, is of hij ooit een bedreiging voor iemand is geweest.'

'Een bedreiging?' Iwanowski's stem was vol ongeloof. 'Wat heeft hij gedaan om u dat idee te geven?'

Tate was niet van plan hem te vertellen wat er die dag gebeurd was en toen Iwanowski zijn terughoudendheid bemerkte, voegde hij eraan toe: 'Waar gaat dit eigenlijk over? Ik bedoel, vanwaar uw interesse voor Cranmer?'

Wat Tate betrof was het meer een kwestie van Cranmers interesse in hem. Of nauwkeuriger uitgedrukt, Cranmers interesse voor de vermissing van Ginny Mulholland.

Voordat hij was langsgegaan bij Lyndle Hall, had Tate de ochtend doorgebracht in een kleine bakstenen cottage in Durham. Het lag op loopafstand van de universiteit, waar Ginny's vader al bijna dertig jaar colleges gaf. Hij noodde Tate in een klein, met boeken bezaaid vertrek en vertelde hem wat hij al tegen al die lagere politiebeambten had verteld die inmiddels langs waren geweest. 'Ginny is zoek.'

Toen meneer Mulholland officieel melding maakte van het feit dat zijn dochter verdwenen was, was Ginny al drie weken zoek.

'Waarom hebt u er zo lang mee gewacht?'

'Ik wilde u niet onnodig lastigvallen. En mevrouw Herrol bleef me maar voorhouden dat er waarschijnlijk niets aan de hand was.'

Tate besloot om bij het begin te beginnen en erachter te komen waarom Ginny eigenlijk op Lyndle was gaan werken. Ze was achttien. Ze was afgelopen juni van de middelbare school gekomen en had de open dag op de universiteit van Durham bezocht in de hoop daar politieke wetenschappen te kunnen gaan studeren. Haar vader zei: 'Mevrouw Herrols zoon, Nicholas, studeert kennelijk ook politicologie. Hij had de taak gekregen een groep aankomende studenten op de campus rond te leiden. Ginny maakte deel uit van die groep. Ze liet zich ontvallen dat ze een vakantiebaantje zocht en hij deed een goed woordje bij zijn moeder.'

Op dat moment moest Tate Lyndle zelf nog zien, anders zou hij zich ongetwijfeld hebben afgevraagd wat een meisje als Ginny kon hebben bezield om een baantje te accepteren op een plek die door Bischel was omschreven als 'een obsceniteit'. Op het moment van het gesprek vroeg hij zich alleen maar af waarom ze voor Durham had gekozen. Het was natuurlijk een van de vijf hoogst aangeschreven universiteiten, maar het was ook zo ongeveer bij haar om de hoek en naar zijn ervaring konden de meeste jonge mensen niet wachten tot het moment dat ze de afstand tussen hen en hun ouders zo groot mogelijk konden maken.

'Waarom Durham?' zei hij.

Mulholland antwoordde: 'Er waren een paar praktische overwegingen. Wij wonen tamelijk dicht bij de campus en het was voor haar heel belangrijk om de kosten zo laag mogelijk te houden.'

Niets vreemds aan. Aangezien beurzen niet meer bestonden, kozen steeds meer mensen ervoor om tijdens hun studie thuis te blijven wonen. Het leek Tate een tamelijk goede beweegreden, en toen keek hij eens om zich heen. Dit kleine huisje met zijn academische uitstraling, de vele studieboeken, was nu niet bepaald de plek waar een meisje van achttien haar vrienden mee naartoe zou willen nemen. Geen tv, zag hij. Alleen een onopvallende radio.

'Ik heb geen druk op haar uitgeoefend om haar thuis te houden,' zei haar vader. 'Ze leek het zelf te willen.'

Tate liet daar even zijn gedachten over gaan. Als dochters gevoelige, wat oudere vaders hadden, vonden ze het soms moeilijk hun te vertellen dat ze op zichzelf wilden gaan wonen om hun eigen, vooral seksuele leven te kunnen leiden. En Ginny en haar vader waren zeer aan elkaar gehecht. Zozeer zelfs dat ze elkaar bijna dagelijks belden, dus toen er begin september drie dagen voorbijgingen zonder dat hij van zijn dochter hoorde, begon Ginny's vader zich ongerust te maken. 'Wat deed u toen?' vroeg Tate.

'Ik belde allereerst naar mevrouw Herrol en vroeg haar om aan Ginny door te geven dat ik gebeld had. Ze zei dat ze dat met alle plezier zou doen, als ze maar wist waar het meisje was. Maar ze had haar de afgelopen drie dagen niet gezien en verwachtte haar ook niet meer te zien, want ze leek ervandoor te zijn met haar echtgenoot.'

Daarna had Ginny's vader niet goed geweten wat hij moest doen. Hij kon zich niet voorstellen dat zijn dochter er met een getrouwde man vandoor was. En toen bedacht hij dat Ginny niet langer een kind was. 'Het was heel wel mogelijk dat zij en de echtgenoot van die vrouw een verhouding hadden. Ik kon het haar niet zelf vragen, maar ik moest de feiten onder ogen zien.'

'En hoe lang duurde het voor u verdere stappen ondernam?'

'Ik liet het een paar weken op zijn beloop. Ze zou tenslotte op 15 september op Durham beginnen. Het kon volgens mij niet anders of ze was voor die tijd weer thuis.'

'En toen de vijftiende aanbrak en de dag verstreek zonder dat u ook maar een teken van haar kreeg, wat deed u toen?' vroeg Tate.

'Ik was van streek. Ik voelde me door haar in de steek gelaten, niet alleen moreel gezien, begrijpt u, maar ook in academische zin. Ik kon niet geloven dat ze zo dol op die man was dat ze voor hem haar hele toekomst vergooide.'

Direct daarop, zo verklaarde hij, had hij een advertentie in de plaatselijke krant geplaatst met daarin het verzoek aan Ginny om contact met hem op te nemen. Dat was een vergissing. Een journalist belde en bood zijn hulp aan. 'Achteraf gezien besef ik dat hij alleen maar een leuk verhaaltje rook en ik, dwaas die ik ben, gaf het hem op een presenteerblaadje.'

Tate noteerde de naam van de journalist.

'Hij vroeg of ik geen foto van Ginny voor hem had, dus liet ik hem er eentje uitzoeken uit het familiealbum.'

Tate wist op welke foto hij doelde. Hij had hem in alle roddelbladen teruggezien.

'Ik begreep toen niet waarom hij die bewuste foto uitkoos. Het is nooit mijn lievelingsfoto geweest. Het was zo helemaal niet haar, als u begrijpt wat ik bedoel.'

Tate begreep het maar al te goed. De journalist had een foto uitgekozen waarop Ginny een strakke spijkerbroek en te veel make-up droeg. Hij was een paar jaar eerder genomen, toen ze met een paar vriendinnen aan het dollen was. Het lag er allemaal veel te dik bovenop, van de superglanzende lippenstift tot de provocerende pose, met de billen uitdagend naar achteren. Het was de ideale foto voor een kop als: PLAATSELIJKE SCHUINSMARCHEERDER GAAT ERVANDOOR MET MEISJE DAT ZIJN DOCHTER KON ZIJN.

'Ik heb mijn beklag gedaan bij de hoofdredacteur,' zei Mulholland. 'Maar dat haalde niets uit.'

Ook dat was geen verrassing. 'Wat had mevrouw Herrol daarop te zeggen?'

'Ze was woedend. Ze vroeg of ik van plan was er een gewoonte van te maken haar familie door het slijk te halen. Ik wist nauwelijks wat ik moest zeggen. Ik kon me alleen maar verontschuldigen.'

Tate had enorm met de man te doen. Hij was oud en hij was bezorgd en de een of andere verslaggever had daar misbruik van gemaakt.

'Het ergste is nog dat Ginny er niet op reageerde, hoewel ze het artikel toch gelezen moet hebben. Dat kon ze toch onmogelijk over het hoofd hebben gezien, of wel?'

Misschien, misschien niet. Het was verbazingwekkend wat mensen allemaal niet over het hoofd konden zien, net zoals het verbazingwekkend was wat ze wel oppikten.

'Pas toen begon ik te vrezen dat haar iets ergs was overkomen, dus belde ik opnieuw mevrouw Herrol. Niet dat het veel hielp. Ze zei dat ik me zorgen maakte om niets. Tenslotte was haar eigen man ook verdwenen. Het was toch overduidelijk dat die twee bij elkaar waren.'

Tate begon te begrijpen waarom hij niet automatisch de politie had gebeld.

'Ze vertelde me dat Ginny wat van haar kleren had achtergelaten. Ik vroeg of ze die aan mij wilde toesturen. Ze arriveerden in een kartonnen doos die ik op Ginny's kamer heb gezet. Maar ik heb hem niet geopend. Althans, niet direct. Ik wilde haar privacy niet schenden, begrijpt u. Maar naarmate de weken verstreken, begon ik te beseffen dat ik toch echt iets moest doen, dus bekeek ik haar spullen – ik weet niet waarom. Misschien hoopte ik een aanwijzing omtrent haar verblijfplaats te vinden.'

De doos bevatte een paar spijkerbroeken, een oude trainingsbroek, een boek dat eruit zag of het gelezen was en daarna afgedankt. Het leek erop, was zelfs waarschijnlijk, dat Ginny deze spullen had achtergelaten omdat ze ze niet langer wilde. Maar ze liet ook een tasje achter – een en al ritsen en vakjes – en daarin vond hij een brief. Het was deze vondst die hem er uiteindelijk toe dreef om contact op te nemen met de politie, hoewel de brief op zich niet echt nieuw voor hem was. Hij was geschreven door zijn vrouw, die een paar dagen na het schrijven was overleden. Mulhollands lip trilde toen hij hem aan Tate overhandigde.

Lieve Ginny, Tegen de tijd dat je oud genoeg bent om dit te lezen, zal ik al vele jaren dood zijn...

'Ik kan me nog voorstellen dat ze wat oude kleren heeft achtergelaten, maar niet de enige brief die haar moeder haar ooit geschreven heeft...'

Tate had inmiddels een andere foto van Ginny. Hij had hem van haar vader gekregen, met de woorden: 'Dit was de foto die ik aan de journalist had willen geven. Nu realiseer ik me natuurlijk waarom hij liever die andere had.'

Op deze foto droeg Ginny een zomerjurk. Haar benen waren bruin en ze had haar armen rond de hals van de hond geslagen. Ze zag eruit als een klein meisje. Haar haar erg lang. Haar glimlach onschuldig...

Iwanowski bracht hem weer terug tot de werkelijkheid. 'Ik neem aan dat Cranmer contact met u heeft opgenomen, anders zou u mij niet hebben gebeld.'

'Zo zou u het kunnen noemen, ja,' zei Tate.

'Waar is hij?'

Tate antwoordde dat hij op dit moment op het bureau zat.

Iwanowski hoorde kennelijk aan zijn toon dat er iets aan de hand was. Hij zei: 'Wat moet hij daar?'

Tates antwoord was nogal afstandelijk. 'Hij schijnt te denken dat hij mij met een zaak kan helpen.'

'Wat voor zaak?'

'Betreffende een vermist persoon–'
Iwanowski antwoordde: 'Als Cranmer belangstelling toont, hebt u geen vermist persoon.'
Tate wachtte op de rest.
'Dan is er sprake van moord,' zei Iwanowski.

4

Het tapijt kwam los van de vloer. Niet alleen van de vloer, maar zelfs van de muur, alsof het een oud stuk brood was waarvan de hoeken naar binnen krulden.

Zodra Nicholas het zag gebeuren, wist hij dat het nog maar een kwestie van tijd was voordat het tapijt zichzelf zou oprollen. Het zou net een veer zijn die was uitgerekt en die nu weer zou samentrekken. Als dat gebeurde, waren de afmetingen en het gewicht ervan wel zo zwaar dat het hem als een python zou omklemmen. Het leven zou uit hem geperst worden. Dat was het plan van het ding.

Toen ze dit hoorde, streelde Claudia over zijn haar alsof hij nog een kind was.

'Waarom denk je dat een tapijt jou zou kunnen doden?'

'Je ziet het toch,' zei hij.

Ze bood aan het vast te spijkeren, maar kreeg toen een beter idee. 'Waarom gooien we het niet gewoon weg?' Tenslotte was de afgelopen paar weken al elk ander verplaatsbaar voorwerp uit de kamer verwijderd: de grote klerenkast van walnotenhout, de tafel die inmiddels aan stukken lag, de wandlampen die een belediging voor haar ogen waren geweest. De enige lichtbron werd nu nog gevormd door het peertje boven hun hoofd, waarvan de kap al was verwijderd voor het geval er een toepassing gevonden zou worden voor het koord. Zelfs de gordijnen waren verdwenen, want nog maar een paar dagen geleden trof ze ze aan flarden gescheurd aan. Repen ervan zaten in zijn slaap om zijn keel gewikkeld.

Het enige dat er nu nog stond, was het bed en dat hadden ze net ook al helemaal ontmanteld. Het hoofdeinde en het frame hadden ze gezamenlijk naar de overloop gesleept. Tijdens het afbreken van het bed was er iets uit gevallen. Een Romeinse munt. Onmiddellijk rolden de jaren terug en herinnerde Claudia zich weer de ophef over het zoekraken ervan.

Nicholas kwam hier naar binnen rennen om zijn vader de munt te laten zien, maar Francis zei: 'Ik ben bang dat je daar niet mee mag spelen, ouwe jongen. Het is nogal kostbaar.'

In een cassette in de studeerkamer lagen nog meer van dergelijke munten. De cassette zat normaal gesproken op slot. 'Ik dacht dat pappa je had verteld van die spullen in de doos met het glazen deksel af te blijven?'

'Maar hij zat niet in de doos. Hij lag in mijn kamer.'

Francis zei: 'Draai er niet omheen, jongeman. Daar krijg je een lange, houten neus van.' En toen – en dat was typisch Francis – verzachtten zijn trekken en liet hij Nicholas er toch mee spelen, met de bedoeling de munt later weer terug te stoppen. Maar dat zou nooit gebeuren, want Nicholas had de munt laten vallen. Zij en Francis hadden de hele kamer doorzocht, maar ze hadden hem niet gevonden.

'Heeft je vriend hem misschien geleend?' zei Claudia, want dit was in de dagen dat ze het onderwerp van de denkbeeldige vriend nogal luchtig opvatten. Het was tenslotte niet ongebruikelijk dat kinderen zonder broers of zussen er een denkbeeldige vriend op na hielden. En ook was het niet ongebruikelijk dat ze met die vriend kletsten. Maar met deze vriend was er iets...

Ze sprak er met de huisarts over en leende boeken uit de bibliotheek. Er was heel wat literatuur over en dat was op zich geruststellend. Het betekende dat het *normaal* was.

Volgens die boeken hadden denkbeeldige vrienden meestal dezelfde leeftijd als het kind en ze hadden daarom ook een algemeen erkende functie in de ontwikkeling van het kind. Als je ernaar vroeg, kon het kind vaak zijn vriend tot in detail beschrijven en dat kon niet alleen heel amusant zijn, maar het kon ook inzicht verschaffen in de ontwikkeling van het kind. Ouders werd daarom geadviseerd om hun kinderen te vragen naar het imaginaire wezen.

'Hoe heet hij?' vroeg Claudia.

'Het is geen hij,' zei Nicholas.

'Zij dan.'

'En het is ook geen zij.'

'Wat is het dan?'

'Weet ik niet.'

Claudia's nieuwsgierigheid werd alleen maar groter. 'Hoe ziet het eruit?'

'Welk deel bedoel je?'

'Het gezicht.'

'Het heeft geen gezicht.'

Ze voelde een lichte ongerustheid. 'Draagt het kleren?'

'Natuurlijk draagt het kleren.'

'En hoe zien die er uit, die kleren?'

'Als spinrag, maar dan wel vuil.'

Aanvankelijk zei Francis dat ze zich druk maakte om niets, maar nadat hij zelf met Nicholas gesproken had, deelde hij haar bezorgdheid. 'Wat doen jullie tweeën?'

'Niets.'

'Je moet toch iets doen, Nicholas. Vrienden zitten niet de hele dag te niksen, of ze moeten al heel erg oud en heel erg saai zijn.'

'We praten.'

'Waarover?'

'Niets.'

Francis begon zijn geduld te verliezen. 'Nou moet je eens

goed luisteren, Nicholas – je kunt niet over niets praten.'

Nicholas gaf zich gewonnen. 'Goed dan,' zei hij. 'Het vertelt me dingen.'

'Wat voor dingen?' vroeg Francis.

Nicholas had zich met zijn zes jaar naar hem toegewend. *Het vertelt me dingen die ik nooit had willen weten...*

5

Toen hij zich realiseerde dat Nicholas Herrol er min of meer voor gezorgd had dat Ginny naar Lyndle kwam, probeerde Tate contact met hem op te nemen. Er was een telefoon in dat huis, maar er werd nooit opgenomen. Maar goed, als hij dan Nicholas niet kon bereiken, kon hij op zijn minst met iemand gaan praten die hem kende. Hij keerde dus terug naar Durham om met een van Nicholas' docenten te spreken, Graham Lush.

Lush had hem uitgelegd hoe hij bij zijn appartement in een voormalig pakhuis moest komen, een open ruimte voornamelijk bestaand uit baksteen en gietijzeren pilaren. Bijgevolg zat Tate nu op een bank in de vorm van een golf. Hij was uit massief hout gemaakt en leek het enige meubelstuk in een kamer die zo'n twintig bij vijftien meter besloeg. Het bed, besloot hij, zou wel die mat zijn op dat glazen paneel dat van het plafond afhing. 'Woont u hier al lang?' vroeg hij.

'Drie maanden,' antwoordde Lush

'Het moet nogal wat bijzonders zijn om hier te wonen.'

'Dat vond mijn vrouw kennelijk ook. Ze is bij me weg.'

'Voor of na de verhuizing?'

Lush glimlachte. 'Ik denk dat het al speelde voordat ik opperde dat saaie kleine huisje te verkopen en naar iets... uitdagenders te verkassen.'

Hij zag eruit als een man die graag mocht uitleggen, breed

uitgemeten, dat het appartement niet zozeer een woonruimte was als wel een politieke stellingname. Tate was hier niet heen gekomen om over politieke stellingnames te praten. 'Nicholas Herrol is een van uw studenten.'

'Wat is er met hem?'

'Wat kunt u mij over hem vertellen?'

Er waren heel wat dingen die Tate wilde weten, bijvoorbeeld of Nicholas een beetje met de andere studenten kon opschieten. Hield hij zich afzijdig? Had hij een vriendin? Was hij homo? Nicholas studeerde politicologie. Kennelijk interesseerde dat onderwerp hem, dus bij welke politieke groeperingen had hij zich aangesloten? Praatte hij weleens over Lyndle of zijn ouders? Hoe was hij in de omgang? Tientallen vragen – allemaal bedoeld om Tate in staat te stellen een beeld van hem te krijgen. Voorlopig echter stelde hij zich tevreden met de vraag waarom de jongen had besloten een jaar lang geen college te lopen.

'Ik weet niet zeker of ik daar wel antwoord op kan geven.'

Tate wist niet of Lush daarmee doelde op een of ander beroepsgeheim of dat hij het antwoord echt niet wist.

'Wiens beslissing was het – die van hem of van de universiteit?'

'Zoals ik daarnet al zei, ik weet niet of ik daar wel op kan antwoorden.'

Tate had genoeg van de houten bank. Hij liep naar het raam en keek naar werklui die in het pakhuis aan de overkant een draagbalk plaatsten. Een kanaal scheidde de twee gebouwen. In het kanaal lag een gerestaureerde kolenschuit aangemeerd, met op de zijkant de woorden 'Long Boat Café'. 'Ik zit met een vermist meisje,' zei Tate. 'Ik denk dat ze dood is. Dus ik vraag het u nogmaals, meneer Lush. Wat kunt u me over Nicholas Herrol vertellen?'

De kranten stonden vol met Ginny's verdwijning en Lush moest hebben geweten dat de politie vermoedde dat ze dood was, maar nu het hem zo botweg vertel werd, had het toch het gewenste effect. Hij worstelde nog even met zijn geweten, maar verloor: 'Ik heb geprobeerd hem voorgoed van de universiteit te verwijderen. Helaas kon ik hem er slechts toe dwingen een jaar vrijaf te nemen. Ik hoef er niet bij te vertellen dat ik hoop dat hij niet meer terugkeert.'

Tate stond nog steeds met zijn rug naar Lush toe. 'Er moeten toch officiële rapporten over zijn, over de problemen met hem, bedoel ik.'

Misschien dat Lush nog niet lang genoeg in het appartement woonde om gewend te zijn geraakt aan het ontbreken van bijzettafeltjes en dergelijke. Hoe het ook zij, hij zocht naar een plek om zijn lege mok neer te zetten en toen hij er niet in slaagde een geschikt oppervlak te vinden, zette hij hem maar op de grond. Vervolgens verdween hij achter een van het plafond afhangende matglazen plaat die als scheidingswand fungeerde. Erachter waren vaag de contouren zichtbaar van een stalen dossierkast.

Tate dacht opeens beter te begrijpen hoe mensen met staar de wereld zagen. Hij knipperde met zijn ogen, alsof hij verwachtte daarmee een helderder beeld te krijgen terwijl Lush de dossierkast opende, er een dossiermap uithaalde en daar weer een rapport uit trok.

Toen hij weer achter het glas vandaan kwam, overhandigde hij het aan Tate. Er stond 'vertrouwelijk' op. 'Nicholas was geobsedeerd door een van de vrouwelijke studenten – Sylvie Straker. Ik denk dat het goed is als u eens met haar gaat praten.'

'Waar woont ze?'

'Manchester.'

De colleges waren een maand geleden begonnen. 'Wat moet ze daar?'

'Herstellen,' zei Lush. 'Ik zal u haar adres geven.'

Vier uur later stond Tate op een patio aan de achterkant van een kleine, keurige bungalow in Manchester. Mevrouw Straker stond naast hem en stak een sigaret op. 'Ik was er eigenlijk mee gestopt,' zei ze. 'Maar sinds al die toestanden met Sylvie–'

De tuin zag er onverzorgd uit, een vierkant gazon vol kale plekken omgeven door overvolle borders. Ze gooide de lucifer op het gras en voegde eraan toe: 'Ik heb altijd al geweten dat we nog weleens iets over Lyndle zouden horen.'

Tate nam aan dat ze doelde op de recente media-aandacht betreffende het onderzoek naar Ginny's verdwijning. Hij liet haar verder praten.

'We verwachtten Sylvie thuis met de paasvakantie. Maar ze belde ons om te zeggen dat ze was uitgenodigd om dat weekend door te brengen met een jongen die ze van college kende. Ze had het nooit eerder over hem gehad. Maar toen ze zei dat zijn familie een landhuis bezat, nou ja, om eerlijk te zijn, toen dacht ik dat ze geen slechte partij had getroffen. Het klonk...' Ze aarzelde even, maar spuugde de woorden er toen bijna uit. 'Alsof hij er warmpjes bij zat.' Ze glimlachte. 'Ik hoop dat het wat wordt, dacht ik. God weet dat ik er mijn hele leven hard genoeg voor gewerkt heb. Ik wou dat ik op haar leeftijd een rijke vent aan de haak had geslagen.'

Ze verdween even naar binnen en liet Tate achter op de patio. Even later keerde ze terug met een foto van een meisje in een korte broek, de handen in haar broekzakken, haar glimlach breed en ongedwongen. 'Als ik mensen deze foto laat zien, zeggen ze: "Je dochter lijkt zo vol leven, zo vol vertrouwen." ' Ze leek ineens gevaarlijk dicht op de rand van tranen. 'Als je haar nu ziet, zou je niet denken dat het hetzelfde meisje is.'

Tate moest haar nog ontmoeten. Hij zei: 'Er is dat weekend kennelijk iets gebeurd.'

Mevrouw Straker antwoordde: 'De eerste avond dat ze daar was, kregen we een telefoontje. Hysterisch. *Kom me direct halen.*' Ze nam nog een haal van haar sigaret, blies de rook uit en voegde eraan toe: 'Het was tegen twaalven, maar Peter sprong in zijn auto. Het kostte hem uren om er te komen. Sylvie was uit het huis gevlucht. Ze zat bij het begin van de oprijlaan op haar vader te wachten.' Mevrouw Straker doofde de sigaret door hem tussen haar vingers uit te drukken, waarna ze hem op de patio gooide. 'Ze was... doodsbang.'

'Wat had haar zo bang gemaakt?'

Mevrouw Straker stiet een kort lachje uit terwijl een windvlaag de peuk opnam en hem de struiken in blies. 'Als we dat wisten, zouden we haar misschien kunnen helpen. Dat is wat de dokter zegt. Ik weet niet zeker of ik dat wel geloof.'

'Ik zou graag even met haar praten, als u het goed vindt tenminste.'

Ze knikte in de richting van Sylvies slaapkamer. 'Maar ik kan niet garanderen dat u veel uit haar zult krijgen.'

'Toch wil ik het proberen,' zei Tate.

Ze ging hem voor naar Sylvies kamer. Hij lag op het noorden en de verwarming was niet toereikend. Sylvie zat met een deken over haar knieën op haar bed. Ze leek in de verste verte niet op het meisje op de foto. Haar huid had niet langer die gebruinde teint en haar ogen stonden dof, op een manier die aan het gebruik van kalmeringsmiddelen deed denken.

Ze wist waarom hij hier was. Er was haar verteld dat een meisje dat van de zomer op Lyndle gewerkt had, vermist werd, maar al enkele minuten nadat hij een gesprek met haar begonnen was, realiseerde Tate zich dat ze geen enkele behoefte had hem te antwoorden. Hij besefte ook dat ze niet dwarslag om hem te pesten. Ze was gewoon bang. 'Ik wil dat u weggaat.'

Tate vroeg waarom.

'Het zou erachter kunnen komen dat u hier bent.'

'Wat zou daarachter kunnen komen?'

'En het is ook niet goed om erover te praten.'

'Waarover te praten?' vroeg Tate.

Sylvie Straker keek Tate voor het eerst echt aan. 'Het bijt hem,' zei ze. En toen begon ze te huilen.

6

De laatste keer dat Marion Thomas Tessa's nummer had gebeld, werd de telefoon direct opgenomen, net alsof Tessa al op het telefoontje had staan wachten.

Vanavond zou het niet anders zijn. Misschien dat Tessa eerder op de avond met Alex had gepraat en had gezegd: *Ik durf er wat om te verwedden dat Marion vanavond belt,* en misschien had het gezin een vergadering belegd om uit te maken wiens beurt het was om te proberen haar af te poeieren.

Als dat zo was, had Sasha mogelijk te berde kunnen brengen dat aangezien zij de persoon was met wie Marion wenste te spreken, zij dan ook maar de telefoon moest opnemen, maar aangezien de hele familie eensgezind was in haar vastbeslotenheid om haar te beschermen, leek het onwaarschijnlijk dat ze Sasha zouden toestaan zichzelf op te offeren, zodat alleen Alex en Tessa overbleven.

Ze zagen haar waarschijnlijk weer voor zich zoals ze als een verloren, demente ziel rond dat koude huisje in Bristol dwaalde, of misschien vergeleken ze haar met de duivel die zij vonden dat ze was geworden. Hoe het ook zij, op zeker moment zou Tessa aankondigen dat als er iemand de telefoon opnam, zij dat moest zijn. *Wij waren tenslotte vrienden, hoewel, als ik daar nu aan terugdenk-*

Het was maar beter om helemaal niet te bellen. Ze kon zich

maar beter bezighouden met het schilderen van de badkamer. Het resultaat daarvan zou een hele verbetering zijn ten opzichte van de vaalgroene kleur die de vorige eigenaar het vertrek geschonken had. Hoewel het door een gebrek aan liquide middelen plus de minieme afmetingen ervan altijd schril zou blijven afsteken tegen de badkamer in Tessa's huis, met zijn ijskleurige muren en de vloer van glanzend esdoornhout. De kastjes daar zaten vol handdoeken, olieën en zeepjes. Havervlokken om de huid te reinigen. Gerst om er vocht in aan te brengen. En tarwe voor de vermoeide, doffe huid die evaporatie nodig had.

Een van de zeepjes deed Marion denken aan een kom die haar dochter haar had gegeven toen ze nog een kind was. Klein en verfijnd en ook doorzichtig gemaakt door heel kleine korreltjes rijst. En het papier waarin het ding verpakt was, had een patroon van wilgenbladeren. Marion had het gestolen. Tessa zou het nooit missen, zou het nooit te weten komen. Ze had het nog steeds, gewikkeld in vloeipapier en bewaard in een la in de kamer waarvan Tessa ooit beschuldigend had beweerd dat ze er een heiligdom van had gemaakt.

Na de muur geschilderd te hebben, waste ze de kwasten uit, liep toen naar het heiligdom en ging op haar dochters bed zitten. Het was nu, op dit late uur, dat de drang om in contact te komen met Sasha haar onveranderlijk overweldigde en terwijl ze eraan toegaf, hield ze zichzelf voor wat ook verslaafden aan illegale substanties en afkeurenswaardige gedragingen zichzelf steeds weer voorhielden: *Nog één keertje kan geen kwaad. Alleen deze ene keer nog. En dan nooit weer, dat zweer ik.*

Terwijl ze het nummer draaide, kon ze zich al voorstellen waar het gezin op dit moment mee bezig was. Het avondeten zou al achter de rug zijn en ze zouden zich installeren om naar het nieuws te kijken in de kleinste van de drie ontvangstkamers van dat enorme, oude huis van hen. Alex en Tessa zouden op een van de twee uitgezakte banken zitten; en Sasha en Dominic zouden ongetwijfeld onderuitgezakt op de andere hangen. De open haard zou aan zijn, de oranje vuurtongen zouden worden weerspiegeld in een stevige boekenkast van kersenhout en de gordijnen zouden open zijn, weggeschoven van de hoge ramen die een zevencijferig uitzicht boden over de Avon. Het was het geld meer dan waard, volgens Tessa, die bij het zien van de Clifton-hangbrug aan San Francisco moest denken.

Eenieder die hen van buiten zo zag zitten, zou al gauw het idee hebben dat Tessa, Alex en hun nageslacht het toonbeeld waren van een welgesteld Engels middenklassegezin ten tijde van de eeuwwisseling. Ze zouden waarschijnlijk maar moeilijk kunnen geloven dat dergelijke gezinnen nog bestonden, met hun huwelijk nog intact, hun welopgevoede kinderen – een zoon voor haar, een dochter voor hem, het was allemaal zo ziekelijk perfect. Maar wat ze niet zouden zien, en wat ze niet zouden vermoeden, was dat dit gezin bang was om de telefoon op te nemen, hoewel ze zich, als ze naar binnen keken op het moment dat hij overging, zouden verbazen over de blikken die er tussen hen werden uitgewisseld. Marion stelde zich Sasha voor die met haar mond de woorden *God, niet weer, hè* vormde en Tessa die zei: *Laat mij het maar afhandelen.*

Tessa nam op zodra de telefoon rinkelde en toen ze Marions stem hoorde, zei ze: 'Marion, het is al laat.'

'Dat weet ik, maar ik vroeg me af – zou ik even met Sasha kunnen spreken?'

Ze klonk meer als een afgewezen minnaar dan als een vrouw die twee keer zo oud was als Sasha, en niet alleen dat, maar ook nog eens de moeder van een meisje dat bij leven Sasha's beste vriendin was geweest.

'Ik ben bang dat ze er niet is,' zei Tessa.

'Dan bel ik later wel terug.'

'Ze komt vanavond niet meer thuis.'

Dat was een leugen. Het was steeds weer een leugen. 'Tessa – alsjeblieft – ik weet dat ze er is.'

'Marion–'

'Het is maar voor even. Ik wil haar alleen iets vragen.'

Er viel een stilte, een verzamelen van innerlijke kracht, een stille vastbeslotenheid om van haar verlost te worden. 'Marion, Alex en ik hebben het erover gehad en wij vinden dat het tijd wordt dat je Sasha met rust laat. Het spijt me als dit wat hard klinkt. We leven met je mee – vanzelfsprekend – maar Sasha moet haar eigen leven leiden en–'

Ze bleef midden in de zin steken, geschokt door haar verspreking, maar Marion zei niets. Geen woord. Ze staarde recht vooruit naar een foto van haar dochter. Gordon had hem twee jaar geleden genomen, op Kathryns zestiende verjaardag. Sasha was erbij geweest toen hij werd genomen, maar buiten bereik van de camera, volgens Kathryn, die tegen een boom leunde.

Gordon stuurde de foto naar Kathryn, maar zonder cheque, en Marion had hem opgebeld en op hoge toon gevraagd op welke gronden hij het eerlijk achtte dat zij de hele financiële last van Kathryns opvoeding op haar schouders kreeg. Het was toch ook zijn dochter.

Zijn antwoord was dat zij een verdomd stuk beter af was dan hij – hij was niet uit de scheiding tevoorschijn gekomen met een hypotheekvrij huis, dus wat was nu eigenlijk haar probleem? En vervolgens had hij opgehangen, hetgeen Tessa op dit moment ook graag zou doen, maar niet durfde, zo vermoedde ze. Ze was nog steeds bezig zich te verontschuldigen voor haar afschuwelijke verspreking over dat Sasha haar eigen leven moest leiden, maar plotseling – althans, zo kwam het op Marion over – werd de telefoon uit haar handen gegrist en nam Alex het over. De wanhoop had alle gevoel van medeleven uit zijn stem geweerd en hij kwam over als een zakenman, bijna streng: 'Marion – Sasha kan er niet tegen dat jij haar voortdurend opbelt. Ze wil dat dit ophoudt.'

Marion zag Sasha voor zich, die vlak achter hem stond. Ze was met haar achttien jaar bijna net zo lang als haar vader, een slanke, langbenige meid met eenzelfde gelaatskleur als Kathryn, maar met een totaal andere bouw. 'Ze wil jouw gevoelens niet kwetsen. Maar feit is...'

Hij zweeg en gooide het er toen uit.

'Ze kan jou niet helpen, Marion. Niemand van ons kan dat. Niemand kan jou nog helpen. We hebben gedaan wat we konden. Meer is er niet.'

Zijn plotselinge uitbarsting liet haar sprakeloos.

'Marion, ben je daar nog?'

'Ja.' Het kwam er fluisterend uit.

'We voelen heus met je mee, dat weet jij ook.'

'Ja.' Opnieuw gefluister.

'Wij waren ook gek op Kathryn – ze was voor ons als een dochter.'

'Ja.'

En nu verhardde zijn stem zich weer, nu hij zich realiseerde dat hij het beetje terrein dat hij de afgelopen minuten had weten te winnen weer verloor. '*Maar dit moet ophouden!*'

Er kwam een vliegtuig over, laag, het landingsgestel uit, met oorverdovend geluid.

Marion hield haar blik gericht op de foto van haar dochter en zag de lijst, het glas, het beeld trillen. Ze had op het punt gestaan hem te zeggen dat het niet kón ophouden, dat ze moest weten wat Kathryn tegen Sasha had gezegd voor ze stierf, wat het dan ook geweest mocht zijn. Maar Alex Barclay hing op, iets wat hij nog nooit eerder had gedaan.

Ze stond bij de telefoon, de lijn dood, en vroeg zich af wat er door zijn hoofd ging. Zoals ze hem kende, vermoedde ze dat hij zichzelf haatte om wat hij zojuist gedaan had, maar hij zou zijn daad rechtvaardigen door zichzelf voor te houden dat er drastische maatregelen nodig waren als zijn gezin nog enige hoop wilde koesteren weer iets van normaliteit in hun leven terug te krijgen.

En hoe zou zij ooit weer normaliteit in haar leven kunnen krijgen, vroeg ze zich af.

Ze vocht tegen de aandrang om opnieuw te bellen, maar verloor en de telefoon rinkelde op dit late uur zonder opgenomen te worden. Ze hadden, zoals ze heel wel wist, de stekker losgetrokken. Ze wist dat omdat ze dat eerder hadden gedaan en het ongetwijfeld vaker zouden doen.

Ze bleef bellen.

7

De filiaalchef van de bank ging Marion voor naar een kantoor, met in zijn houding diezelfde vastbeslotenheid om van haar af te komen als ook Alex had tentoongespreid. Hij zei: 'Alweer hier, mevrouw Thomas? Ik dacht dat we hadden afgesproken dat u dat niet meer zou doen?'

'Ik moet Sasha spreken.'

'Ze heeft liever niet dat u haar tijdens haar werk lastigvalt.'

'Ik heb toch geen andere keus? Haar ouders willen me niet meer met haar laten praten.'

'Dat is dan iets tussen u en Sasha's ouders.'

'Ik ga niet weg voor ik haar gesproken heb.'

'Dan zal ik me misschien genoodzaakt zien de politie te bellen.'

'Doet u maar,' zei Marion.

Op het bureau stond een telefoon, maar hij liet hem ongemoeid.

'Wat is er? Bent u het nummer vergeten?'

De filiaalchef zei niets.

'Zal ik het voor u draaien?' Marion liep op de telefoon af, maar voor ze de hoorn van de haak kon nemen, bond hij in, zoals ze wist dat hij zou doen. Het laatste dat hij wilde, was haar de gelegenheid geven om dankzij een arrestatie in de publiciteit te komen. Misschien had ze al wel de media op de hoogte gesteld van een mogelijke scène, wist hij veel. En dan zouden zijn meerderen willen weten of hij niet wat diplomatieker had kunnen optreden. 'Wacht hier,' zei hij, en verliet toen het kantoor.

Even later keerde hij terug met Sasha, die als een angstig kind achter hem aan liep. Ze ontweek Marions blik. 'Vijf minuten,' zei hij, voordat hij hen alleen liet. 'U krijgt vijf minuten.'

De sombere, blauwe kleding stond Sasha goed. Marion vertelde haar dat ook en voegde eraan toe: 'Je ziet er tegenwoordig zo volwassen uit.'

Het was een stupide opmerking tegen een meisje van achttien, dat wist ze zelf ook wel, maar als je iemand al vanaf haar geboorte kende, was het moeilijk te bevatten dat zo iemand ineens een jonge vrouw was. En het was voor de ander al even moeilijk om haar niet bij de naam te noemen die ze al vanaf haar kindertijd gewend was te gebruiken, en daarom zei Sasha nu ook 'Hallo, mevrouw Thomas' in plaats van 'Hallo Marion'.

Ze zag er moe uit en Marion zei: 'Je ziet eruit alsof je slecht hebt geslapen.' Alweer een oude gewoonte die moeilijk was uit te bannen. Er was ooit een tijd dat Marion en Tessa het wel en wee van hun dochters bespraken met een gemak dat voortkwam uit een lange vriendschap. 'Waarom ga je niet zitten?'

'Ik heb maar heel even,' zei Sasha, om er vervolgens nogal overbodig aan toe te voegen: 'Ik ben aan het werk.'

Marion haalde een krantenknipsel uit haar tas. 'Ik heb je gisteravond proberen te bellen.'

'Ik weet het. Mamma heeft het me verteld.'

De gegoede burgerij gebruikte het woord *mamma*. Wat klonk dat geforceerd uit de mond van een achttienjarige. 'Ze wilde niet dat ik met u sprak.'

'Ik wilde je iets vragen.'

Sasha ging op de stoel van de filiaalchef zitten, maar met een blik of ze zich daar heel schuldig over voelde. Ze zag er heel jong en heel moe uit en plotseling had Marion met haar te doen. Wat een opgave moest het voor haar geweest zijn, de afgelopen twee jaar, om te proberen de moeder van haar beste vriendin te vertellen wat de laatste handelingen, de laatste woorden van die beste vriendin waren geweest. En hoe verschrikkelijk moeilijk was dat als de moeder van die vriendin maar bleef aandringen dat er meer geweest moest zijn, iets belangrijks, iets wat het verlies wat gemakkelijker te dragen maakte. *Ze heeft het zelfs niet over u gehad, mevrouw Thomas. Het spijt me – maar dat is de waarheid. Ik weet zeker dat als ze had geweten dat ze ging sterven, ze iets van betekenis had gezegd, maar dat is nu eenmaal niet zo.*

Marion hield het krantenknipsel op. 'Kijk hier eens naar.'

Sasha's onmiddellijke reactie was: 'Als dat over Michael Reeve gaat, dan wil ik niet–'

Sasha leek het onmiddellijk te betreuren dat ze Reeves naam genoemd had. Ze beet als een kind op haar lip en wachtte op een reactie, want steeds als ze in het verleden Reeves naam noemde, barstte Marion uit in tranen, of erger nog, begon ze te gillen en te schreeuwen, soms en public, en altijd tot grote verlegenheid van de mensen om haar heen. Ze kon zich precies voorstellen wat Sasha nu door het hoofd ging: *Ik had Reeve niet moeten noemen. Als ze nu hysterisch wordt en we de politie moeten bellen? Wat zal de chef wel niet zeggen als hier plotseling allerlei verplegers binnenvallen?*

'Alsjeblieft,' zei Sasha, 'ik wilde die naam niet noemen... geen enkele naam.'

Ben ik echt zo akelig? Ben ik zo onvoorspelbaar, zo angstaanjagend, raak ik zo de weg kwijt dat mensen zelfs bang zijn om zijn naam te noemen? 'Het heeft niets met Reeve te maken,' zei ze, en toen ze heel beheerst klonk, was de blik van opluchting van Sasha bijna meelijwekkend. Marion voegde eraan toe: 'Het is iets heel anders.' Ze hield opnieuw het krantenknipsel op. 'Het bijt niet, hoor,' zei ze. 'Het is maar een stukje papier.'

Maar het was niet zomaar een stukje papier, nee toch? Er stonden woorden op en die woorden konden te maken hebben met iets wat Sasha niet wilde lezen, hoewel God wist dat ze de afgelopen jaren echt alles gelezen had wat er over Kathryns dood was verschenen. 'Vooruit, lees het. Ik kan niet zeggen waarom ik hier ben tot jij het gelezen hebt en ik vertrek niet voordat ik gezegd heb wat ik wilde zeggen.'

Er klonk iets van een bedreiging door in die woorden. *Als jij dit niet leest, ga ik niet weg.*

Toen Sasha het nog steeds niet wilde aanpakken, legde Marion het op het bureau. Vervolgens verbrak ze de daarop volgende stilte met de woorden: 'Heb je je ooit afgevraagd of het mogelijk is met de doden in contact te komen?'

Onmiddellijk realiseerde ze zich hoe vreemd dit geklonken moest hebben, op deze manier gesteld. Dergelijke vragen stelde je niet zomaar, onvoorbereid.

Er school iets angstigs in de manier waarop Sasha haar hoofd schudde. Het deed Marion denken aan een struikelende, doodsbange koe die met een prikstok werd aangespoord. Het leek wel of ze bang was dat Marion op haar af zou springen om haar de keel door te snijden.

'Ik besef dat dat een beetje vreemd moet hebben geklonken,' gaf Marion toe. 'Het is alleen dat toen ik dit artikel las, ik jouw mening wilde vragen. Dat was ook de reden dat ik belde.' Ze schoof het krantenknipsel dichter naar Sasha toe en zei: 'Het gaat over een plek in Northumberland – een plek genaamd Lyndle Hall.'

Sasha probeerde nu de 'vriendelijke doch vastberaden' benadering die Alex en Tessa haar ongetwijfeld hadden aangeraden, maar haar stem begon te trillen toen ze zei: 'Ik ken Northumberland niet en van Lyndle heb ik ook nooit gehoord.' Overeind komend voegde ze eraan toe: 'Ik moet weer aan het werk–' Maar Marion viel haar in de rede.

'Er is daar iets raars aan de hand. De politie doet onderzoek naar de verdwijning van een meisje dat daar heeft gewerkt. Een helderziende genaamd Cranmer helpt hen daarbij.'

Sasha reageerde hier niet op en Marion ging nu iets voorzichtiger verder. 'Ze zeggen dat hij met de doden kan communiceren.'

Ze durfde Sasha nauwelijks aan te kijken, bang als ze was om geamuseerdheid op haar gezicht te lezen, of nog erger, medelijden. Ze had zich geen zorgen hoeven maken. Wat ze zag, was ellende.

'Ik ga naar Lyndle om hem te vragen in contact te treden met Kathryn. Misschien dat zij ons iets kan vertellen... iets wat recht kan doen aan Michael Reeve. Dat was de reden dat ik belde. Ik hoopte dat jij misschien... mee zou willen.'

Ze wierp een snelle blik op Sasha en zag dat die nog ongelukkiger keek. Dat had haar moeten tegenhouden, maar in plaats daarvan begon ze te kwebbelen. Ze wist dat ze dat deed, maar toch kon ze er onmogelijk mee ophouden.

'Je bent het Kathryn verschuldigd. Jullie waren vriendinnen vanaf de dag dat jullie geboren werden.' En toen, pathetisch: 'Met mij wil ze misschien niet praten, maar met jou beslist wel.'

Sasha huilde nu en Marion schaamde zich. De vriendin van de familie die Sasha als kind zo had vertrouwd, was voorgoed verdwenen. En in haar plaats was een geobsedeerde schreeuwlelijk gekomen, die haar belde en achtervolgde en haar lastig viel op haar werk. Plotseling walgde ze van zichzelf. 'O, Sasha,' zei ze. 'Vergeef me.'

Sasha stond plotsklaps op en de stoel schoot onder haar vandaan en knalde tegen de muur terwijl ze het kantoor uitvluchtte. En vrijwel direct daarop kwam de filiaalchef binnen, samen met twee mannelijke personeelsleden. 'Ik denk dat u nu maar beter kunt vertrekken,' zei hij, en terwijl Marion haar tas pakte, strekte hij zijn arm naar de uitgang. 'En het lijkt me beter als u in de toekomst een ander filiaal uitzoekt om uw bankzaken af te handelen.'

Twee dagen later ontving Marion een dwangbevel opgesteld door de advocaat die Sasha's belangen behartigde. Ze herkende hem als de advocaat die Alex en Tessa twee jaar geleden in de arm hadden genomen. Toen vertegenwoordigde hij echter Sasha in een tijd dat iedereen, inclusief de politie, dacht dat het mogelijk was voldoende bewijsmateriaal te vergaren om Reeve te veroordelen.

Het dwangbevel was bedoeld om alle verdere contact met Sasha te voorkomen – zowel telefonisch als in eigen persoon.

Ze verscheurde het.

8

De idee van het schrijven van brieven aan de doden was niet nieuw. Het gaf mensen de gelegenheid om dingen te verwoorden waarvan ze vonden dat ze ongezegd waren gebleven. Het hielp ze bij het verwerken van hun verlies. Sommigen zouden misschien zeggen dat het schrijven van dergelijke brieven in tegenspraak was met alles waar Audrah in beweerde te geloven, maar zij zag het als een therapie, een oefening die hetzelfde doel diende als een gebed dat deed voor hen die in God geloofden.

Wat ze met de brieven deed, varieerde nogal. Soms begroef ze ze. Meestal verbrandde ze ze en strooide de as uit op plekken die een speciale betekenis voor haar hadden. Die ochtend verbrandde ze de brief en verzegelde de as in een envelop die ze opvouwde en in de zak van haar ski-jack stopte. Toen verliet ze haar kamers op weg naar het station, waar ze op een trein stapte die haar Edinburgh uitvoerde.

Minder dan twee uur later stopte de trein op zo'n vijfentwintig kilometer afstand van Furlough en bevond ze zich in een van de mooiste gebieden van Schotland. Ze was echter niet zozeer geïnteresseerd in het landschap als wel in wat het voor haar verborgen hield. Het koesterde een geheim, een geheim waarvan ze had geaccepteerd dat het ook bewaard moest blijven, want het was nu acht jaar geleden dat haar echtgenoot hier verdwenen was.

Zijn ouders woonden in een huis dat vrijwel alleen uit hout en glas bestond. Het zou vol licht moeten zijn, maar het beetje licht dat er was, kwam per ongeluk binnen, want sinds ze haar zoon was kwijtgeraakt, hield Eva Sidow de luiken gesloten. Ze haatte het zicht op de bergen en alles wat zij vertegenwoordigden, en toch weigerde ze te verhuizen. Lars had het huis ontworpen. Vertrekken zou verraad betekenen.

Het kostte haar moeite opgetogen te doen dat ze Audrah zag, en ze probeerde het ook niet, maar Jochen deed waar zijn vrouw niet toe bereid was en probeerde Audrah zich thuis te laten voelen. Hij bood haar thee aan en kletste wat met haar, totdat Eva haar geduld verloor met deze poppenkast.

'Wat moet zij hier?'

'Eva...' zei Jochen vermoeid.

Er waren nog maar enkele minuten verstreken sinds Audrah was gearriveerd, maar nu al zocht ze naar een mogelijkheid om te ontsnappen, en ze trok zich terug in het toilet terwijl beide echtelieden met elkaar ruzieden.

Eenmaal veilig binnen depte ze haar gezicht met koud water en droogde het vervolgens af met een handdoek. Hij rook naar Lars. Onmogelijk, zo wist ze. Maar er was geen vergissing mogelijk. Soms werd ze 's nachts wakker met zijn geur op de lakens. Hij bleef even hangen en verdampte als ze helemaal wakker was. Het was gewoon een truc van haar onderbewuste. Hier zijn had de herinnering aan zijn geur opgewekt, samen met de overpeinzing dat ze op deze plek had gestaan toen er niet meer dan een paar draden waren geweest om aan te geven waar de fundering zou komen. En Lars had naast haar gestaan. *Op een goeie dag zal ik een huis voor ons ontwerpen.*

Ze wilde niet terug naar de kamer waar Eva Jochen op lage, bittere toon verwijten maakte.

'Je hebt *wat* gedaan?'

'Ik heb haar gevraagd of ze wilde blijven voor de lunch.'

'Heb je dan geen enkele consideratie voor mijn gevoelens?'

'Ze heeft een lange reis achter de rug.'

'Dat heeft er helemaal niets mee te maken.' Het was beter geweest om te schrijven in plaats van dit te moeten doormaken, maar wat Audrah te zeggen had, moest voor haar gevoel persoonlijk worden overgebracht. Bovendien was ze niet van plan zich door Eva tot lafaard te laten maken.

Het geruzie hield op toen ze haar hoorden terugkeren, maar toen ze de deur opendeed, schoot Eva langs haar heen de kamer uit.

Toen ze verdwenen was, probeerde Jochen haar te verdedigen. 'Ze meent het niet zo, dat weet je toch?'

'Denk je?'

Jochen gaf geen antwoord.

De maaltijd werd gebruikt in de beslotenheid van een met glas afgeschermd balkon. Vaak was het eten al even spectaculair als het uitzicht. Maar vandaag toonden de schotel met vleeswaren en een onbestemde salade aan dat Eva geen reden zag er veel werk van te maken. Toen ze gingen zitten, zei ze: 'Ik weet niet of Jochen het al verteld heeft, maar rechercheur Stafford heeft ons onlangs opgebeld. Ik neem aan dat je je hem nog herinnert.'

Het zou niet meevallen de man te vergeten die haar ervan verdacht haar man te hebben vermoord.

Eva legde een stukje ham op haar bord en plaatste er vervolgens een schijfje appel naast. 'Hij zei dat jij contact met hem had gezocht.'

'Ik heb hem verteld dat ik Edinburgh ga verlaten.'

Eva verplaatste het stukje appel een fractie. 'Is dat de reden dat je hier bent – om ons te vertellen dat je vertrekt?'

'Deels wel, ja.'

Eva tilde haar mes op, weg van de appel. 'Ik kan me niet voorstellen dat je helemaal hierheen bent gekomen alleen maar om ons te vertellen dat je gaat verhuizen. Je had net zo goed even kunnen bellen.'

Jochen mengde zich kalm in het gesprek, maar de woede in zijn stem was onmiskenbaar. 'Eva,' zei hij. 'Geef Audrah een kans om te zeggen wat ze wil zeggen.'

Eva legde omstandig haar bestek neer en plantte toen haar ellebogen op tafel. Ze vouwde haar handen onder haar kin. 'Ik luister,' zei ze.

Audrah had niet verwacht dat het makkelijk zou zijn. Maar ze had zich evenmin gerealiseerd hoe vijandig Eva was geworden. Misschien dat het bezoek van Stafford oude wonden had opengereten. Ze wierp een blik op Jochen. Hij zag er niet vijandig uit. Ongemakkelijk, en vermoeid misschien. Maar meer niet. 'Mijn advocaat denkt dat het tijd wordt de feiten onder ogen te zien.'

'En welke feiten mogen dat dan wel zijn?'

'Er zijn bepaalde formaliteiten waar ik... *wij*... ons in moeten verdiepen, en om dat te doen, moeten we Lars...'

Eva's vingers zaten als staaldraad in elkaar verstrengeld. 'Moeten we Lars... wat eigenlijk?'

'Dood... verklaren.'

Ze verwachtte een uitbarsting. Maar ze kreeg alleen maar sarcasme. 'En hoe dacht je dat te doen, zo zonder lichaam?'

Een lichaam was daar niet voor nodig. Eva wist dat, net zoals ze wist dat haar zoon vrijwel zeker dood was. Het was natuurlijk mogelijk dat hij nog leefde, maar dat was onwaarschijnlijk. Niemand kon een reden verzinnen waarom hij zou verdwijnen. Hij had geen problemen. Hij had geen schulden. En aan zijn huis en zijn professionele leven leek niets te mankeren.

Nu kwam de uitbarsting die Audrah had verwacht. 'Dit heeft met het huis te maken, niet? Ik neem aan dat jij denkt dat alles wat van hem was automatisch aan jou vervalt zodra mijn zoon officieel dood is verklaard. Maar ik vecht terug, Audrah – tot aan het laatste stukje meubilair en de laatste cent die hij bezat!'

'Eva...' zei Jochen, maar zijn vrouw was van tafel opgestaan en de kamer uit gestormd. Audrah boog haar hoofd en haatte haar omdat ze er altijd weer in slaagde haar in tranen te krijgen.

Ze keek op en zag dat Jochen zelf ook moeite had zijn tranen binnen te houden. Hij stak zijn hand uit en legde hem op de hare. 'Misschien dat wij tweeën een wandelingetje moeten gaan maken.'

Een houten trap verbond het huis met een voetpad dat door het struikgewas naar beneden leidde. De grond was bezaaid met bladeren en het dunne laagje sneeuw was een voorbode van het zware weer dat op komst was.

Zij en Jochen liepen eerst in stilte voort. Audrah vertrouwde haar eigen stem niet en Jochen probeerde gewend te raken aan de reikwijdte van wat zij had voorgesteld. Maar eindelijk zei hij: 'Is dat nodig, al die... juridische toestanden?'

'Eva heeft deels gelijk,' zei Audrah. 'Het heeft met het huis te maken, maar niet op de manier die zij denkt.'

Het huis dat zij en Lars samen hadden gekocht, werd momenteel verhuurd. Audrah wilde het van de hand doen en een ander huis kopen. Dat kon ze echter niet zonder een overlijdensakte. En dan was er ook nog een probleem betreffende de overlijdensclausule in haar hypotheekakte. Haar advocaat had haar er op voorbereid dat de verzekeringsmaatschappij die zou aanvechten. Ze zouden het zelfs heel hard kunnen spelen. Het was bekend dat mensen soms verdwenen, om vervolgens met een andere identiteit weer op te duiken zodra hun partner het verzekeringsgeld binnen had. En zelfs als ze het niet hard speelden, zouden ze haar het leven in ieder geval lastig maken, want hoe langer zij het geld in bezit hadden, hoe langer ze er ook rente van konden trekken.

Na haar te hebben aangehoord, zei Jochen: 'Ik veroordeel niet – ik wil het alleen maar weten. Heb je iemand anders ontmoet? Is dat waar het om gaat?'

'Nee, maar ik hoop wel dat dat op een dag gebeurt.' En toen: 'Hoe zou u zich voelen?'

'Lars is nu acht jaar weg. Dood of niet, wat voor recht heb ik, of wie dan ook, om jouw gedrag af te keuren?'

Een half uur later stonden ze op een heuveltje, met achter hen een cairn, een kegelvormige steenhoop. Onder hen strekte zich een landschap uit met struikgewas, een beek en verder bijna niets. 's Zomers kwamen hier mensen heen met hun kinderen, en de kinderen mochten dan vrijelijk ronddwalen. Er waren geen kliffen waar je vanaf kon vallen. Geen spleten of oude mijnen waar je in kon verdwijnen. Dat Lars in een dergelijke omgeving kon zijn verdwenen – het was eigenlijk niet te bevatten. Het was een van de redenen dat Stafford haar maar bleef vragen of ze er zeker van was dat ze zich die dag wel goed herinnerde.

'Waar zei hij dat hij heen ging, toen hij vertrok?'

'Terug naar de auto.'

'Waarom?'

'Voor zijn handschoenen. Hij was zijn handschoenen vergeten.'

'Jullie waren op slechts twintig minuten lopen van het huis vandaan. Waarom waren jullie met de auto?'

'We kwamen niet van het huis, we kwamen van Lumsdon.'

'En Lumsdon is...'

'Ongeveer dertig kilometer verderop.'

'Waarom waren jullie naar Lumsdon geweest?'

'Eva had een paar vrienden uitgenodigd voor het diner. Ze kookt – heel erg goed, bedoel ik. Maar ze had een paar dingen nodig en Lumsdon is de enige plaats in de omtrek met een delicatessenwinkel.'

'Ik neem aan dat u hebt meegenomen wat zij nodig had?'

Audrah kon het zich niet meer herinneren, maar Eva wel. Er was een afgevinkt boodschappenlijstje. Ansjovis, kappertjes en olijven.

'En op de weg terug stopten jullie hier voor een wandelingetje. Jullie stapten uit de auto. En de auto stond geparkeerd... waar precies?'

'Aan de andere kant van de bomen.'

'Kon u hem zien vanaf de plek waar u stond?'

'Nee.'

Stafford stond op de plek waar Audrah volgens haar gestaan had en hij kon door de bomen heen ook geen voertuig zien staan.

'U zei dat Lars tussen de bomen verdween. Kwam hij er aan de andere kant weer uit?'

'Ik neem aan van wel.'

'U klinkt niet erg zeker van uzelf.'

'Hij zou ook rond de tegenoverliggende heuvel kunnen zijn gelopen en een andere richting zijn ingeslagen.'

'Waar had hij heen kunnen gaan?'

Audrah en Stafford keken in de richting van de Furlough Mountains. Somber, grijs en eeuwig met sneeuw bedekt. Het zou gekkenwerk zijn geweest om onvoorbereid die bergen in te trekken. Lars wist dat ook. En trouwens, als hij dat van plan was geweest, waarom dan iets anders pretenderen? Waarom zeggen *Ik ga even terug naar de auto – loop jij maar vast door, ik haal je wel weer in...*

'Wat deed u toen hij niet terugkwam?' vroeg Stafford.

'Ik wachtte een tijdje.'

'Hoe lang ongeveer?'

'Tien, mogelijk vijftien minuten.'

'En toen?'

'En toen liep ik terug naar de auto om te kijken wat hem ophield.'

Onmogelijk uit te leggen wat er door haar heen ging toen ze zijn handschoenen op de stoel zag liggen. Waar hij ook was, hij was niet teruggegaan naar de auto. En als hij dat wel had gedaan, had hij niet gepakt waar hij voor was gegaan, want daar lagen ze, precies zoals hij ze had achtergelaten, de handschoenen zó oud dat het leer de vorm van zijn handen had aangenomen, tot aan de levenslijn aan toe die een groef vormde aan de basis van zijn duim. Zoals die handschoenen daar lagen, kon ze er bijna zijn handen in voorstellen, reikend naar haar.

Ze tastte naar de envelop in de zak van haar ski-jack en sloot haar vingers eromheen. 'Waar denk je aan?' zei Jochen.

'Ik denk eraan dat ik een poosje alleen zou willen zijn.'

Hij aarzelde en ze realiseerde zich dat hij zich zorgen maakte dat ze weleens iets stoms zou kunnen doen. Sommige mensen zouden hebben gezegd dat wat zij van plan was, misschien ook wel een beetje vreemd was voor iemand die beweerde niet in een hiernamaals te geloven, maar het was niet raar – niet voor haar.

'Ik kom zo weer achter je aan,' beloofde ze.

Jochen had niet veel keus, dus keerde hij terug naar het huis. En toen ze eenmaal alleen was, haalde Audrah de envelop tevoorschijn.

Ze stond onder een lucht als op een schilderij van Turner, de roze en gele tinten reflecterend in de sneeuw, en strooide de as uit op de plek waar ze Lars voor het laatst had gezien. Hij had het hier heerlijk gevonden. Als er al iets van hem had overleefd, was dit de plek waar zijn geest het liefst zou vertoeven.

Brieven maakten op dit moment een groot deel van haar leven uit. De dag nadat Audrah was teruggekeerd naar Edinburgh, liet Wober er eentje op haar bureau vallen. 'Deze kwam vandaag binnen. Het gebruikelijke werk, maar ik zou toch graag je mening horen.'

Het Instituut ontving met grote regelmaat brieven, want ondernemers beseften maar al te goed dat een spook goed voor de handel zou zijn. Vaak probeerden mensen een parapsycholoog over te halen tot een onderzoek naar zogenaamde paranormale verschijnselen, om dat vervolgens te gebruiken als een soort uithangbord voor hun handel. Meestal werden die verzoeken dan ook afgewezen, dus vroeg Audrah zich af wat er aan dit verzoek zo bijzonder was dat het Wober aansprak.

De politie van Northumbria onderzoekt de verdwijning van een jonge vrouw.'

Audrah zag niet goed in wat dit met hen te maken had, tot hij haar een krantenknipsel overhandigde. 'Cranmer schijnt hen te helpen.'

Het besef dat Cranmer erbij betrokken was, had onmiddellijk Audrahs aandacht, net als het feit dat Nicholas Herrol werd aangevallen door iets onzichtbaars. Zijn moeder had geschreven: 'De verwondingen zijn vaak zo ernstig dat hij moet worden opgenomen,' en hoewel Audrah onmiddellijk de mogelijkheid verwierp dat iemand was overgeleverd aan een kwaadaardige entiteit, baarde het feit dat zijn verwondingen dermate ernstig waren haar wel zorgen. Het wees op een scenario dat impliceerde dat hij een gevaar voor zichzelf was. Ofwel dat, of hij was vrijwel zeker overgeleverd aan iemand die psychotisch was en in de positie om hem bij elke gelegenheid die zich voordeed letsel toe te brengen.

'Ik neem aan dat je dit gaat onderzoeken?'

'John Cranmer lijkt me meer jouw pakkie-an.'

'Ik moet colleges geven.'

'Ik wil dat je naar Lyndle gaat,' zei Wober. 'Ik wil dat je deze vrouw helpt. En ik wil dat je nog één keer Cranmer probeert te doorgronden.'

Cranmer had haar al meer dan voldoende ellende bezorgd. Het werd tijd dat iemand anders ging proberen te bewijzen wat zij zo langzamerhand onbewijsbaar achtte. 'Ik zou liever hebben dat je hier iemand anders voor zocht.'

'Audrah,' zei Wober, 'je mag deze kans niet door je vingers laten glippen. Cranmer wordt gezien als een van de grootste paranormaal begaafden die de wereld ooit gekend heeft. Als jij slaagt waar elke andere parapsycholoog tot nu toe heeft gefaald, als jij kunt bewijzen dat hij een oplichter is, zal dat een kroon op je werk zijn, denk je ook niet?'

Terwijl Audrah de laatste paar regels van de brief las, bedacht ze dat onder normale omstandigheden het feit dat iemand leek te zijn overgeleverd aan een psychotisch individu op zich al voldoende reden zou zijn een onderzoek te doen. Maar zelfs als Nicholas Herrols naam niet genoemd zou zijn, betwijfelde ze of ze zich zou hebben kunnen afsluiten voor Claudia's smeekbede.

'Help ons, alsjeblieft,' had ze geschreven. En vervolgens had ze het nog een keer geschreven. *'Alsjeblieft, in godsnaam, help ons.'*

9

Guy Harvey veronderstelde dat het zijn eigen afbrokkelende ego was dat maakte dat hij niet onder ogen wilde zien wat hem in het gezicht keek – dat zijn huwelijk van zes korte maanden alweer over was – maar zo zag het er vanuit zijn positie gezien wel uit.

Hij liep het huis binnen dat hij en Rachel met zes andere studenten deelden, en betrad vervolgens de kamer waarin ze sinds het begin van hun huwelijk woonden.

Rachel lag op het bed, haar lange zwarte haar in de war, alsof ze vanochtend geen zin had gehad het te kammen. De afgelopen paar weken had ze alle belangstelling voor haar uiterlijk verloren. Niet dat het veel verschil maakte. Ze was achttien en mooi. Ze had een jutezak kunnen dragen en dan had het nog niet uitgemaakt.

Wat wel uitmaakte, was dat wanneer ze hem zag, ze zich afwendde. Toen dat ging gebeuren, verloor Guy alle hoop. Daarvoor had hij gedacht dat ze misschien op de een of andere manier een oplossing hadden kunnen vinden. Nu wist hij dat dat niet zou gebeuren. 'Rachel,' zei hij, en toen hij geen reactie kreeg, stak hij zijn hand uit, maar toen hij haar aanraakte, voelde hij hoe de spieren van haar schouders zich spanden. 'We moeten praten.'

De spanning in haar spieren nam toe en hij trok zijn hand terug. 'Oké,' zei hij. 'Dan luister jij alleen maar.' En hij vertelde haar dat dit huis binnengaan iets was geworden waar hij voor vreesde; dat zij kennelijk vond dat het huwelijk een vergissing was geweest, maar dat ze niet wist hoe ze hem moest vertellen dat het voorbij was.

Dat was prima. Hij begreep het. Mensen hadden nu eenmaal zo hun eigen manier om met dat soort zaken om te gaan. Dat deed hij ook en hij probeerde erachter te komen hoe het nu verder moest. Maar dat kostte hem heel veel moeite.

'Op dit moment,' zei hij, 'denk ik dat het voor mij het beste zou zijn om een tijdje bij mijn vader te gaan wonen.'

Ze probeerde niet hem tot andere gedachten te brengen. Ze lag daar maar en probeerde hem niet aan te kijken.

'Ik hou van je,' zei hij. 'Dit is niet wat ik wil. Maar ik weet niet hoe ik anders moet omgaan met wat er tussen ons gebeurt.'

Hij bleef nog even staan, in de hoop dat ze iets zei dat hem ervan zou weerhouden om te vertrekken.

Geen woord. Zelfs geen gebaar.

Hij draaide zich om en vertrok.

Als hij zich al ooit had voorgesteld hoe het zou zijn om uit een huwelijk weg te lopen, zou hij zich een scène hebben voorgesteld, waarop hij het huis uit stormde, in een auto sprong en de motor tot leven voelde komen zodat hij weg kon scheuren op een manier die bij zijn stemming paste. De werkelijkheid was een rustige, waardige aftocht. Hij trok bijna geruisloos de deur dicht en omdat zijn auto niet door de keuring was gekomen, moest hij noodgedwongen de bus naar de stad nemen.

Het enige dat een beetje in de buurt kwam van wat hij zich had voorgesteld, was het gevoel van verlies – van verscheurd te worden. Dat hij, op zijn tweeëntwintigste, in een bus moest zitten en wegvluchtte uit een huwelijk dat nog maar zes maanden geleden was bestendigd, gaf hem het gevoel dat hij had gefaald. Maar dat was niets vergeleken bij het gevoel van falen dat hij ervoer toen hij, eenmaal weer uit de bus, het enige deed dat hij kon bedenken: hij belde zijn vader.

Hij wilde dat niet. Als er iemand anders was geweest, had hij zich tot die persoon gewend, maar de meesten met wie hij was afgestudeerd, waren uit zijn gezichtsveld verdwenen of hadden een relatie gekregen. Vrouwen stonden niet bekend om hun toegeeflijkheid als het er om ging de partner van hun vriendin een tijdje op te vangen. Misschien één of twee nachten – maar dit zou heel wat meer tijd kosten om mee in het reine te komen. Hij moest een plek vinden waar hij wat langer kon verblijven en aangezien hij geen geld had, leek zijn enige optie zich tot een van zijn ouders te wenden. Dat betekende naar zijn vader gaan, want het laatste waar hij op dit moment op zat te wachten, was de emotionele reactie die hij, naar hij wist, van zijn moeder zou krijgen. Ze zou hem over elk detail van de scheiding uithoren, niet omdat ze dacht daarmee zijn relatie weer op de rails te krijgen, maar omdat ze wilde kijken in hoeverre het met haar eigen situatie overeenkwam. Vrouwen deden dat nu eenmaal. Ze praatten de dingen door tot niets van wat ze zeiden er nog toe deed. En zijn vader mocht dan veel fouten hebben, hij had ook zijn goede kanten. Een van de belangrijkste daarvan was dat hij nooit zou zeggen *Ik had het je toch gezegd.* Niet dat hij iets tegen de exotische, donkerharige Rachel had. Het was alleen dat toen hij over het huwelijk hoorde, hij heel duidelijk had gemaakt dat hij hen te jong vond. Dat gezegd hebbende was hij de laatste om een oordeel te vellen. Zijn eigen huwelijk was tenslotte ook mislukt, dus wie was hij om over een ander te oordelen? Vooral deze overweging gaf Guy de moed om hem te bellen en toe te geven wat er aan de hand was.

'Hallo, pa – slecht nieuws, ben ik bang. Rachel en ik zijn...' Hij kon de woorden niet uit zijn mond krijgen. Maar hij had niet veel geld, hetgeen betekende dat hij niet te lang kon blijven zoeken naar een manier om de juiste woorden te vinden. '... uit elkaar,' besloot hij. 'Ik kan me geen huurwoning veroorloven en ik moet... moet terug naar huis. Wat ik bedoel is... ik moet bij jou logeren. Ik weet nog niet voor hoe lang...'

Zijn vader reageerde op het nieuws alsof Guy had gevraagd of hij even langs kon komen. 'Natuurlijk,' zei hij. 'Wanneer kom je?'

'Vandaag, is dat goed? De trein arriveert tegen zessen in Christchurch.'

'Ik haal je wel op,' zei zijn vader, en voegde eraan toe: 'Heb je genoeg geld voor een kaartje?'

Guy moest toegeven dat hij dat niet had.

'Ga naar een van de loketten en vraag of ze mij willen bellen. Dan krijg ik ze wel zover dat ze mijn creditcard accepteren.'

Guy haatte zichzelf, maar wat voor keus had hij? Hij was dankbaar toen hij een mechanische stem hoorde die aankondigde dat hij meer geld in het apparaat moest gooien. 'Pa, ik moet ophangen.'

'Ik ben om zes uur op het station.'

Het appartement aan zee mat ruwweg één achtste van het huis dat Guy's ouders tegen het einde van hun huwelijk hadden bewoond. Maar je kon het nog steeds niet krap bemeten noemen.

Hij ging op een crèmekleurige leren bank zitten vanwaar je uitzag op Wight. Het weer vond zijn weerslag in de kleur van de wanden. Op sommige momenten waren ze van een bijna mediterraan blauw. Een andere keer pikten ze de loodgrijze tinten op die ook op dit moment de boventoon voerden.

Zijn vader trok een blikje Grolsch open en gaf het aan hem.

'Heb je al gegeten?'

'In de trein,' zei Guy. 'Ik heb mijn laatste geld aan een hamburger uitgegeven.'

Op de een of andere manier – en Guy begreep niet goed hoe – kon zijn vader surfkleding dragen zonder er als een volslagen idioot uit te zien. Dat wilde toch wat zeggen, op een leeftijd van zevenenveertig jaar, maar dat gold ook voor zijn kennelijke aantrekkingskracht op het soort vrouwen waarvan er nu eentje door zijn appartement scharrelde. Ze was blond en ze was Australische. Wendy, of Wanda, zoiets.

'Waar heb je haar ontmoet?'

'Ze heeft mijn rug behandeld.'

Ze studeerde chiropraxie in Bournemouth. Zijn vader hield vol dat ze als studente een kamer bij hem huurde. 'Hoor eens,' zei Guy, 'ik vind het wel cool. Ik zal het heus niet aan moeder vertellen, oké?'

Wendy of Wanda verdween in de slaapkamer met een boek over rugklachten. Zodra ze buiten gehoorsafstand was, ging zijn vader op de bank zitten en zei: 'Wil je erover praten?'

Guy had niet bepaald de behoefte om te analyseren wat er fout was gegaan, maar hij wist dat zijn vader er geen genoegen mee zou nemen als hij decoratief op de bank bleef zitten. 'Ik zie daar echt het nut niet van in.'

'Het is jouw beslissing,' zei zijn vader. 'Soms helpt het.' Toen Guy daar niet op reageerde, voegde hij eraan toe: 'Ik dacht altijd dat ik niet wist wanneer de zaken tussen mij en je moeder fout begonnen te lopen. Ik had het idee dat we elkaar al zo lang naar de strot vlogen dat we niet eens meer wisten waarom we eigenlijk ruzie maakten. Als ik nu terugkijk, realiseer ik me dat ik me daarin heb vergist – ik wist wanneer de rot inzette. Ik wist zelfs waarom. Ik kon er alleen niet toe komen er iets aan te doen. En weet je waarom niet?'

Het was niets voor zijn vader om zo openhartig te zijn. Normaal gesproken verborg hij zijn gevoelens achter een reeks cynische grappen. Je moest door de grap heen kijken om de pijn te kunnen voelen. 'Waarom niet?'

'Omdat het voorbij was. Afgelopen. Ik hield niet meer van haar, dus was het ook niet de moeite waard om te ontleden wat er verkeerd was gegaan, niet als je toch niet van plan was de zaak te repareren.'

Het was een schok om dit soort dingen uit zijn mond te horen. Eindelijk praatte hij over Guy's moeder. Eindelijk leek hij hem ook als volwassene te behandelen. Misschien probeerde hij Guy iets van belang te vertellen.

'Houd je nog van Rachel? Is ze het waard om uit te vinden waar het fout ging, of laat je het op zijn beloop?'

Goede vraag. Zijn vader had ooit eens gezegd dat een van de dingen die hem nog zo lang aan het huwelijk hadden gebonden terwijl hij eigenlijk al wist dat het voorbij was, de wetenschap was dat hij financieel zoveel te verliezen had. 'Als het voorbij is,' zei zijn vader nu, 'kun je er maar beter een eind aan maken dan aan te blijven modderen, een huis te kopen, te proberen er nog wat van te maken, om dan over vijf of tien jaar alsnog alles te verliezen. Je hebt geen kinderen. Dat kan veranderen. Het maakt de zaken ingewikkelder.'

Hij deed het klinken alsof hij hem ertoe wilde brengen uit het huwelijk weg te lopen. Maar misschien was dat wat een scheiding met mensen deed. Misschien dat ze de relaties van anderen met een mengeling van jaloezie en cynisme bekeken.

'Ik zit er niet echt om te springen om er een punt achter te zetten. Ik zie alleen niet wat ik nog voor andere keuzes heb,' zei Guy.

'Dan moet je je nu dus afvragen wanneer het precies verkeerd begon te gaan.'

Alweer een goede vraag. Misschien dat als hij nog eens bij zijn geheugen te rade ging om het moment te vinden waarop Rachel zich volgens hem voor het laatst normaal gedragen had, hij ook het moment zou vinden waarop de relatie was begonnen te desintegreren.

Zijn vader zei plotseling: 'Vertel eens – hoeveel weet je echt van haar?'

Die vraag overviel hem nogal. 'Wat is dat nu voor vraag?'

'Hoeveel?' vroeg zijn vader.

Hij dacht er even over na. 'Niet zoveel,' moest hij toegeven. Het was nogal een bekentenis, want als iemand hem enkele maanden geleden had gevraagd wat hij van Rachel wist, zou hij hebben geantwoord dat hij net zoveel wist als ieder ander over het meisje met wie ze op het punt stonden te gaan trouwen. Maar nu hij er nog eens over nadacht, realiseerde hij zich dat hij slechts dat wist wat zij hem verteld had, en dat vooral omdat ze nauwelijks familie had. Dat ze haar vader nooit gekend had, dat haar moeder haar op driejarige leeftijd was ontvallen als gevolg van een ongeluk en dat haar moeders zus Ruth haar verder had opgevoed – hij had het alleen uit haar mond vernomen.

Ruth zou dus de enige zijn geweest met wie hij had kunnen spreken. Maar Ruth was niet langer onder de levenden. Ze was een paar maanden voordat hij Rachel had ontmoet gestorven en de verkoop van haar huis had net genoeg opgebracht om de nog lopende schulden aan een verpleegtehuis te voldoen. Ze had een klein bedrag nagelaten, maar dat zou Rachel pas krijgen als het testament was bekrachtigd. Als het geld eenmaal vrijkwam, hoopten ze het te gebruiken als eerste aanbetaling op een flat. Op dit moment echter deelden ze het huis in Leeds met een aantal studenten, hoewel Guy al bijna een jaar geleden was afgestudeerd aan de filmacademie.

Ruth had behalve het geld ook nog een cottage nagelaten. Toen ze erover hoorde, beweerde Rachel dat ze van het bestaan ervan nooit had geweten, maar Guy vond het moeilijk te geloven dat Ruth het daar nooit met haar over had gehad.

'Ik ben toch niet iemand die zoiets zou vergeten,' zei Rachel.

Dat leek hem ook niet, maar in dat geval moest Ruth haar redenen gehad hebben om het bestaan ervan te verzwijgen.

Dat vond Rachel een amusante gedachte. 'Wou je soms beweren dat ze er allerlei spannende geheimen op na hield?'

'Nee, maar mensen verzwijgen zoiets normaal gesproken niet, tenzij ze er een goede reden voor hebben.'

Ze stelden zich het huisje voor met een rieten dak, heel pittoresk, en zelfs al voordat ze het gezien hadden, opperde Rachel om het misschien als vakantiehuisje aan te houden.

Dat was een droom en dat vertelde hij haar ook. Ze woonden in één kamer. Ze hadden geld nodig voor een flat. Ze hadden geen andere keus dan het te verkopen.

Met tegenzin stemde Rachel daarmee in en Guy nam contact op met een makelaar in die streek.

De makelaar kende het huisje. Het was vervallen, vertelde hij hun. Hij betwijfelde of ze meer zouden krijgen dan wat de grond waarop het stond waard was, maar hij zou zijn best doen.

Ze vonden de prijs waarvoor de makelaar het te koop wilde zetten veel te laag en wilden het eerst zelf weleens zien, dus gingen ze erheen en terwijl hij zich dit allemaal herinnerde, leek er bij Guy iets op zijn plek te vallen. Hij vroeg zich af waarom hij zich dat niet eerder had gerealiseerd. 'Ruths cottage,' zei hij.

'Wat is daarmee?'

Guy antwoordde: 'De problemen begonnen op de dag dat we het gingen bekijken.'

Zijn vader was ervan op de hoogte dat Ruth het huisje aan Rachel had nagelaten. Maar Guy had er verder nauwelijks met hem over gepraat, alleen maar om te vertellen dat ze het tot nu toe niet hadden kunnen verkopen. Hij bracht het blikje bier naar zijn lippen. 'Waar lag het ook alweer?'

Guy zag zichzelf weer in het huisje, met in zijn hand een houten wicketpaaltje dat iemand voor een kind had gesneden. Rachel was er niet. Ze was een wandelingetje gaan maken. Maar toen ze terugkeerde, was de uitdrukking op haar gezicht...

'Lyndle,' antwoordde hij.

10

In de twee afschuwelijke jaren sinds Kathryns dood hadden Marions ervaringen met de politie, de rechterlijke macht, met alle vormen van gezag, ertoe geleid dat het respect dat ze er vroeger voor had gehad, was vervangen door wantrouwen. Dus toen agente Fripp op haar stoep stond, had Marion geen enkele behoefte haar binnen te vragen. Ze stond daar, terwijl de regen van haar uniform spatte, en ze zag een koffer onderaan de trap staan.

'Ga je op reis, Marion?'

'Wat heb jij daarmee te maken?'

'Het is maar een vraag.'

Ze had deel uitgemaakt van het team dat Kathryns dood had onderzocht en af en toe kwam ze nog even langs. Gewoon een bezoekje, volgens Fripp, maar het liep altijd weer uit op geschreeuw.

Jullie nemen Reeve in bescherming!

Natuurlijk beschermen we hem niet – gebruik je verstand.

Hoe kon van haar verwacht worden dat ze zich rationeel opstelde als de politie de man beschermde die haar kind had vermoord? En het was niet alleen de politie. Alle mogelijke instanties werkten eraan mee. De onderwijsraad had een nieuwe baan voor hem gevonden. De woningbouwvereniging verschafte hem onderdak. De rechterlijke macht deed wat ze kon om te voorkomen dat ze hem nog meer ellende bezorgde. En zoals een journalist onlangs aanvoerde, was Reeve zijn baan en zijn huis kwijtgeraakt omdat hij door de moeder van een van zijn leerlingen was gebrandmerkt als moordenaar, maar hij was nooit aangeklaagd vanwege Kathryns dood. Het publiek werd eraan herinnerd dat iemand onschuldig was zolang het tegendeel niet was bewezen.

Marion zocht de journalist op en las hem de les. Het gevolg was dat er een artikel verscheen waarin zij werd afgeschilderd als een gestoorde vrouw. Ze schreef naar de krant en dreigde een aanklacht in te dienen. De krant drukte de brief af, dus meldde ze de betreffende verslaggever aan bij de Raad voor de Journalistiek. En toen ontdekte ze dat ook dat een instantie was die meer geneigd was om Reeve te steunen dan om haar te helpen. Er werd haar te verstaan gegeven dat er zoiets als persvrijheid bestond. Als zij vonden dat Reeve ten onrechte was belasterd en dat zij een monster was dat ervoor had gezorgd dat hij tot tweemaal toe had geprobeerd zelfmoord te plegen, dan waren ze vrij om dat op te schrijven. Zij echter was niet vrij om hen tegen te houden.

Toen ze met de geschreven pers niet verder kwam, benaderde ze radio- en televisiezenders, om tot de ontdekking te komen dat ook zij haar inmiddels links lieten liggen, bang als ze waren om door Reeves advocaten gedagvaard te worden. Wat moest je dan doen om het publiek ervan te doordringen dat het moreel verkeerd was om mannen als Reeve te beschermen, en dat alleen omdat er niet voldoende bewijs was om een aanklacht wegens moord te ondersteunen? Kathryn was dood. Meer bewijzen waren toch niet nodig?

Fripp kwam tegenwoordig alleen nog maar langs als er echt iets was, dus vroeg Marion zich af waarom ze er nu was. Het antwoord kwam toen ze zei: 'Ik heb gehoord dat jou bepaalde beperkingen zijn opgelegd.'

'Nou, en?'

'Ik wilde je op het hart drukken je daar ook aan te houden.'

Dat was te veel voor Marion. *'Aan wiens kant sta jij eigenlijk?'*

'Het is geen kwestie van partij kiezen. Feit is dat je de wet zou overtreden en geloof het of niet, maar ik zie je niet graag in de gevangenis.'

'Michael Reeve heeft de wet overtreden, maar niemand lijkt geneigd daar iets aan te doen. Ik hoef daarentegen alleen mijn gezicht maar te laten zien en elke rechter in het land begint gerechtelijke bevelen te ondertekenen.'

'Marion–'

'Hoe weet je dat hij geen plannen aan het beramen is om bij een ander jong meisje te doen wat hij Kathryn heeft aangedaan?'

Fripp klonk plotseling vermoeid. 'Mag ik even binnenkomen?'

En omdat het meer een vraag was dan een bevel, gaf Marion toe.

Toen Fripp eenmaal binnen was, zei ze: 'Reeve heeft een klacht ingediend.'

'Alweer?'

'Hij beweert dat jij het gezin van zijn broer geschreven hebt en hebt gedreigd aan het licht te brengen dat zij familie van hem zijn.'

Marion antwoordde: 'Ik vind het gebruik van de term "aan het licht brengen" een beetje overdreven, denk je ook niet?'

'Reeve vond de bedreiging anders nogal schokkend. Hij heeft zijn advocaat om raad gevraagd.'

'Met welk doel?'

Daar had Marion haar, en Fripp wist het. Reeve was er twee keer eerder in geslaagd haar voor het gerecht te dagen – één keer voor het demonstreren voor de school die hem op dat moment in dienst had en één keer vanwege een optreden in een tv-programma waarin ze hem botweg van de moord op haar dochter beschuldigde – maar in beide gevallen had de rechter het bij een waarschuwing gelaten: 'De dood van uw dochter heeft u duidelijk heel erg aangegrepen, mevrouw Thomas. Daarom ben ik in dit ene geval bereid de ellende die uw gedrag bij de klager heeft aangericht door de vingers te zien, maar ik moet u waarschuwen–'

'Marion,' zei ze. 'Mensen zijn geen bodemloze putten vol sympathie. Mensen krijgen er genoeg van. Hun geduld raakt op, hun begrip voor de zaak.'

'Wat wil je daarmee zeggen?'

'Laat ze met rust.'

'Laat wie met rust?'

'Sasha. Reeve. En al die anderen op jouw lijstje, met inbegrip van mijzelf.' Fripp liep naar de deur. 'De volgende keer dat Reeve je voor het gerecht daagt, zou het weleens op een gevangenisstraf kunnen uitdraaien.'

'Hij heeft mijn dochter vermoord.'

'Alsjeblieft,' zei Fripp. 'Probeer reëel–' En Marion begon te schreeuwen. Reëel zijn, terwijl Reeve vrij rondliep, dat was toch een bijna obscene luxe. 'Jij hebt zelf een dochter,' zei ze. 'Ze is zestien.'

'Marion–'

'Wat zou jij doen als een pervers iemand als Reeves haar in zijn klauwen kreeg?'

Daar had Fripp geen antwoord op. Ze vertrok en Marion rende de straat op en schreeuwde haar na terwijl haar auto optrok. *'Wat zou jij doen?'*

Ze ging het huis weer in, stapte over de koffer en liep de trap op. Nog even en ze zou de koffer in de auto gooien en de nacht in rijden. Met een beetje geluk zou ze dan morgenochtend in Northumberland zijn.

11

Audrah stond al bijna buiten, een weekendtas in haar hand, toen de telefoon ging. Ze liet eerst het antwoordapparaat opnemen om te luisteren wie het was.

Toen ze Jochen een boodschap hoorde inspreken, beginnend met de woorden *Ik vond dat ik je moest waarschuwen,* liet ze de tas vallen en nam op.

'Jochen,' zei ze.

Hij klonk opgelucht. '...heb geprobeerd haar ervan te weerhouden... maar je weet hoe ze kan zijn.'

Dat kon alleen maar op Eva slaan. 'Wat heeft ze gedaan?' vroeg Audrah.

'Ze is bij onze advocaat langs geweest.'

Audrah nam aan dat hij haar zou gaan vertellen dat Eva van plan was te voorkomen dat Lars dood zou worden verklaard. Maar daar vergiste ze zich in. Wat Eva wilde, was een walnoten bureau dat ooit van Lars was geweest. Het was prachtig, kostbaar, een potentieel erfstuk. Lars was enig kind, maar Eva had een zus in Zweden. Ze vond dat het bureau naar de kinderen van haar zus moest.

Terwijl Jochen sprak, dacht Audrah aan alle dingen die Eva in de loop der jaren had opgeëist. Er was een horloge dat Lars op zijn eenentwintigste had gekregen, en een in Amerika gekochte landschapsfoto van Ansel Adams. Audrah had ze best zelf willen houden, maar het waren cadeautjes die Lars van zijn ouders had gekregen en ze kon begrijpen dat ze die terug wilden, dus deed ze er afstand van. Ze gaf ook een wandklok terug die door Jochens moeder aan Lars was nagelaten, en een grote, glazen kom die al heel lang in Eva's familie was geweest. Zijn collectie klassieke platen en cd's was nogal ingekrompen nadat Eva haar een lijstje had gegeven met de exemplaren die Lars volgens haar aan haar zou hebben willen geven. *Jij bent trouwens toch niet bepaald muzikaal, Audrah. Dus wat moet jij ermee?* En ten slotte waren er de ski's, een tennisracket en een schermuitrusting die volgens Eva opzij gelegd moesten worden voor haar neefje.

Audrah stond alle spullen zonder protest af, maar voor het bureau zou dat niet opgaan. Het was iets dat zij had gevonden, en gekocht, en Lars als huwelijkscadeau had gegeven. In de laden zaten brieven die zij elkaar hadden geschreven toen Lars in Zweden werkte en zij nog studeerde in Londen. Er lagen foto's in en herinneringen aan hun huwelijk, en de trouwakte zelf. Binnenkort zou er ook een overlijdensakte tussen liggen. Ze wilde een speciale plek om die dingen te bewaren. En die plek was het bureau.

'Audrah–'

'Sorry, Jochen, maar je kunt Eva zeggen...' Ze wist op de een of andere manier haar stem in bedwang te houden. '... dat het antwoord nee is.'

'Ze zal het niet opgeven,' zei Jochen. 'Het zou omwille van de lieve vrede beter zijn als ze haar zin kreeg.'

De Eva's van deze wereld konden zich handhaven omdat de mensen in hun omgeving alsmaar weer aan hun grillen toegaven. Audrah wenste dat Jochen voor één keer eens tegen haar in zou gaan en ze herinnerde zich plots weer iets wat Lars ooit tegen haar gezegd had: *Mijn moeder kan nogal moeilijk zijn, ben ik bang. Als je met mij trouwt, zul je misschien heel wat keren op je tong moeten bijten.*

'Ik heb dat bureau zelf gekocht.'

'Begrijp me alsjeblieft niet verkeerd,' zei Jochen, 'maar heb je de bon nog?'

Mogelijk. Misschien. Ergens. Ze zou niet weten waar. 'Waarom vraag je dat?'

'Omdat de advocaat dat zal aanroeren. Als jij geen bon hebt, kun je niet bewijzen dat je het gekocht hebt, hetgeen betekent dat Lars het gekocht zou kunnen hebben voordat hij met jou trouwde. En dat zou het, in speciale omstandigheden, kunnen maken tot iets dat niet per se onder gemeenschap van goederen valt.'

Hij deed het klinken alsof zij en Lars gescheiden waren! 'Mijn hemel, Jochen – ik was zijn *vrouw*.'

'Hij is overleden zonder een testament na te laten. Dat vertroebelt de zaak, zeker als het om waardevolle persoonlijke bezittingen gaat. Directe verwanten kunnen de rechtbank er soms toe overhalen om eigendom van hun ouders of kinderen aan hen toe te wijzen.'

Als ze niet onmiddellijk een eind aan dit gesprek maakte, zou de relatie die zij en Jochen ondanks Eva's voortdurende strijd daartegen hadden weten te bewaren, alsnog kapot gaan. 'Ik kan er nu niet over praten,' zei ze. 'Ik sta op het punt om een paar dagen weg te gaan.'

'Waar ga je heen?'

'Northumberland.'

'Vakantie?' vroeg Jochen.

'Werk,' antwoordde Audrah.

Tijdens de rit naar Lyndle probeerde Audrah het gesprek over Eva uit haar hoofd te zetten door zich te concentreren op Cranmer. Zoals Wober al zo bijdehand had opgemerkt, zou het een mooie afsluiting zijn als zij voor elkaar kreeg waarin elke andere parapsycholoog had gefaald. Maar een van de problemen waarmee ze te maken zou krijgen, was dat Cranmer een bijna onberispelijke achtergrond had. Een gegoede familie. Privé-scholen.

Een mix van charisma en geloofwaardigheid. En dat gold voor de meeste zogenaamde paragnosten niet, want daarvan presenteerde een groot deel zich als veredelde goochelaars die optraden in clubs en op tv. Anderen realiseerden zich al snel dat je daarmee een schijntje verdiende vergeleken met de bedragen die binnenstroomden als je het publiek ervan kon overtuigen dat je toegang had tot de spirituele wereld.

Één ding dat ze allemaal gemeen hadden, was een zekere handigheid in het manipuleren van de media. Cranmer was daarop geen uitzondering. Het was slechts een kwestie van dagen of hij had een lucratieve overeenkomst geregeld met een landelijke krant. De man die de leiding had van het onderzoek naar Ginny's verdwijning, werd om commentaar gevraagd over Cranmers bewering dat hij hen hielp, maar het enige dat ze uit hem kregen was een verbeten 'Geen commentaar'.

Was het waar dat Ginny dood was?

Geen commentaar.

Kon Tate bevestigen dat Cranmer hun had aangeraden naar een lijk te zoeken?

Geen commentaar.

Kon hij dan misschien bevestigen dat Cranmer had gezegd dat de politie in de slotgracht moest dreggen?

Geen commentaar.

De Britse politie had normaal gesproken weinig op met paragnosten. Als dus iemand als Cranmer door hen wel serieus leek te worden genomen, zou hem dat geen windeieren leggen. Dat politieonderzoek zelf zou hem dan misschien niets opleveren, maar het zou weleens een goede investering kunnen blijken. Zelfs nu al zouden allerlei mensen hem schrijven met smeekbeden om hen in contact te brengen met een minnaar, echtgenoot of kind. Cranmer zou de brieven sorteren. Hij zou al heel snel in de gaten hebben welke de moeite waard waren. Een snelle blik op de kwaliteit van het papier, het handschrift, de manier waarop de eerste zin op het papier kwam, zou voldoende zijn om de sociale en financiële status van de afzender vast te stellen. De brieven geschreven met een balpen en op gelinieerd papier zouden in de prullenbak verdwijnen. Cranmer las bij voorkeur alleen de brieven die van enige opleiding getuigden. Ze kende hem toch. Ze had hem ooit zelf een dergelijke brief gestuurd.

Ze verliet de snelweg en zat binnen een uur diep in het Northumbria National Park. Het was hier een paar dagen geleden slecht weer geweest, maar toen ze Lyndle Wood binnenreed, had ze de ergste sneeuw achter zich gelaten. Ze had nauwelijks oog voor de dicht oprukkende bomen, want haar gedachten waren vooral gericht op Cranmer. Hij had waarschijnlijk al een tijdje op een zaak als deze zitten wachten – eentje met alle ingrediënten die hij zocht. Er moest sprake zijn van een vermiste persoon – bij voorkeur een knappe vrouw en anders wel een beroemdheid. En er moest een aansprekende omgeving zijn. Cranmer kende de waarde van een arena.

De afgelopen twee dagen had ze heel wat gelezen over dit onderzoek, maar ze wist nog steeds niet goed wat Cranmer er zo in had aangetrokken. Ginny was een leuke meid, maar de wereld zat vol met leuke meiden die vermist werden. Er moest iets anders zijn – iets dat zijn aandacht had getrokken. Tot nu toe was ze er nog niet achter wat dat zou kunnen zijn. Maar zodra ze het huis zag, begreep ze het.

12

Dit was wat hem hierheen had gevoerd, dit huis met zijn hoge, zwarte muren die zich in de grond nestelden als een dier in zijn hol. Meisjes werden elke dag van de week wel vermist. Maar ze raakten niet vermist vanuit plekken als Lyndle Hall.

Engeland stond ooit vol middeleeuwse huizen. Cromwell had de meeste vernietigd. Lyndle had het overleefd. Maar tenzij er snel iets aan het onderhoud werd gedaan, zou de tijd slagen waar Cromwell had gefaald, want het werd langzaam verslonden door zijn omgeving. Het metselwerk was aangetast, alsof de wind een worm was die zich had begraven in de stenen, en de elegante, van spijlen voorziene ramen waren voor het grootste deel kapot.

De aanblik ervan gaf Audrah een onbehaaglijk gevoel, maar omdat ze wist hoe het onderbewuste visuele informatie kon interpreteren, was ze in staat haar onbehaaglijkheid te rationaliseren door te analyseren waar het door werd veroorzaakt. Ze hoefde niet lang na te denken: Lyndle was afzichtelijk.

Plekken die dreiging uitstraalden, hadden altijd bestaan. Sommige waren door de mens gebouwd. Andere waren in de natuur aanwezig. En sinds het begin der tijden had de mens erop gereageerd met het ontwikkelen van middelen om het denkbeeldige gevaar onder controle te houden dan wel te vernietigen. Katholieken lieten het kwaad uit hun huis uitdrijven, terwijl heidenen aan hun goden offerden. De Chinezen pasten Feng Shui toe om de energiestromen in hun huizen in goede banen te leiden, terwijl aanhangers van de geomantiek hun best deden banen met elektromagnetische spanning bloot te leggen.

Zes jaar bestudering van vermeende paranormale verschijnselen hadden haar ervan overtuigd dat er niet zoiets bestond als geesten, energiestromen of aardstralen. Maar er was nu eenmaal dat oerinstinct en hoe ontwikkeld de mens ook dacht te zijn geworden, feit was dat bepaalde beelden dat oerinstinct opriepen. Zet iemand in een bos ergens midden in Engeland en laat hem daar een nachtje achter en instinctief wil hij dan bij het vallen van de nacht in een boom klimmen. Als ze er bewust over nadenken, kunnen ze wel erkennen dat ze geen gevaar lopen door roofdieren te worden aangevallen. Maar het onderbewuste neemt het zekere voor het onzekere en besluit dat het geen kwaad kan om in een boom te slapen.

Op dezelfde manier wekken ook huizen als Lyndle Hall een oerangst voor het onbekende op. De alom aanwezige klimop, de stank van stilstaand water, de allesoverheersende idee van onheil. Het was weerzinwekkend, maar het was dan ook gebouwd om af te schrikken en dat deed het op twee niveaus: het eerste was fysiek, in zoverre dat het zelfs heden ten dage moeilijk zou zijn om zonder moderne hulpmiddelen dit gebouw binnen te dringen; het tweede was psychologisch – want waar dat huis al die meer dan zeshonderd jaar dan ook voor gestaan had, het zag eruit alsof het tot een andere wereld behoorde.

Audrah kon zo een aantal parapsychologen bedenken die graag de kans zouden hebben gekregen het huis wat nader te bestuderen. Een van hen werkte voor een filmstudio in Los Angeles en zijn specialiteit was zijn kennis over wat er nodig was om de mensen bang te maken voor hun omgeving. De producer verwachtte van hem ideeën voor de nieuwste griezelfilm.

Wat hij kreeg, was een reeks mathematische vergelijkingen met betrekking tot licht, schaduw en afmetingen.

Cultuur en karakter bepaalden wat mensen angst aanjoeg. Vertel een jongen die in een landhuis woont dat er zojuist een vloek over hem is uitgesproken en, aangenomen dat die vloek Uniteds kansen op de Europa-cup niet verpest, zal hij er geen nacht wakker van liggen. Ieder mens heeft zijn angsten. Maar één zaak die bijna iedereen angst aanjaagt, is een huis dat met zijn enorme zwarte muren in het water staat, een huis met een bloedige geschiedenis, een huis dat gedoemd is. Wat voor brein, wat voor mens ontwerpt dergelijke huizen? Een brein zoals het onze, dacht Audrah. En mensen zoals onze voorvaderen, wier bloed nog steeds door onze aderen pompt.

Een Range Rover dook op en het logo op het plaatwerk maakte duidelijk dat hij aan de politie van Northumbria toebehoorde. Er vlakbij stonden drie mannen. Eentje probeerde de stroom van verwensingen af te weren van een vrouw van wie Audrah vermoedde dat het Claudia Herrol was. Haar verfijnde gelaatstrekken vormden een vreemde combinatie met het lange, grijze haar en een overjas die zo te zien ooit behoorlijk duur was geweest. De knopen waren er vanaf en hij werd bijeengehouden met een riem. Ze had wel een zwerfster kunnen zijn, die met haar kleren dat feit probeerde te verdoezelen. Maar de oplettende toeschouwer zou weten dat ze een vrouw was die in portieken sliep. Alleen waren de portieken die van haar eigen huis.

Audrah stapte uit haar auto en liep op hen af. 'Mevrouw Herrol?' zei ze. Ze stak haar hand uit. 'Ik ben Audrah Sidow.'

Haar naam zei Claudia niets. 'Van het Instituut,' voegde Audrah eraan toe. 'Ik ben hier in reactie op uw brief.'

Claudia stak nu ook haar tere, magere hand uit. 'Mijn brief?'

'U hebt ons geschreven,' zei Audrah. 'Niet aan mij persoonlijk, maar ik kreeg uw brief op mijn bureau. Ik heb geprobeerd te bellen. Ik denk dat uw telefoon niet meer werkt.'

Claudia trok haar hand terug. 'Ik herinner me niets over een brief.'

Audrah haalde de brief uit haar ski-jack. Ze gaf hem aan Claudia terwijl Tate zich aan haar voorstelde.

'Kunt u zich misschien ook identificeren?'

Audrah pakte een visitekaartje met daarop haar naam, *Dr. Audrah Sidow*, en een telefoonnummer. Verder stond er niets op, want Audrah had uit ervaring geleerd dat het niet altijd verstandig was om met haar beroep te koop te lopen.

'Waarom bent u hier?'

Claudia antwoordde voor haar. 'Dr. Sidow is hier voor mijn zoon.'

Tate bekeek het kaartje nog wat nauwkeuriger. 'Wat voor dokter bent u?'

'Psycholoog,' zei Audrah.

'Goed,' zei hij. 'U kunt erbij aanwezig zijn als ik hem ondervraag.'

Hij wendde zich tot Claudia. 'Ik neem aan dat hij in het huis is?'

Claudia bevestigde dat, maar zei: 'Ik zou het zeer op prijs stellen als u dr. Sidow de kans gaf hem eerst te spreken.'

Het leek erop of Tate dat zou weigeren en Audrah, die vermoedde dat ze hierna geen kans meer zou krijgen om Nicholas te zien, zei: 'Twintig minuten?'

Tate gebaarde naar de andere twee mannen dat ze hem moesten volgen en gezamenlijk liepen ze de binnenplaats op.

Audrah betwijfelde of Tate haar ook bij Nicholas had toegelaten als hij had geweten dat ze hier was in haar hoedanigheid van paranormaal psycholoog. De autoriteiten mochten dan geneigd zijn mensen met paranormale gaven links te laten liggen, ze wist uit ervaring dat ze nog veel minder moesten hebben van hen die, zoals Wober het altijd zei, 'een poging deden tot serieuze studie van onderwerpen die door andere academici niet serieus werden genomen'.

Tate stapte opzij om iedereen binnen te laten in het huis, en eenmaal binnen stonden ze in stilte te kijken naar wat zich voor hun ogen ontvouwde. Het blauwgrijze licht dat van de binnenplaats naar binnen sijpelde, verlichtte slechts een fractie van wat in wezen een immense donkere ruimte was, en ondanks het feit dat Audrah meer dan haar deel van dergelijke huizen had gezien, werd ze toch overvallen door de gestrengheid ervan.

Ooit moest dit het middelpunt van het leven in dit huis hebben gevormd, maar nu waren de vloertegels gebarsten en hadden zaden wortel geschoten in de spleten en duwden ze de tegels omhoog in hun verlangen naar het licht van een erkervenster. Op een dag zou de vloer van Lyndle Hall veel weg hebben van een overwoekerd kerkhof, de stenen her en der verspreid, sommige rechtopstaand, andere in gevaarlijke posities op de grond.

Een deur aan de andere kant van de ruimte gaf toegang tot een gang. Er kwamen kamers op uit. De meeste zagen er ongebruikt uit – een zitkamer, een biljartkamer, een keuken. Claudia liep eraan voorbij tot ze aan de voet van een brede wenteltrap kwam. Eenmaal daar draaide ze zich om naar Tate en zei: 'Geef mevrouw Sidow op zijn minst de kans een paar minuten alleen te zijn met mijn zoon,' en toen hij knikte, volgde Audrah haar omhoog over treden die door eeuwen gebruik waren uitgesleten. De trap kwam uit op een overloop waar sneeuw door de vensters naar binnen was geblazen. Het lag als een fijn wit poeder op de planken vloer.

Er kwam een heel aantal deuren uit op de overloop. Claudia opende er een naar een vertrek dat totaal ontdaan was van alle meubilair. Geen gordijnen. Geen vloerkleed. Geen beddengoed. Alleen maar Nicholas die op een matras lag, half onder een dekbed. Hij was een jaar of twintig, maar hij zag er nog uit als een puber, zijn gezicht heel glad, zijn haar bijna wit gebleekt. Hij sliep heel diep, alsof hij onder de medicijnen zat, maar wat Audrah interesseerde, waren de littekens op zijn lichaam – enkele op zijn gezicht, andere op zijn schouders en armen. Er waren er zoveel, en zo dicht bij elkaar, dat zijn huid er bijna gespikkeld uitzag.

Het deed Audrah denken aan een geval waarbij een vrouw beweerde dat haar dochter werd geteisterd door klopgeesten. Een van de betere Amerikaanse tijdschriften had er een artikel over met daarin foto's waarop het meisje enkele decimeters boven haar bed zweefde. Er werd gesuggereerd dat onzichtbare handen haar hadden opgetild en haar op haar plaats hielden.

Uiteindelijk bleek dat de onzichtbare handen aan de moeder van het meisje behoorden, die probeerde haar verhaal te verkopen aan elke krant die er een bedrag voor over had. Het meisje werd opgenomen en de moeder zat op dit moment een straf uit wegens het verdoven en verwonden van haar dochter, om er vervolgens foto's van te maken die moesten bewijzen dat de dochter was overgeleverd aan een kwaadaardige entiteit.

Voordat het meisje werd gered, sliep ze net als Nicholas in een kamer die volkomen was leeggehaald. Wat hier ontbrak, waren een paar camera's.

'Hoe heeft hij die littekens opgelopen?'

Claudia antwoordde: 'Als het hem vindt, bijt het hem.'

Het was nu niet het moment om een discussie aan te gaan over het al of niet bestaan van zoiets als kwaadaardige entiteiten, laat staan over het feit dat ze mensen zouden kunnen verwonden. Iets bracht hem in ieder geval verwondingen toe, zoveel was duidelijk.

Negentig procent van de mensen die dit soort verwondingen vertoonden, was doelbewust letsel toegebracht – meestal door iemand uit hun directe omgeving. De andere tien procent verwondde zichzelf. Audrah wist niet in welke categorie Nicholas viel, maar mishandeling was een zaak voor de politie, en psychiaters hielden zich bezig met mensen die zichzelf verwondden.

'Mevrouw Herrol, is Nicholas ooit in een psychiatrisch ziekenhuis opgenomen geweest?'

Het duurde even voor Claudia antwoordde, maar uiteindelijk zei ze: 'Ja.'

'Hoe vaak?'

'Te vaak.'

Waarom verbaasde dat haar niet? 'Waar werd hij opgenomen?'

'In Broughton.'

Audrah kende deze streek niet, maar ze had op weg naar Lyndle een bord naar Broughton gezien. Het lag een kilometer of honderd hier vandaan. 'Wat was de diagnose?'

'Daar zijn ze nog niet helemaal uit – sommige psychiaters houden het op schizofrenie. Maar de behandelende arts, Goldman, zegt dat hij daar nog niet zo zeker van is.'

'En u?' zei Audrah. 'Wat denkt u?'

'Zou ik naar het Instituut hebben geschreven als ik dacht dat hij schizofreen was?'

Nee, waarschijnlijk niet, dacht Audrah. Maar het was niet ongebruikelijk dat ouders het idee verwierpen dat hun kind schizofreen was en een andere uitleg zochten voor het gedrag van hun kind, hoe akelig of onwaarschijnlijk ook. Sommige ouders geloofden zelfs liever dat hun kind aan de drugs was dan dat ze wilden toegeven dat het psychotisch was. Van drugs konden kinderen tenslotte weer afkicken. Bij een psychose ging dat allemaal wat moeilijker. Uiteindelijk accepteerden de meeste ouders echter toch de diagnose, gewoon omdat ze geen andere keus hadden. Ook na een goede vakantie of een nieuwe baan verdwenen de symptomen niet van wat naar zij dachten, hoopten, een tijdelijke depressie was. Het kon dus heel goed dat Claudia zich vast bleef klampen aan het idee dat Nicholas was overgeleverd aan een kwade geest, al was het alleen maar omdat ze dan hoop kon blijven houden dat door het equivalent van wat religieuze bezweringen het 'probleem' uiteindelijk uit de weg kon worden geruimd. Het zou niet weggaan. Nu niet. Nooit.

'Ik wil dat het verdwijnt,' zei Claudia. 'Kunt u daarvoor zorgen? Kunt u zorgen dat het verdwijnt?'

Audrah antwoordde: 'Parapsychologen voeren geen uitdrijvingen uit, mevrouw Herrol. Dat soort zaken laten we aan de religieuze gemeenschap over.'

'Wat doet u dan wel?'

'Wat wij doen,' zei Audrah, 'is vaststellen wat de oorzaak is van de vermeende fenomenen.'

'Dat ding bestaat echt,' zei Claudia. 'Het heeft heel lang geduurd voordat ik me dat realiseerde, maar het bestaat.'

'Er kan tegenwoordig veel gedaan worden voor mensen als Nicholas.'

'Hij denkt dat het hem probeert te vermoorden.' Ze sloeg haar handen voor haar mond, alsof ze de woorden weer naar binnen wilde duwen. 'Zeg me alsjeblieft dat het hem niet kan doden.'

'Er is niets wat hem probeert te doden.'

'U heeft nog niet gezien waar het toe in staat is,' antwoordde ze.

13

Tate kon maar niet de doodsangst vergeten die hij bij Sylvie Straker had gezien. Hij wist niet wat ze bedoelde toen ze zei: 'Het bijt hem,' maar hij vermoedde dat Nicholas Herrol iets gedaan had wat haar de stuipen op het lijf had gejaagd. Misschien dat hij daar een kick van kreeg. En misschien was hij met Ginny een stap te ver gegaan. Een beetje simplistisch misschien – het verklaarde tenslotte niet waar Francis Herrol was – maar hij zou niet weten wat hij er anders van moest maken.

Hij vermoedde ook dat Claudia probeerde haar zoon te beschermen en dit was zijn laatste poging geweest om het huis binnen te komen zonder deuren in te trappen. Hij had eerlijk gezegd niet verwacht dat ze naar buiten zou komen. En ook die psychologe had hij niet verwacht, maar het feit dat Claudia iemand had gevraagd om eens naar Nicholas te kijken, was voor Tate een aanwijzing dat ook zij moest erkennen dat er iets met haar zoon aan de hand was.

Gezien de omstandigheden zou het zijn goed recht geweest zijn de psychologe bij Nicholas vandaan te houden, maar hij wilde dat ze aan zijn kant stond. Als hij haar een beetje fatsoenlijk behandelde, kon ze nog weleens van nut zijn. Ze was op dit moment bij Nicholas, en Tate hoopte dat hij haar met een beetje handigheid kon overhalen hem te vertellen wat er gezegd was. Psychologen waren berucht om hun gereserveerdheid als het om cliënten ging, maar soms was het verrassend wat je niet allemaal uit hen kon krijgen. Ook speelde mee dat hij bij een eventuele rechtszitting niet door haar werd zwartgemaakt. Ze had slechts om twintig minuten gevraagd. Het zou niemand kwaad doen als hij haar die toestond. En terwijl zij met Nicholas praatte, konden hij en zijn mannen eens goed om zich heen kijken.

Wat hij daarna zou doen, zou heel erg afhangen van wat hij vandaag ontdekte. Als het ernaar uitzag dat een uitgebreide huiszoeking vereist was, zou hij die aanvragen. Ondertussen wilde hij vast enig idee krijgen van de indeling van het huis.

De gangen en de kamers die er op uitkwamen, waren donkerder, somberder dan hij had verwacht en hij zocht naar manieren om er wat licht in te brengen. De elektriciteit kwam van een generator, maar afgaand op de toestand van de bedrading was die aangelegd toen de familie al geldproblemen had. De kleine, ronde, bakelieten schakelaars waren overal nog in de chocoladebruine art-decostijl. Het was duidelijk ofwel overmatig duur geweest of gewoon onpraktisch om de bedrading weg te werken in de stevige blokken graniet die al even kenmerkend waren voor het interieur als de door de elementen geteisterde stenen aan de buitenkant, dus liep het broze draad van de lichtknoppen omhoog langs de muur en dwars over het plafond naar de fittingen. Het zag eruit als de bedrading die je in een huurkamer aantrof – goedkoop en gevaarlijk.

De lampen en de fittingen waren al even excentriek en gevarieerd als de bedrading. In een van de kamers was een glazen kandelaber zo onder handen genomen dat er nu gloeilampen in brandden. In een andere kamer bungelde een papieren gevaarte dat eruit zag alsof het van Habitat afkomstig was, vervaarlijk aan het plafond. Het papier was op sommige plekken tot een bijna sepiakleur verbrand. De meeste fittingen bevatten meerdere gloeilampen, maar gemiddeld werkte er slechts een op de zes en het licht dat ze in de kamer wierpen mocht nauwelijks naam hebben.

Behalve deze waren er verder geen andere lichtpunten, maar dat was niet altijd zo geweest. In de gangen staken draden uit de muur en dat leek erop te wijzen dat er vroeger wandlampen hadden gezeten. Tate liet een van zijn mannen de draden controleren. Er stond stroom op. Dit huis was levensgevaarlijk.

Het was Tate inmiddels duidelijk dat slechts één vleugel enigszins bewoonbaar was. Hij bestond uit twee benedenkamers en een keuken. De keuken was enorm, met grote houten werkoppervlakken, maar er stond een koelkast die het niet deed en een fornuis uit de jaren zestig dat op butagas werkte. Tegen een andere wand stond nog een fornuis uit de jaren dertig. Er was een vergeefse poging gedaan om het een beetje bij de rest te laten passen – het was geverfd in hetzelfde ziekelijke groen als de wandtegels.

Het aanrecht onder het raam zat vol barsten en het kastje eronder was volgestouwd met spullen. De merknamen kwamen vreemd vertrouwd over, ondanks dat ze vrijwel allemaal uit een andere tijd stamden. Hoe lang was het geleden dat hij voor het laatst vijgensiroop had gezien of Bloker's mokka? Een stuk Sunlight-zeep ter grootte van een baksteen lag naast een rol al even oud toiletpapier. En plotseling realiseerde hij zich dat hij had aangenomen dat Ginny hier als manusje van alles fungeerde. Hij had zich voorgesteld dat ze wat schoonmaakte, wat kookte. Maar niemand had in jaren iets aan Lyndle gedaan. Wat had ze hier dan moeten doen?

Achter de keuken lag een ruimte die ooit als bijkeuken had gefungeerd. Hij lag in het souterrain en was bereikbaar via een korte trap. Het enige raam keek uit op de binnenplaats en toonde niet meer dan de voeten van een eventuele passant. Het bed was afgehaald en toonde een kapokmatras. Aan het voeteneinde stond een kast en toen hij met de deur worstelde, rammelden er wat ijzeren hangers. De kast was leeg, maar hij had ook niet anders verwacht.

Volgens meneer Mulholland had Ginny gezegd dat ze een kamer achter de keuken had gekregen. Ze had hem als zeer eenvoudig omschreven. Volgens Tate was onbeschrijfelijk vuil een betere omschrijving. *Waar begon je aan, Ginny?*

Hij kon haar antwoord bijna horen. *Als je jong bent, pas je je makkelijker aan. Bovendien was het maar voor korte tijd – en ik had het geld nodig.*

Hoeveel meisjes waren gestorven omdat ze geld nodig hadden? Maar goed, een baantje in Lyndle Hall klonk nu niet echt riskant. En Ginny had gezegd ze altijd weer kon vertrekken als het haar niet beviel. Waarom was ze dan toch gebleven? Langzaam begon de gedachte wortel te schieten, te groeien, dat ze misschien gedwongen was geweest om te blijven.

Er waren nog twee andere kamers op de begane grond, allebei groot en allebei met uitzicht op de gazons. De een was een studeerkamer, met een hoog plafond en kale stenen muren die het vertrek een bijna net zo kloosterachtige gestrengheid gaven als Lyndle's Great Hall. Voor een open haard stonden twee roodleren leunstoelen. Erachter scheidde een tafel een hoek van het vertrek af, waarvan een van de wanden in beslag werd genomen door een spiegel.

Hij verliet het vertrek en stapte een ruimte binnen die waarschijnlijk ooit een salon was geweest. Op een gegeven moment was het vertrek omgetoverd in een biljartkamer; de tafel stond er nog steeds. Iemand had een mes in het laken gezet en dat tot aan de leistenen plaat eronder opengesneden.

De keus waren doormidden gebroken en lagen op een hoopje naast een stenen open haard. Biljartballen ontbraken, maar elk stukje glas in de ramen was gebroken. Het leek er veel op dat iemand er de biljartballen doorheen had gegooid. Maar waarom? Verveling. Frustratie. Woede?

Hij liep de kamer uit en ging de wenteltrap op. Toen hij op de overloop was, hoorde hij Claudia en de psychologe in een van de kamers praten. Hij liep die kamer voorbij, maar controleerde wel de andere, die allemaal nauwelijks gemeubileerd bleken.

Een ervan bevatte een kledingkast propvol vrouwenkleren. Ze waren niet van het soort dat achttienjarige meisjes zouden dragen, dus nam hij maar aan dat ze van Claudia Herrol waren. Ze maakten gewag van een tijd dat ze een volkomen ander leven moest hebben geleid. Het was vooral avondkleding. Cocktailjurken en schoenen. Allemaal van bekende ontwerpers. Hij kon ze niet goed rijmen met de vrouw die tegenwoordig rondliep in een oude tweedjas, waaraan de helft van de knopen ontbrak.

Geen spoor van de kleren die aan haar echtgenoot hadden toebehoord. Misschien dat hij ze meegenomen had, maar dat betwijfelde Tate. In een eerder stadium van het onderzoek was hij nog bereid geweest de mogelijkheid te accepteren dat Francis Ginny had vermoord en zich nu gedeisd hield, maar nu steeds duidelijker werd dat Nicholas Herrols gedrag abnormaal was, leek dat Tate veel minder voor de hand liggend. Hoe meer inzicht hij kreeg in de toestand op Lyndle, hoe meer hij begon te vermoeden dat Francis hier helemaal nooit vertrokken was.

Hij liep naar het kapotte raam en keek omlaag naar de gracht. Er zou moeten worden gedregd en ze zouden daar duikers bij nodig hebben, want volgens Bischel was het water minstens vier meter diep. Dat maakte het dieper dan menig kanaal dat Newcastle ooit verbond met de belangrijke waterwegen in het gebied. Sommige waren in ere hersteld, maar de meeste lagen nog bezaaid met fietsen, karren, auto's, koelkasten en de rompen van gezonken aken. Hij vroeg zich af wat duikers op de bodem van deze gracht zouden vinden. *Laat het alsjeblieft geen meisje van achttien zijn, haar lichaam verzwaard met een gewicht...*

Zoals alle slotgrachten werd ook deze gevoed door een natuurlijke bron. Volgens Bischel werd het overtollige water vroeger afgevoerd via een reeks doorlaten die uiteindelijk in het bos uitmondden. Eind negentiende eeuw werden de doorlaten vervangen door pijpen die liepen onder wat later croquetvelden zouden worden. Zoals ze er nu bij lagen, zou niemand op het idee komen dat het land dat het huis van het bos scheidde, ooit een gazon was geweest. Het zou eens de plek zijn geweest waar chique party's en familiebijeenkomsten werden gehouden, hoewel hij zich niet kon voorstellen dat er op Lyndle ooit een familiefeestje was geweest. Sommige huizen leenden zich voor het idee van een familiehuis. Lyndle was een fort, een toevluchtsoord, maar het kwam op hem vooral over als een agressief huis, een huis dat paste bij het soort man dat eerst aanviel en daarna pas vragen stelde. Het was geen plek voor vrouwen en kinderen, en toch moesten die er in ruime mate geweest zijn.

Hij ging weer omlaag, de trap af en stak de binnenplaats over naar de tegenoverliggende vleugel. Dat was vroeger een koetshuis geweest. Nu was het een garage. Er stonden op dit moment drie auto's in geparkeerd. Fletcher had de nummerborden al laten nalopen. Een van de auto's was van Claudia, eentje van Nicholas en de derde was van Francis Herrol. Volgens meneer Mulholland had Ginny een rijbewijs, maar kon ze zich geen auto veroorloven. Hoe moesten zij en Francis dan vertrokken zijn? Hij kon zich hen op de een of andere manier niet liftend voorstellen, en de plaatselijke taxibedrijven hadden al bevestigd dat zij niemand bij Lyndle Hall hadden opgepikt.

Fletcher kwam naar hem toe. 'Bevan wil u even spreken,' zei hij, en Tate riep zijn naam toen hij de uit hout opgetrokken vleugel binnenging.

'Hierheen,' zei Bevan.

Tate wist nu waarom het huis zo spaarzaam gemeubileerd was. Alles bleek zich hier te bevinden.

Bevan was bezig elk meubelstuk nauwgezet te onderzoeken. Dat was een klus die hem op het lijf geschreven was. Voordat hij bij de politie ging, was hij antiekhandelaar geweest en omdat hij zo goed in deze materie thuis was, zag hij al van een kilometer afstand of iets namaak was. Hij kon ook *ruiken* of iets gestolen was. Vaak was dat omdat het gestolen antiek in een verkeerde omgeving stond. Een zeventiende-eeuwse commode hoorde niet voor behang te staan dat je eerder in de plaatselijke pub verwachtte. Toen hij zag wat er in deze loods stond opgeslagen, had hij daarom ook direct geweten dat het niet om een partijtje gestolen waar ging. Hij legde Tate uit dat de meeste spullen die hij hier zag net zozeer deel uitmaakten van Lyndle als de stenen waaruit het was opgetrokken. Een van de kasten stamde uit begin vijftiende eeuw. Hij was al even solide, lelijk, onbetaalbaar, als de toegangsdeuren van Lyndle Hall.

Hij wees Tate diverse meubelstukken aan. Ooit waren ze heel veel waard geweest. Nu waren ze geruïneerd. Tafelbladen die niet waren bekrast, waren van hun onderstel gerukt. Kostbaar porselein was kapot gegooid, handgeweven gordijnen aan flarden gescheurd. De restanten waren in dozen gestopt en vervolgens hier gedumpt.

'Degene die dit heeft gedaan, had er geen idee van hoeveel dit waard was,' zei Bevan. Het was allemaal onvervangbaar. En nu was het in feite verdwenen.

Terwijl ze daar stonden, drukte de wind buiten tegen de muren en de balken kreunden en kraakten onder het geweld. Het was alsof ze zich in de buik van een schip bevonden. En het voelde niet bepaald veilig.

Tate besloot dat de psychologe nu wel lang genoeg met Nicholas had gepraat. Hij had haar twintig minuten toegestaan. Ze was al minstens veertig minuten bezig. Maar terwijl hij en Bevan zich bij Fletcher op de binnenplaats voegden, kwam Nicholas het huis uit. Of beter gezegd, hij verscheen in de deuropening. Hij was naakt. Hij had niets aan zijn voeten. Toch liep hij de trap af en de binnenplaats op, tot aan zijn enkels in de sneeuw. Zijn huid zag er vlekkerig, blauwig uit, maar wat kon je ook anders verwachten bij iemand die spiernaakt en in dit weer rondliep.

Het was wat Tate betrof eens te meer een bevestiging dat er iets heel erg fout was met hem. De psychologe zou zo dadelijk ook wel naar buiten komen en hem hoofdschuddend aankijken, alsof ze wilde zeggen: *Dit is jouw pakkie-an.*

Hij deed een stap in Nicholas' richting, maar deinsde weer even snel terug toen de jongen een mes naar hem ophief. Het was niet echt een groot mes, maar daar ging het niet om. Zelfs een pennenmesje kon dodelijk zijn. En hij had geen zin om risico's te nemen. Wat hij verder zou doen, zou daarom heel erg afhangen van wat Nicholas ging doen. En wat hij deed, was over de binnenplaats hollen, met het mes in de lucht hakken en wartaal uitslaan.

Het zou heel simpel zijn geweest om hem te ontwapenen. Tate was dat uiteindelijk ook wel van plan, maar hij wilde hem eerst nog even observeren. 'Laat hem maar,' zei hij, en Fletcher en Bevan hielden zich gedeisd.

Eigenlijk was het ook helemaal niet nodig om te proberen hem te ontlopen. Nicholas ging veel te veel op in zijn gehak in de lucht om nog aandacht voor de anderen te hebben.

Tate was er nog niet uit of het al dan niet aanstellerij was, iets wat Nicholas en de psychologe later zouden kunnen aanvoeren als een bewijs voor zijn verminderde toerekeningsvatbaarheid. Hij wilde kijken hoe lang Nicholas dit vol zou houden, maar Claudia maakte er een eind aan door met de psychologe op haar hielen het huis uit te komen rennen.

'Nicholas, o Nicholas. Kan iemand me helpen – alsjeblieft!'

Tate knikte naar Fletcher en binnen enkele seconden lag Nicholas Herrol op zijn buik in de sneeuw. Fletcher deed hem de handboeien om en rukte hem vervolgens omhoog tot hij op zijn knieën zat. Pas toen zag Tate de striemen die op zijn lichaam verschenen. Er zaten er een paar op zijn gezicht. Andere zaten op zijn keel, zijn rug en zijn benen. Ze deden Tate ergens aan denken, maar hij wist niet waaraan. En toen daagde het hem plotseling. Ze leken op bijtwonden. Niet van een dier.

Menselijk. Klein, en ovaal, en *gemeen*, en nu begreep hij ook Sylvie Strakers verhaal beter.

Nicholas zat daar geknield in de sneeuw, het hoofd gebogen, de handen op zijn rug, als iemand die wachtte op de beslissende klap van de beul. Er waren nog maar enkele seconden verstreken sinds die helse striemen waren verschenen, maar nu al lekte er een bloederig soort vocht uit.

'Zet hem overeind,' zei Tate, en Fletcher en Bevan probeerden hem omhoog te trekken. Hij gilde als een speenvarken en Claudia smeekte nu bijna. 'Raak hem niet aan,' zei ze. 'Alsjeblieft – dat bezorgt hem helse pijnen.'

Tate stond op het punt om te zeggen dat ze hem daar toch niet konden laten zitten, toen ergens achter hem een vertrouwde stem klonk.

'Laat hem met rust!'

Hij draaide zich om en zag Cranmer de binnenplaats oplopen, maar wat hem vooral interesseerde was wat hij zei toen hij de psychologe zag. De manier waarop hij naar haar keek – het was bijna bezitterig. 'Hallo, Audrah.'

Tate realiseerde zich plotseling dat dit geen goede ontwikkeling was. Als Cranmer hier was, zou mogelijk ook de pers al snel volgen en dan kon er nu elk ogenblik een fotograaf opduiken die een foto nam van de in de sneeuw knielende, met bloederige wonden bedekte Nicholas. Het verhaal zou zich verder zelf schrijven. Op zijn best zou hij worden geportretteerd als een man bezeten door demonen. Op zijn slechtst zou er bovendien worden geïmpliceerd dat hij psychotisch was en dat hij mogelijk zijn vader en Ginny Mulholland had vermoord. Het zou hoe dan ook zijn advocaat de kans geven te pleiten dat zijn cliënt, door de manier waarop hij in de pers werd afgeschilderd, de kans op een eerlijk proces werd ontnomen. 'Zorg dat die man hier verdwijnt,' zei Tate, en Fletcher en Bevan duwden Cranmer min of meer de binnenplaats af.

Toen hij weg was, leek Audrah zich wat te ontspannen, maar

het was Tate inmiddels wel duidelijk dat zij en Cranmer elkaar kenden. 'Een vriend van u?'

'Ik ken hem beroepsmatig.'

Tate kon zich niet voorstellen dat een psychologe iemand als Cranmer kende. Misschien dat hij ooit patiënt van haar was geweest. Op dit moment echter was Nicholas Herrol belangrijker. Hij wilde hem ondervragen, maar dat was voorlopig onmogelijk na wat er net gebeurd was.

Nicholas zat nog steeds geknield. De sneeuw rondom hem was roze van het bloed. In al zijn jarenlange ervaring had Tate nog nooit zoiets als deze verwondingen gezien. 'Wat is er met hem aan de hand?' vroeg hij.

Audrah gaf daar geen antwoord op, maar ze deed wel een in Tates ogen verstandige suggestie: 'Hij is opgenomen geweest op de psychiatrische afdeling in Broughton. Hij moet daar weer naar terug.'

Tate pakte zijn mobiele telefoon en belde een ambulance.

'Ik wil met hem mee,' zei Claudia.

'Ik rijd je er wel heen,' zei Audrah.

14

De aard van de verwondingen was veranderd tegen de tijd dat de ambulance Nicholas naar Broughton had gebracht. De striemen waren verdwenen en de huid zag er nu gruizig uit, alsof er met een kleine, scherpe naald duizend speldenprikken waren aangebracht.

Zodra hij weer aanraking kon verdragen, waste een verpleger het bloed weg. Hij was nu gekleed in een hemd en lag op een bed in een zaaltje dat hoorde bij het kantoor van de behandelend psychiater, Goldman.

Goldman kwam vergezeld van twee verpleegkundigen het zaaltje binnen. De verplegers hadden allebei een kort wit jasje en een blauwe broek aan, maar Goldman, die hoopte door zijn nonchalante kleding zijn patiënten op hun gemak te stellen, droeg een slobberbroek, een poloshirt en sportschoenen. Hij bewoog zich bijna geruisloos over het eiken parket. 'Ik wil proberen jou te helpen, Nick. Ik wil dat je me vertrouwt.'

Dat was precies wat Goldman bij hun eerste ontmoeting had gezegd en zijn woorden brachten weer de omstandigheden van die eerste opname in herinnering. Hij was twaalf en zat op kostschool, en de sportleraar had hem ten overstaan van de hele klas laten opstaan. 'Doe je hemd uit, Herrol.'

En Nicholas trok zijn hemd uit.

'Draai je om en laat de anderen je rug zien.'

Nicholas draaide zich om en liet zijn rug aan de andere jongens zien.

De leraar sprak de klas vermanend toe. 'Ik weet niet wie hiervoor verantwoordelijk is, maar we leven niet meer in de donkere Middeleeuwen en anderen aftuigen zal op deze school niet worden getolereerd. Is dat begrepen?'

Het was begrepen.

Later die middag nam de hoofdonderwijzer hem terzijde. 'Het idee dat een van onze jongens door een ander wordt geslagen, is totaal onacceptabel. Het is echter bij me opgekomen dat het misschien niet de schuld van een andere jongen is.'

Het was de eerste keer dat iemand een indicatie gaf dat hij misschien wist wat hiervoor verantwoordelijk was en heel even dacht Nicholas dat het hoofd zou gaan zeggen dat hij wist hoe je hiermee om moest gaan. Zijn hoop vervloog toen het hoofd vervolgens zei dat hij hem naar huis zou sturen om te herstellen en dat als hij terugkwam, hij verwachtte dat Nicholas hem de naam van de hiervoor verantwoordelijke persoon zou vertellen.

Het was onmogelijk iets te benoemen dat zich over de muur van de slaapzaal verspreidde als een donkere, vochtige vlek, iets wat geen gezicht had, iets wat obsceniteiten fluisterde, wat 's nachts naar je gezicht klauwde en al je wakende gedachtes domineerde.

Een van de verplegers hield een spuit met Zyphol op. Nicholas werd op zijn zij gelegd en de naald werd in zijn dijspier gedreven. Goldman zei: 'Je hoeft nergens bang voor te zijn, Nick – we zorgen alleen dat je een tijdje gaat slapen, zodat je wat rust krijgt.'

Nicholas had meer belangstelling voor wat er op het wagentje met medicijnen gebeurde. De spullen daarop werden verplaatst. Vloeistof werd uit ampullen gezogen en naalden kromden en rechtten zich alsof het reepjes katoen waren.

Hij wilde bijna Goldmans aandacht er op vestigen, maar wat

zou dat voor zin hebben? Zodra Goldman ook maar een blik in de richting van het wagentje wierp, zou het gedoe ophouden. En aangenomen dat Goldman al zag dat de spullen niet meer op hun oude plek lagen, dan nog zou hij waarschijnlijk denken dat hij ze zelf verkeerd had neergelegd.

De Zyphol maakte hem suf. Het had geen zin zich ertegen te verzetten. Het kalmeringsmiddel begon te werken.

Goldman scheen met een lichtje in zijn ogen, stopte de zaklamp toen weer in de borstzak van zijn poloshirt en vertrok, maar de verplegers bleven achter. Ze praatten met elkaar. Voetbal, cricket, een ongewenste verhuizing naar de andere kant van de stad. Ze zouden zich een stuk minder op hun gemak voelen als ze wisten wat er achter hen stond.

Een van de verplegers bracht zijn hand naar zijn hals, wreef voorzichtig over zijn keel en liet vervolgens zijn hand weer zakken. En het ding dat hem dat liet doen, begon te praten:

Ik ben er nog steeds, Nicholas.

Dat weet ik.

Jij denkt dat je me te slim af bent geweest, maar ik kan je nog steeds kwetsen.

Dat weet ik.

Jij ademt mij in flessen die je in een kist wegstopt, maar ik blijf vrij.

Dat weet ik.

Ik ben je enige vriend.

15

Audrah had gedacht dat ze was voorbereid op het moment dat ze Cranmer weer zou zien, maar kennelijk was geen enkele voorbereiding toereikend. Hij had haar verrast en ze schold zichzelf in stilte uit vanwege het feit dat Tate had gezien hoe zijn plotselinge verschijning haar had overvallen. Het verschilde enigszins van het effect dat Cranmer bij hun eerste ontmoeting op haar had gehad en ze herinnerde zich dat ze Jochen over hem verteld had terwijl hij en zij op het balkon van het huis stonden. Ze hadden uitgekeken over het bos alsof ze wilden afdwingen dat Lars daar tussen die bomen zou komen aanlopen, en ze had gezegd: 'Ik heb iemand ontmoet.'

Eerst dacht Jochen dat ze bedoelde dat ze verliefd was geworden en dat was in zekere zin ook zo. Maar indertijd had ze haar verlegenheid verborgen door uit te leggen dat ze bedoelde dat ze iemand had ontmoet die beweerde dat hij haar kon helpen uitvinden wat er met Lars was gebeurd.

'Hoe heb je hem leren kennen?'

'Hij belde me.'

'Hoe is hij aan je nummer gekomen?'

Haar naam had in de kranten gestaan, samen met die van Jochen en Eva Sidow. De Sidows waren tenslotte een invloedrijke familie. Dat alleen was al een garantie dat de kranten er aandacht aan zouden besteden, hoewel de meeste artikelen in de

Zweedse pers waren verschenen. Wat er wel in de Engelse kranten verscheen, was het verhaal dat Lars Sidow, zoon van een directeur van de First National Bank, onder hoogst ongebruikelijke omstandigheden was verdwenen.

Jochen had zijn hele leven in het zakencentrum van Londen doorgebracht. Hij wist heel veel van geld. Wat Audrah zich niet had gerealiseerd, was dat hij ook heel veel van mensen wist. Zij was een afgestudeerde psycholoog en toch was hij het die haar erop wees dat vrouwen die recentelijk een geliefde hadden verloren, uitzonderlijk kwetsbaar waren. 'Wat weet je eigenlijk van die man?'

'Ze zeggen dat hij een van de grootste helderzienden is die de wereld ooit gekend heeft.'

'Wie zegt dat?' zei Jochen. 'De mensen die zijn pr behartigen? Wees voorzichtig, Audrah – mannen die jonge, aantrekkelijk dames benaderen die zojuist weduwe zijn geworden doen dat zelden uit altruïstische overwegingen.'

Het was nu te laat om te wensen dat ze zijn waarschuwing ter harte had genomen. He enige wat haar nog restte, was ervoor proberen te zorgen dat anderen niet dezelfde lijdensweg zouden volgen als zij gedaan had.

Ze vond dat ze zich had moeten realiseren dat Cranmer elk moment kon opduiken. Als hij eenmaal interesse voor een zaak had, was hij nooit ver uit de buurt. Maar het feit dat Tate hem had gemaand om te verdwijnen, was een goed teken. Het betekende dat hij niet zo lichtgelovig was als een hoop anderen. Maar het zou een vergissing zijn om Cranmer te onderschatten. Hij was heel wel in staat om Tate te beïnvloeden.

Toen de ambulance was vertrokken, had Tate haar gevraagd of ze het echt wel zo'n goed idee vond om Claudia naar Broughton te brengen. 'Ik kan het ook een van mijn mensen laten doen.'

Ze verzekerde hem dat het geen probleem was, maar ze vertelde hem niet dat ze het deed in de hoop een kans te krijgen om te praten met de psychiater die Nicholas in het verleden had behandeld. Het zou interessant zijn om te horen wat Goldman te zeggen had.

Nu zat ze in de wachtkamer van Broughton. De kliniek was gevestigd in een oud ziekenhuis en bood ongeveer evenveel comfort en sfeer als een bushokje. Twee plastic banken besloegen de hele lengte van een muur en terwijl ze daar zo zat, dacht Audrah na over waar ze in terechtgekomen was. Er waren zoveel vragen die ze Claudia wilde stellen – niet alleen over Nicholas, maar over de algehele situatie, en dat vooral omdat ze Claudia nog niet één keer de naam van Ginny of Francis had horen noemen. Geen wonder dat de politie zoveel belangstelling toonde. Audrah kon zich heel goed voorstellen wat er door Tates hoofd ging, vooral toen Nicholas met een mes zwaaiend de binnenplaats op was gelopen. Hij was op dat moment niet in een toestand om verhoord te worden en Tate had het gezien de omstandigheden ook niet passend gevonden om Claudia te ondervragen. Audrah had datzelfde gevoel gehad toen ze de ambulance volgden. De kans om erachter te komen wat er gaande was, zou zich vanzelf nog wel voordoen. Tot die tijd moest ze haar nieuwsgierigheid bedwingen. Ondertussen zou ze proberen te ontdekken hoe Nicholas aan die verwondingen kwam. Ze twijfelde er niet aan of hij had ze zelf toegebracht, maar dat was ook het enige dat ze wist.

Vaak kon ze, ook al kon ze dan een bepaald verschijnsel niet uitleggen, in ieder geval met enige zekerheid zeggen dat wat zij zag niet veel meer was dan een stunt van iemand die zijn omgeving ervan wilde overtuigen dat hij psychotisch was. Vaak waren die stunts nogal grof en de illusie makkelijk door te prikken, maar dit keer had ze er echt geen idee van hoe het in zijn werk ging. De wonden waren echt, zoveel was duidelijk. Het was te heftig voor een allergische reactie en ze betwijfelde of het door drugs kon worden veroorzaakt. Het was mogelijk dat hij een of ander irriterend middel op zijn huid had gewreven, maar wat?

Toen Nicholas eenmaal verdoofd was en Claudia naar het zaaltje was gegaan om te kijken hoe het met hem ging, sprak Audrah iemand van het verplegend personeel aan, legde uit dat ze psycholoog was en vroeg of ze wilden kijken of Goldman een momentje voor haar had. Niet lang daarna liep Goldman de wachtkamer binnen en ze stond op toen hij zich voorstelde. 'Misschien dat het in mijn kantoor wat behaaglijker is.'

Goldman had zijn best gedaan om de Victoriaanse somberheid zoveel mogelijk uit zijn kamer te verdrijven. De inrichting was licht en helder. Hij nodigde haar uit plaats te nemen in een van de twee gemakkelijke stoelen. Hij nam zelf de andere en zei: 'U begrijpt dat ik me heb te houden aan mijn beroepsgeheim? Het feit dat mevrouw Herrol u heeft uitgenodigd om een mening over haar zoon te geven, verandert daar niets aan. Het zou anders zijn als ik de toestemming van mijn patiënt zou hebben.'

Audrah zei: 'Ik stel het al heel erg op prijs dat u me wilt ontmoeten.' Toen boog ze zich voorover en voegde eraan toe: 'En ik vind dat u nu direct moet weten dat mijn specialiteit de parapsychologie is. Ik ben werkzaam bij het BIPR in Edinburgh.'

Goldman zweeg enige tijd en toen hij antwoordde, was dat alleen maar: 'Dat is interessant.'

Moeilijk te zeggen wat hij dacht. Ze kon zich voorstellen dat hij datzelfde antwoord zou geven aan iemand die zojuist had toegegeven dat het afbijten van kinderhoofdjes een centrale rol speelde in zijn seksuele fantasieën.

'Mijn motto, mijn credo, zo u wilt, is dat er op aarde niets bestaat waarvoor geen rationele verklaring voor is – hetgeen me brengt bij de reden dat ik met u wil praten, want ik kan niet uitleggen hoe Nicholas die verwondingen bewerkstelligt.'

Goldman glimlachte. 'U denkt dat hij zichzelf bezeert?'

'U niet?'

'Ik ben daar niet zo zeker van.'

Een dergelijk antwoord had ze niet verwacht.

Goldman voegde eraan toe: 'Ik heb de afgelopen jaren elke in de medische wetenschap bekende test op Nicholas uitgevoerd.'

'En?'

'Ze hebben geen van alle iets opgeleverd.' Hij glimlachte. 'Hij is op zijn zachtst gezegd een fascinerend geval.'

'Als u niet denkt dat hij zichzelf verwondt, wat denkt u dan wel?'

Goldman liep naar een boekenkast die vrijwel de hele muur achter zijn bureau besloeg. Hij wees op de studieboeken en zei: 'Er was een tijd dat ik dacht het antwoord te vinden in een van die boeken hier, maar daar vergiste ik me in.'

Hij liet zijn hand langs de planken dwalen. De hand ging langs de ruggen van een paar favoriete exemplaren en bleef toen rusten op een boek gebonden in prachtig kalfsleer. Hij trok het uit de kast en gaf het bijna eerbiedig aan haar. 'Dit, echter, bevat een beschrijving van Nicholas Herrols symptomen.' Bijna als een overpeinzing voegde hij eraan toe: 'Het zou iemand met uw beroep moeten aanspreken.'

Toen ze zich realiseerde dat het boek dat Goldman haar had gegeven over demonen ging, zei Audrah: 'U wordt verondersteld psychiater te zijn.'

'Ik ben ook psychiater,' zei Goldman. 'En één ding dat een goede psychiater nooit moet doen, is zijn ogen sluiten voor alle mogelijkheden. Ik had gedacht dat hetzelfde zou gelden voor een parapsycholoog?'

'Er zijn bepaalde mogelijkheden die geen serieuze aandacht verdienen,' zei Audrah.

'U bent hier binnengekomen met het idee dat ik zou bevestigen wat u vermoedde zodra u Nicholas onder ogen kreeg – u kwam hierheen in de verwachting dat ik zou zeggen dat hij schizofreen is. Maar dan moet ik u teleurstellen, want ik ben niet van plan die diagnose te stellen.'

Artsen waren wel vaker terughoudend met het vaststellen van schizofrenie in de eerste stadia van deze ziekte. Maar als de symptomen eenmaal ernstiger werden, verdween hun terughoudendheid meestal snel. 'Wanneer er sprake is van verward denken, sociaal isolement, een verslechterd functioneren, moet de diagnose van schizofrenie overwogen worden. Nicholas vertoont al deze symptomen, en nog wel andere ook.'

'Hij is geen klassiek geval.'

'Wie wel?'

Het was een vergissing zijn mening in twijfel te trekken. Goldman antwoordde: 'Nicholas is al meer dan tien jaar mijn patiënt. U hebt hem... hoe vaak gezien?'

Toen Audrah toegaf dat ze zelfs niet met hem gesproken had, alleen maar met zijn moeder terwijl hij lag te slapen, glimlachte Goldman. 'Ik weet zeker dat zijn welzijn u ter harte gaat, maar misschien is het beter de zorg voor hem over te laten aan mensen die... laten we zeggen de juiste academische achtergrond hebben om over hem te oordelen.'

Audrah stond op en keerde terug naar de wachtkamer, waar ze Claudia aantrof die op een van de banken zat en naar de vloer staarde. Met haar verwarde haardos en de oude tweedjas zou ze zo van de straat binnen kunnen zijn gekomen.

'Hoe gaat het met hem?' vroeg Audrah.

'Hij is nu wat rustiger,' zei Claudia.

Ze zat met haar rug naar schilderijen die door enkele van Broughtons patiënten waren vervaardigd. Elke aan de mens bekende psychose werd daarop uitgebeeld en terwijl Audrah de bijna onzichtbare penseelstreken van een gevoelige zij het wat surreële aquarel vergeleek met de veel uitgesprokener schreeuw om hulp die sprak van een wegglijden in totale gekte, vroeg ze zich af wat voor soort kunstwerk Nicholas uiteindelijk aan deze collectie zou toevoegen.

Tate stond samen met Fletcher en Bevan op de binnenplaats. Ze hadden zo langzamerhand een aardig idee van de indeling van het huis en dat zou nog weleens nuttig kunnen blijken, want toen Nicholas naakt en gewapend met een mes het huis uit was gerend, was de beslissing om een uitgebreide huiszoeking te doen als vanzelf genomen.

Om hen heen dwarrelde poederachtige sneeuw omlaag. Spoedig zouden alle sporen van hun aanwezigheid zijn uitgewist. Tijd om er voor vandaag een punt achter te zetten, om die grote, eiken deuren te sluiten en het huis veilig achter te laten – niet dat er nog iets het stelen waard was. Alles van waarde leek te zijn verwoest. Tate maakte zich er meer zorgen over dat de pers zou komen opdagen, zich vrijheden zou veroorloven en daarbij een potentiële plaats van een misdrijf zou aantasten.

Bevan staarde naar het huis alsof hij erdoor betoverd was. 'Een prachtig huis, vinden jullie ook niet?'

Net iets voor Bevan om een huis als Lyndle mooi te vinden. Het was te somber, te kaal voor Tate. Hij zou liever iets meer ornamenten zien, iets om het onbarmhartige zwart van die eindeloze granieten muren te verzachten.

'Sommige oude dingen zijn prachtig... nog warm van het leven van de vergeten mensen die ze gemaakt hebben.' Bevan wendde zich tot Tate. 'D.H. Lawrence, meneer.'

'Naar bed, naar bed, zei Duimelot.' Fletcher draaide zich om naar Bevan. 'Kindersprookje.'

Tate glimlachte, maar slechts heel even. Hij vond het nog minder leuk toen Bevan eraan toevoegde: 'Ik heb met haar te doen.'

'We weten niet zeker of ze dood is.'

'Ik bedoel het huis.'

'Bewaar je medelijden maar voor Ginny Mulholland,' zei Tate. 'En mogelijk ook voor Francis Herrol.'

Zijn mobiele telefoon ging, zacht als een fluistering. Hij nam op.

'Niet ophangen,' zei Cranmer.

Fletcher zag de uitdrukking op Tates gezicht. 'Wat is er?'

Tate bedacht dat Cranmer zich weleens ergens tussen de bomen kon ophouden en misschien wel toekeek hoe hij de telefoon opnam. Als dat zo was, zou hij het beslist leuk vinden zijn woede te zien. En Tate *was* woedend. Cranmer had het nummer van zijn mobiele telefoon weten te bemachtigen. Dat nummer werd verondersteld geheim te zijn omdat Tate een hoge politiefunctionaris was. Cranmer kon dat nummer dus alleen op een illegale manier in bezit hebben gekregen.

Tate zei: 'Je hebt net een heel grote fout gemaakt, Cranmer.' Maar wat hij daarna ook had willen zeggen, het ging verloren omdat Cranmer antwoordde: 'U bent in een kamer achter de keuken geweest... groene tegels, eenpersoonsbed en een klerenkast. De metalen hangers rinkelden toen u de kast opendeed. Het was Ginny's kamer. Zeg dat ik het verkeerd heb. Zeg het!'

Tate was te zeer overrompeld om ook maar iets te zeggen.

'Laat mij proberen u te helpen,' zei Cranmer. 'Laat mij in het huis – en als u daarna wilt dat ik uit de buurt blijf, zal ik vertrekken. Geen pers. Geen verdere inmenging. De volgende vlucht terug naar de Verenigde Staten. Dat zweer ik. Dat *zweer* ik!'

Een paar uur later stonden Tate en Cranmer in Ginny's kamer. Tate had hem niet verteld welke het was of waar die zich bevond, maar dat hoefde ook niet. Eenmaal in het huis leidde Cranmer hem er direct naartoe en Tate kon niet anders dan volgen, kon niet anders dan toekijken hoe de ander dingen in zich opnam die zelfs de meest ervaren forensische expert niet kon vergaren, ondanks alle technologie die hem ter beschikking stond.

Cranmer stond daar, de ogen gesloten, zijn stem geëmotioneerd. 'Ze is niet hier gestorven,' zei hij, en Tate voelde een kilte door zijn lichaam trekken.

'Die woede,' zei Cranmer. 'Ik voel zoveel woede.' En toen: 'Waar lig je begraven?'

Tate hoorde hem iets mompelen over *niet begraven, maar aan het gezicht onttrokken*, en toen hij water hoorde noemen, moest hij direct aan de slotgracht denken. 'Wat probeer je me te vertellen?' vroeg Tate. 'Ze ligt in de gracht – is dat het?'

Cranmer opende zijn ogen en wat Tate daarin zag, joeg hem angst aan. Die ogen van hem... er was daar niets, alleen maar leegte!

'Waar ben je?' zei Cranmer zacht. 'Probeer het me te vertellen... probeer het...'

Hij knikte alsof hij instemde met een stem die alleen hij kon horen en daarna sprak hij tegen Tate.

'Nu zie ik het,' zei hij. 'Ze is in het bos.'

16

Het was nu vierentwintig uur geleden dat Guy was vertrokken en hij had nog niets van Rachel gehoord. Hij had dat wel verwacht, hoewel God mocht weten waarom. Ze zat waarschijnlijk te wachten tot hij contact met haar zou opnemen. Nou, dan kon ze nog even wachten.

Hij wilde alleen zijn en was geïrriteerd toen zijn vader zich bij hem voegde voor een wandeling over de landtong. Van hier af kon je de Purbecks zien en zijn geheugen vulde zich met herinneringen aan zijn jeugd en de zomerse wandelingen langs de kliffen. Dat had een gelukkige tijd moeten zijn, maar die werd vertroebeld door het besef dat er iets niet helemaal goed was tussen zijn ouders.

Toen hij ouder was, realiseerde hij zich dat wat hij toen had bespeurd die constante sfeer van wantrouwen was, de onuitgesproken erkenning dat de relatie alleen zou standhouden als hij nooit op de proef werd gesteld. Financiële problemen, ziekte, een persoonlijke crisis zouden onvermijdelijk het einde inluiden en dat was natuurlijk ook wat er uiteindelijk gebeurde. Het had in de vorm van een verhouding kunnen komen. In dit geval kwam het in de vorm van minachting. De incidentele sarcastische opmerking werd een onophoudelijk vitten, tot geen van beiden nog langer de aanwezigheid van de ander kon velen. Het liet hem achter met de hoop dat het anders zou gaan met de vrouw die hij trouwde, maar op dit moment had hij het gevoel dat hij het eerste honk nog niet eens gehaald had. Het was geen prettig gevoel.

'Dat huisje,' zei zijn vader. 'Vertel daar eens wat meer over.'

Er viel niet veel meer over te vertellen dan dat het enorm teleurstellend was geweest om te ontdekken dat het vrijwel niets waard was.

In de tweede week van augustus waren ze erheen gereden en toen ze er aankwamen, bleek het dorp zo goed als verlaten. Het was geen plek die toeristen zou aantrekken en hun hoop om voor die nacht een pension te vinden vervloog. Wat ze wel vonden, was een benzinestation, het kantoortje niet veel meer dan een kippenhok, de pompen antiek en bediend door iemand die eerder achterdochtig leek dan dankbaar dat er weer eens handel was. Hij vulde zwijgend de benzinetank en gaf geen antwoord toen Rachel vroeg waar ze iets te eten konden krijgen.

Er was een winkel, dat was alles, en die vonden ze uiteindelijk op eigen kracht, maar daar was slechts het hoognodige te krijgen. De jongen achter de toonbank zag er vreemd uit. Aan zijn dikke, weke lippen hing een sliert speeksel terwijl hij keek hoe ze de schappen afstruinden op zoek naar brood en kaas. Ze waren de enigen in de winkel. Dat gaf Guy op de een of andere manier een onaangenaam gevoel. De mensen waren hier weggetrokken, met achterlating van een rijtje tot verval gedoemde cottages. Hij vroeg zich af wat hen had verdreven.

Toen ze Ruths cottage binnengingen, stonden ze tot hun enkels in de troep die omlaag was komen vallen. Als ze omhoog keken, zagen ze door de dakpannen heen de lucht en ze ademden de geur in van rottend hout van balken die werden verteerd door houtworm.

Het was hopeloos. Zelfs als ze zich een renovatie hadden kunnen veroorloven, had het geen zin gehad om een fortuin te spenderen aan het opknappen van een huisje dat in een rij met twintig andere stond, allemaal even verwaarloosd, allemaal op het punt van instorten. Het dorp was dood en de stilte van een lagere school die inmiddels geen leerlingen meer telde, diende als een soort grafschrift. Zelfs de grond waarop het huisje stond, was nauwelijks iets waard, want wie wilde hier nu wonen, te midden van de treurige rotsen en een wind die van het noorden aan kwam gieren om als een hongerig mormel te knagen aan de stenen en het metselwerk?

Zijn frustratie nam alleen nog maar toe, en toch bleef hij om zich ervan te vergewissen dat hier echt niets te halen viel. Misschien dat er een huishoudelijk apparaat was dat was gebruikt door iemand die hier gewoond had in een tijd dat al het koken op de haard gebeurde. Misschien dat er een porseleinen overblijfsel was van een theeservies dat voor het grootste deel in een pandjeshuis had gestaan en slechts bij speciale gelegenheden het daglicht zag. De dood van de oude koningin. De kroning van de nieuwe. V-Day. De mensen die hier gewoond hadden, mochten dan arm geweest zijn, ze zouden toch hun schatten hebben gehad, en die zouden verborgen kunnen liggen tussen de rotzooi op de vloer.

Rachel liet hem zijn gang gaan en liep aan de achterkant het huis uit, en terwijl zij weg was, vond hij een houten wasknijper. Het was nog een ouderwets model met lange, slanke poten en een afgeronde kop. Een of andere vader had er een kleurig beschilderde pop van gemaakt, had die aan een kind geschonken dat het ding des te meer koesterde omdat het een product van liefde en toewijding was.

Toen Rachel terugkeerde, liet hij hem aan haar zien, maar ze toonde weinig belangstelling. Ze duwde bijna zijn hand weg. 'Ik kijk er later wel naar,' zei ze.

'Rachel?'

'Laat maar – ik ben alleen maar moe.'

Hij stopte de wasknijper in zijn zak en zei: 'Laten we op zoek gaan naar een restaurant of zoiets,' en later reden ze Otterburn binnen en vonden een pension.

Rachel liet het bad vollopen en dompelde zich erin onder alsof het vruchtwater was. Hij schonk een glas wijn voor haar in, maar dat weigerde ze. Ze voelde zich niet lekker, zei ze. Het enige dat ze wilde, was naar bed.

De volgende dag reden ze terug naar huis. Ze zei de hele weg geen woord en hoewel hij zich nauwelijks kon voorstellen dat de aanblik van het huisje haar zo van streek had gemaakt, leek het toch het begin te markeren van een steeds grotere verwijdering tussen hen.

'Wat denk jij?' vroeg Guy.

Zijn vader had tot nu toe maar heel weinig gezegd. Nu zei hij iets dat Guy niet wilde horen. Niet dat het niet al zelf bij hem was opgekomen, het was meer dat hij de gedachte eraan niet kon verdragen.

'Toen zij jou alleen in dat huisje achterliet en de achterdeur uitstapte, zou ze toen misschien niet... verkracht kunnen zijn, of denk je van niet?'

'Ik weet het niet,' zei Guy. 'Maar ik weet zeker dat ik het geweten had als dat gebeurd was.'

'Ja?'

Nee, niet echt. Dat was het probleem. Hij had gehoord dat als vrouwen verkracht waren, ze dat soms tegen niemand vertelden. Ze waren te bang dat de politie hen niet zou geloven, of dat hun partner hen zou verwerpen, of dat ze tijdens een eventueel proces hun hele seksuele leven uit de doeken moesten doen. Misschien dat mannen die hun partner langer kenden dan hij Rachel een beter idee hadden van hoe hun partner op zoiets reageerde. Guy had geen flauw idee.

Het weer sloeg om. Boven de Purbecks verschenen donderwolken, en de steltlopers waren door het opkomende tij van de landtong verdreven.

'We kunnen maar beter teruggaan,' zei zijn vader.

Toen ze weer in het appartement waren, bleek er een boodschap op het antwoordapparaat te staan. Een zekere agent Wilcox, West Yorkshire Police, wilde dat Guy hem terugbelde.

Guy kon behalve Rachel niemand bedenken die wist waar hij was. Misschien dat hij een boete kreeg omdat zijn auto nog op straat geparkeerd stond terwijl de wegenbelasting al was verlopen.

Hij belde en sprak met Wilcox, die zei: 'Voordat ik verder nog iets zeg, moet ik eerst iets controleren, ben ik bang. U bent toch de echtgenoot van Rachel Harvey, woonachtig op 14 Rippon Gardens?'

Guy voelde de grond onder zijn voeten wegzakken. 'Is er iets gebeurd?'

'Meneer Harvey, ik ben bang dat uw vrouw in het ziekenhuis in Leeds ligt.'

Guy's hersens probeerden hem ervan te overtuigen dat de glanzende parketvloer onder zijn voeten golfde. Hij moest steun zoeken tegen de muur om niet te vallen.

'Meneer Harvey?'

'Ik... ik luister,' stamelde Guy.

'Hoe snel kunt u hier zijn?'

17

Het was vroeg in de avond toen Audrah met Claudia op Lyndle terugkeerde. Tate en zijn mannen waren verdwenen, maar de lichten waren nog aan en de kale lampen wierpen een dof geel licht op de muren.

Het was in het huis ongeveer net zo koud als buiten en Claudia bood aan om de open haard in de studeerkamer aan te maken. Ondertussen liet ze Audrah binnen in een spaarzaam gemeubileerde slaapkamer. Het bed was klam en het beddengoed zag eruit alsof het wel een verschoning kon gebruiken. 'Misschien dat u liever naar een hotel gaat?'

Audrah had voor vandaag wel genoeg gereden, vond ze. 'Ik waag het erop, bedankt,' zei ze.

Tegen de muur stond een grote, lelijke radiator en ze zag al direct dat ze daar weinig warmte van hoefde te verwachten.

'Op de gang is een badkamer,' zei Claudia. Ze liet hem zien. Geen douche, en weinig hoop op meer dan een paar centimeter lauw water in de enorme badkuip.

'Als u me nodig hebt, dan ben ik beneden,' zei Claudia, en toen liet ze Audrah alleen.

Nadat ze was vertrokken zette Audrah haar weekendtas op het bed en haalde er de warmste kleren uit die ze kon vinden. Maar tegen de tijd dat ze had besloten te gaan slapen in de kleren die ze aan had, kwam Claudia weer binnen.

'Kunt u even meekomen?' vroeg ze.

Ze klonk angstig.

'Wat is er aan de hand?'

'Kom nou maar,' zei ze, en even later stond Audrah in de studeerkamer. Het eerste dat ze zag toen ze binnenkwam, was een koffer. Hij was leeg, maar toen ze om zich heen keek, bleek de inhoud door het hele vertrek verspreid te liggen. Het waren voornamelijk krantenknipsels, allemaal in simpele wissellijsten, de koppen gemarkeerd met fluorescerend geel. Ze overvielen je direct, een mozaïek waarin de woorden *Bristol* en *Dood* de boventoon voerden.

Waar er geen krantenknipsels lagen, waren er wel foto's, sommige van een man die met zijn rug naar de camera stond of die zijn handen gebruikte om zijn gezicht af te schermen. Een van de foto's was genomen terwijl hij een politiebureau verliet. Op een andere liep hij een gerechtsgebouw binnen. Maar wat Audrah vooral interesseerde, was de vrouw die opstond toen zij de kamer binnenkwam. Alles aan haar straalde uit dat ze de confrontatie aan wilde gaan. Het eerste dat ze zei, was: 'Ik ga niet weg.'

Ze kon maar beter rustig blijven, erachter proberen te komen wie ze was en wat ze wilde. 'Ik ben Audrah,' zei ze, vriendelijk. 'En u bent...?'

Het leek of de vrouw met zichzelf overlegde of ze daar antwoord op zou geven. Na enkele ogenblikken leek ze tot het besluit te komen dat het geen kwaad kon. 'Marion.'

'Je bent niet toevallig van de politie?' vroeg Audrah. Het zou haar verbazen als dat zo was, maar ze vond toch dat ze het moest controleren.

'Nee,' zei Marion.

'Hoe ben je binnengekomen?'

Marion knikte naar Claudia, die in de deuropening stond. 'Ze heeft de deur open laten staan.'

'Waarom ben je hier?' vroeg Claudia. 'Wat wil je?'

'Ik ben hier om een zekere Cranmer te spreken,' antwoordde ze.

Marion wist tot ze ter plekke was nog niet hoe ze zich toegang tot Lyndle kon verschaffen. Maar zoals zo vaak hielp het toeval een handje. Meestal als ze toegang wilde tot een ruimte waar mensen haar anders niet binnen zouden laten, deed ze alsof ze ziek was. Het was verbazend hoe gemakkelijk je op die manier toegang kreeg tot zelfs relatief goed beveiligde gebouwen – regeringsgebouwen, televisiestudio's. Belangrijk was om niet geestelijk ziek over te komen. Psychische aandoeningen schrikten mensen af. Ze belden de beveiliging en dan werd je verwijderd. De truc was om er goedgekleed uit te zien en kalm, redelijk en enigszins hulpbehoevend over te komen. Niet al te veeleisend. Niet al te problematisch. Dan nodigden mensen je binnen, boden je een stoel aan, een drankje. En als je eenmaal binnen was, kregen ze je er pas weer uit tot je gekregen had waar je voor gekomen was. Maar als je niet wist wat je kon verwachten, was het moeilijk om je plan te trekken en ze had dan ook geen vastomlijnde tactiek toen ze Lyndle naderde. Veel hing af van wat ze daar aantrof, en wat ze aantrof was een huis dat er boosaardig uitzag.

Kon een onbezield iets boosaardig zijn? Het was een huis – niet meer en niet minder. Ze parkeerde haar auto uit het zicht tussen de bomen en dwong zichzelf de gazons over te steken.

De brug over de gracht kwam uit op een eenvoudige stenen poort. Erachter was Claudia Herrol bezig een kleine ronde tafel over de binnenplaats te slepen. Marion herkende haar van een foto in de krant. Het nogal opvallende uiterlijk. Dat grijzende haar, lang en los en wild.

Toen ze haar zag, liet Claudia de tafel los, liep terug het huis in en deed de deur dicht. Het was zo'n bizarre reactie en zo onverwacht, dat Marion met open mond bleef staan. Voor één keer wist ze niet wat te doen. Het was de eerste keer in lange tijd dat iemand erin was geslaagd haar te overrompelen, maar toen ze er nog eens over nadacht, besefte ze dat wat haar gewoonlijk een voorsprong gaf, het feit was dat mensen meestal met haar in gesprek gingen, probeerden haar tot andere gedachten te brengen. Het was niet mogelijk haar tot andere gedachten te brengen. Dat wist ze zelf maar al te goed. Maar het was natuurlijk wel mogelijk haar te negeren. Niet dat het wat uitmaakte. Er zou een moment komen dat Claudia het huis uit moest, en als ze dat deed...

De ingang naar de houten vleugel was breed genoeg om er vee door naar binnen te brengen. Er zat geen deur in, alleen twee houten steunbalken die een doorgezakte latei ondersteunden. Binnen bevond zich een rij stallen. Het moest jaren geleden zijn dat hier paarden hadden gestaan, maar toch hingen er nog zadels aan de muur, de leren zitvlakken als van fluweel.

De stallen zaten tot de nok toe vol met meubelstukken, geen van alle echt groot. Er waren hele rijen dressoirs en tafels, een grove Hollandse kast met ingelegde panelen, een Chippendalestoel en de kast van een staande klok minus het mechanisme.

Kisten met gordijnen en beddengoed stonden naast dozen met bestek en serviesgoed – allemaal verbogen of gebroken. En verder dozen met boeken, een aanwijzing dat hier ooit een leven was geleid waarin lezen een belangrijke rol speelde. Ze zag er dezer dagen zelf ook niet uit als een gretige lezer, of als een persoon die ooit concerten had bezocht, etentjes had georganiseerd, vrienden had uitgenodigd en had gekletst over onderwerpen waar ze nu zelfs nooit meer aan dacht, of ze moesten te maken hebben met haar huidige situatie. Ooit had ze *geleefd*. Ze miste de persoon die ze toen geweest was. Maar die persoon was gestorven toen Kathryn door Reeve vermoord werd.

Sommige boeken waren vernield, de omslagen van het binnenwerk gescheurd, om er vervolgens weer keurig omheen te zijn gedaan, alsof iemand hoopte dat ze op een dag opnieuw gebonden zouden worden. Ze pakte er eentje op en ging ermee in een leunstoel zitten. De stoel zelf was ook vernield – de bekleding was losgescheurd en de vulling kwam naar buiten. Ernaast lagen in slordige hoopjes gordijnen. Ze trok er eentje los. Het was in lange repen gescheurd.

Hoe meer ze keek naar wat er om haar heen was, hoe meer ze besefte dat alles kapot was. Het meubilair was bekrast. Het serviesgoed was gebroken. Het bestek was verbogen. De gordijnen, het beddengoed, het tafellinnen, allemaal aan repen gescheurd. Waarom deze dingen nog bewaren? Waarom ze niet gewoon weggegooid?

Ze legde dat wat over was van de gordijnen op dat wat over was van een stoel en ging erop zitten om te wachten. Vroeg of laat zou Claudia weer het huis uitkomen en als dat gebeurde, zou het een mogelijkheid kunnen bieden om naar binnen te sluipen.

Ze hoefde niet lang te wachten. Al korte tijd later hoorde ze een auto en ze stond op uit haar stoel en liep naar de deur. Een Range Rover van de politie ploegde door het stuk land dat het huis van de bomen scheidde.

Toen ze hem zag, stapte ze terug in de duisternis. Ze had niet het recht om hier te zijn en wat zij deed kon als huisvredebreuk worden aangemerkt. Of misschien werd het gezien als een overtreding van het dwangbevel. Ze zou niet weten hoe, maar dat zei niets. Haar ervaringen met de rechterlijke macht hadden haar vertrouwen daarin voorgoed vernietigd. Advocaten en rechters konden gewoon doen wat ze wilden. Geen haan die er naar kraaide.

Iemand stapte uit de Rover en liep naar de Hall. De enige manier om zijn aanwezigheid kenbaar te maken, was door op de deur te bonzen, en toen er geen reactie kwam, deed hij een stap achteruit en schreeuwde omhoog naar de ramen. 'Ik weet dat u daar binnen bent, mevrouw Herrol. Moet ik de deur soms forceren? Dat doe ik, hoor, als dat nodig is.'

De wind zong zachtjes tussen de stenen. Een vleugje sneeuw werd meegevoerd en sloeg in zijn gezicht terwijl hij wachtte op antwoord. Toen dat niet kwam, verliet hij de binnenplaats en ging terug naar de auto, en pas toen kwam Claudia het huis uit. Ze beende over de binnenplaats en liet de deur wijd open staan.

Even later stond Marion voor Lyndle's Great Hall. Hier naar binnen gaan zou enige moed vergen, maar wat was dat vergeleken met wat ze al had doorstaan? Haar leven was één aaneenschakeling van dergelijke momenten. Alleen al het 's ochtends opstaan en zichzelf dwingen weer een dag onder ogen te zien, vergde moed.

Ze ging naar binnen.

Het feit dat iemand had ingebroken en nu eiste Cranmer te spreken te krijgen, was voor Audrah geen verrassing. Mediums die de publiciteit zochten, trokken vaak mensen aan die wanhopig naar hulp zochten. Ze opperde dat het misschien het beste was als Claudia hen even alleen liet, en nadat ze was vertrokken, liep Audrah op een foto van een opgroeiend meisje af. Hij was midden op de eenvoudige, stenen schoorsteenmantel gezet. 'Dat was mijn dochter,' zei Marion, en toen Audrah geen commentaar gaf, zei ze: 'Ze is gestorven.'

Audrah had zoiets al vermoed.

'Ga je niet vragen hoe?'

'Hoe? 'zei Audrah zacht.

'Ze is vermoord.'

Audrah pakte de foto op, te verdrietig om te weten wat ze moest zeggen, en toen ze nog steeds bleef zwijgen, zei Marion: 'De meeste mensen willen meer details. Het wanneer en hoe en waar.'

'Ik vind dat er momenten zijn waarop mensen hun nieuwsgierigheid moeten bedwingen.'

'Wil je zelfs niet weten wie haar vermoord heeft?' Marion zou dat haar toch wel vertellen, was ze bang. 'Een van haar leraren.'

Het woord 'leraar' kwam als een schok voor Audrah. Een moord gepleegd door mensen in vertrouwensposities was altijd extra schokkend.

'Michael Reeve.'

Audrah had nog nooit van hem gehoord. Ze wierp nog een blik op de krantenknipsels en besefte nu dat de meeste uit kranten uit de omgeving van Bristol kwamen. Hoe kon het dat een zo ernstig misdrijf nooit in de landelijke kranten was vermeld?

'Wat was haar naam?'

'Kathryn.'

'Ze was mooi.' Ze zei het meer omdat ze voelde dat het van haar verwacht werd dan omdat ze vond dat het waar was.

'Bedankt, maar ik weet dat ze dat niet was. Zij wist dat ook. Het is verschrikkelijk om zestien te zijn en op een ochtend wakker te worden en je plotseling te realiseren dat je nooit een echte schoonheid zult worden. Ik weet het. Ik kan het me nog herinneren.'

'Echt lelijk was ze ook niet.'

'Ze was nietszeggend,' zei Marion bot. 'Maar ze was van mij en ik hield van haar.'

Audrah zette de foto weer op de schoorsteenmantel. 'Wat denk je te bereiken door Cranmer op te zoeken?'

Ze verwachtte dat Marion zou antwoorden dat ze gewoon moest weten of Kathryn gelukkig was, want dat was wat de meeste mensen wilden. *Als ik weet dat ze in het paradijs is, kan ik eindelijk rustig leven.* Maar Marion wilde iets heel anders.

'De avond dat ze werd vermoord, was Kathryn bij een vriendin, Sasha genaamd. Sasha houdt iets achter voor de politie – iets wat hen ertoe zou kunnen brengen Reeve te arresteren. Ik wil dat Cranmer me vertelt wat ze verzwijgt.'

Het klonk rancuneus, en gevaarlijk.

'Zou je naar me luisteren als ik zou proberen je een advies te geven?'

'Nee, maar als je vindt dat je dat moet doen, moet je het vooral niet laten.'

Audrah stond op het punt te zeggen dat het eindeloze zoeken naar contact met de doden je ervan weerhield om je verlies te verwerken, dat de achtergeblevenen kwetsbaar waren en dat zogenaamde helderzienden daar misbruik van maakten. Maar toen ze de reikwijdte begreep van wat deze vrouw had doorgemaakt, besefte ze ook dat niets van wat ze zei over zou komen.

Haar oog viel ergens op, iets dat haar niet was opgevallen toen ze het vertrek binnenkwam. Het was op dat moment niet echt tot haar doorgedrongen. Haar aandacht was meer uitgegaan naar de lugubere krantenkoppen die vrijwel elk oppervlak bedekten. Nu bleef haar blik rusten op een grote, glazen kist met daarin slechts een kever die in een dreigende houding was opgezet. *Dorcus Titanus.* Immens en zwart. Kaken als de scharen van een krab.

Toen ze hem bekeek, kwamen er weer stukken boven van de analogie die ze gebruikte bij de inleiding tot haar college parapsychologie: *Wij proberen uit te vinden of er een wereld, een bestaan, is buiten dat wat wij kennen.* Een insect als dit was toch zeker een bewijs dat er inderdaad een andere wereld bestond, niet een parallelle wereld, maar een wereld binnen onze wereld; als een fundamenteel en functioneel onderdeel ervan.

Voor haar was dat feit op zich al mysterieuzer en vreemder dan wat er ook maar in het brein van iemand met zogenaamde paranormale gaven omging.

Claudia was in de keuken en rommelde wat in een kastje vol schoonmaakspullen. Toen Audrah binnenkwam, hield ze daarmee op. 'Waar is ze?'

'Ik heb haar in de studeerkamer achtergelaten.'

Voordat Audrah haar kon vragen wat ze verder met Marion aan wilde, zei Claudia: 'Ze had het over een zekere Cranmer.' En toen: 'Wie is dat?'

Dat wist ze toch zeker wel. 'Je leest toch wel kranten?'
'Francis kocht er wel eens eentje. Mij interesseert het niet.'
Het was dus mogelijk dat ze nog nooit van hem gehoord had. Zijn naam had pas de afgelopen paar dagen in de krant gestaan. Hoe het ook zij, het leek Audrah geen goed idee om haar te vertellen dat Cranmer beweerde over paranormale gaven te beschikken. Iemand die geloofde dat haar zoon was overgeleverd aan een of andere boosaardige entiteit, zou de hulp van iemand als Cranmer waarschijnlijk met beide handen aangrijpen en dat zou op een ramp uit kunnen lopen. 'Cranmer is iemand die graag opduikt bij met veel publiciteit omgeven politieonderzoek.'
'Gaat dit dan ook die kant op?' zei Claudia zacht.
Als ze geen kranten las, zou ze ook niet weten hoeveel aandacht het gebeurde op Lyndle trok. Maar ze moest zich desondanks toch realiseren dat de politie niet zomaar weer zou vertrekken. Misschien dat dit het juiste moment was om haar dat aan haar verstand te brengen. 'Mevrouw Herrol,' zei Audrah, 'hebt u enig idee wat er met Ginny en uw echtgenoot gebeurd zou kunnen zijn?'
Claudia vond een fles schoonmaakspul in het kastje. Ze leek meer geïnteresseerd in het losschroeven van de dop dan in wat Audrah te zeggen had.
'Mevrouw Herrol?'
Claudia wikkelde een doek om de dop en draaide hem los. Toen goot ze de inhoud in de gootsteen, deed de dop er weer op en zette de fles terug in het kastje.
Het was moeilijk te zeggen of dit een bewuste ontwijking was of een daad van iemand die met haar gedachten elders was. Het was hoe dan ook duidelijk dat het geen zin had haar die vraag nog eens te stellen, zoals het ook duidelijk was dat wat ze verder ook mocht denken, ze in ieder geval niet dacht dat haar echtgenoot haar voor Ginny had verlaten. Vrouwen die pas sinds kort door hun echtgenoot waren verlaten, waren meestal

helemaal kapot. Ook al wilden ze er niet over praten, ze konden meestal maar moeilijk verbergen wat ze doormaakten. Claudia gedroeg zich niet als een vrouw die door haar man in de steek gelaten was. Maar het was natuurlijk mogelijk dat ze gewoon niet aankon wat er gebeurde. Mensen sloten zich soms af voor dingen die ze niet aankonden. Ze gingen soms verder op de automatische piloot. Ze realiseerden zich niet dat ze schoonmaakmiddel in de gootsteen kieperden, of dat ze al twee minuten naar het uit de kraan stromende water stonden te kijken.

Audrah draaide de kraan dicht en troonde haar mee naar een stoel. Ze was in gedachten nog steeds heel erg bezig met hoe ze haar aan de praat kon krijgen over de situatie op Lyndle, maar Claudia dacht aan Cranmer.

'Waarom zou hij zich inlaten met politieonderzoeken?'

'Hij gebruikt ze om zijn naamsbekendheid te vergroten.'

'Zijn bekendheid als wat?'

Dit begon riskant te worden, maar voordat ze een manier kon vinden om uit te leggen wat Cranmer deed zonder wegen te bewandelen waar ze Claudia vandaan wilde houden, verscheen Marion in de deuropening.

'Zijn bekendheid als man met bovennatuurlijke gaven.'

Dat was wel het laatste wat Audrah Claudia had willen vertellen. 'Ik dacht dat ik je had gevraagd om in de studeerkamer te blijven?'

'Ik wilde weten of jullie van plan waren me er door de politie uit te laten zetten.

Claudia wendde zich tot Audrah. 'Waar heeft ze het over?'

Audrah dacht even na. Claudia zou er ten slotte toch wel achter komen, dus was het misschien maar beter haar te vertellen wie Cranmer was. Ze kon haar dan waarschuwen om zich verre van hem te houden.

'Cranmer beweert over paranormale gaven te beschikken,' zei Audrah. 'Hij bood de politie zijn hulp aan bij het zoeken naar Ginny. Ze wilden hem niet, dus ging hij naar de pers.'

Marion zei: 'Ik dacht dat hij misschien hier zou logeren.'

Er was geen misverstand mogelijk: Claudia was plotseling heel geïnteresseerd. 'Wat voor paranormale gaven heeft hij?'

Marion antwoordde: 'Hij praat met de doden.'

'Is dat waar?' vroeg Claudia.

Audrah antwoordde: 'Cranmer is een oplichter. En niet alleen dat, hij is een *gevaarlijke* oplichter.'

Marion zei: 'De kranten lijken daar trouwens anders over te denken.'

'Mensen als Cranmer zijn goed voor de verkoop.'

Claudia liep de keuken door en ging bij Marion in de deuropening staan. Ze vormden nu een gesloten front. Twee vrouwen, allebei vastbesloten om John Cranmer te ontmoeten en beiden volgens Audrah op weg naar een eigen, heel persoonlijke ramp. Maar ze was inmiddels ervaren genoeg om niet te proberen hen op andere gedachten te brengen. Ze hadden hem nog niet eens ontmoet en nu al waren ze verkocht. Was het een wonder dat mannen als Cranmer zo makkelijk anderen van hun bijzondere gaven wisten te overtuigen? De mensen met wie zij te maken kregen, wilden er gewoon in geloven. En daarin lag ook de kracht van de zogenaamde paranormaal begaafde – het feit alleen al dat ze bestonden, vervulde een zekere, psychische behoefte.

Claudia zei: 'Als hij de politie helpt, betekent dat dat zij weten waar we hem kunnen vinden.'

Audrah antwoordde: 'Ik betwijfel of de politie dat jullie wil vertellen. Maar ik zou me maar geen zorgen maken – voor zover ik Cranmer ken, zal hij jullie wel weten te vinden.'

18

Voordat Tate Cranmer ontmoette, kon wat hij over dergelijke mensen wist op de achterkant van een postzegel. Nu was hij wat beter geïnformeerd, want de afgelopen paar dagen hadden er in diverse kranten artikelen over hem gestaan. Hij wist daarom nu dat het Amerikaanse leger, de FBI en de CIA van Cranmers diensten gebruik hadden gemaakt.

Het zag er allemaal heel indrukwekkend uit, heel overtuigend, maar een zeker scepticisme kon Tate toch niet onderdrukken. Misschien dat Cranmer echt paranormaal begaafd was, hetgeen ook zou verklaren dat hij zoveel over Ginny's kamer wist, maar het leek Tate aannemelijker dat hij de hand had weten te leggen op een beschrijving van die kamer. Zijn volgende gedachte was hoe Cranmer aan die informatie was gekomen, en hij liep nog eens na wat hij tot nu toe van hem wist.

Wat hij wist, was dat Cranmer naar de binnenplaats was gereden op het moment dat Nicholas Herrol het huis uit was gekomen. Hij wist ook dat Bevan en Fletcher de man weer naar zijn auto hadden teruggebracht en hadden gekeken hoe hij wegreed.

De rest was giswerk. Wat als Cranmer niet echt was vertrokken? Wat als hij zijn auto in het bos had verstopt, met een omweg naar het huis was teruggegaan, zich toegang had weten te verschaffen en de kamer had gevonden die hoogst waarschijnlijk aan Ginny was toegewezen? Een andere mogelijkheid was dat hij de ambulance had zien arriveren, die was gevolgd naar Broughton, Nicholas had gevonden en hem ertoe had overgehaald Ginny's kamer te beschrijven.

Hoe meer Tate erover nadacht, hoe aannemelijker het leek dat Cranmer liever het risico had genomen om met Nicholas te praten dan het risico dat hij werd betrapt tijdens het inbreken in Lyndle. Dat zou te veel ten koste gaan van zijn reputatie. Broughton was trouwens ook de gemakkelijkste optie. Er liepen daar de hele dag mensen in en uit – bezoekers, patiënten, verplegend en administratief personeel, leveranciers. Ziekenhuizen stonden erom bekend dat ze slecht te beveiligen waren. En Cranmer ging goed gekleed, was welbespraakt en beleefd. Hij was niet iemand bij wie je je nu direct afvroeg wat hij daar moest. Er was slechts één manier om erachter te komen. Nadat hij bij Lyndle Hall was vertrokken, ging Tate naar Broughton.

Hij wist niet goed wat hij daar kon verwachten. Als de psychiater die Nicholas behandelde dacht dat hij daar was in de hoop dat hij hem zou helpen te bewijzen dat Nicholas een moordenaar was, zou het zijn goed recht zijn om hem tegen te werken. Het eerste dat Tate daarom deed toen hij Goldman ontmoette, was hem ervan verzekeren dat hij daar was omdat hij vermoedde dat Cranmer erin was geslaagd toegang tot Nicholas te krijgen nadat die daar was opgenomen.

Goldman was zich heel goed bewust van wat er allemaal op Lyndle speelde en hij wist ook wie Cranmer was. Het baarde hem zorgen toen Tate hem vertelde dat de mogelijkheid bestond dat Cranmer had geprobeerd bij Nicholas te komen en hij ging hem voor naar zijn kantoor, waar hij rolgordijnen neerliet voor ramen die waren bedoeld voor zware overgordijnen. Het effect, op dit tijdstip van de avond, was dat de kamer er nogal klinisch door werd.

Tate zei: 'Hoe waarschijnlijk is het dat Cranmer de zaal op kan zijn gelopen?'

Goldman antwoordde: 'Ik wou dat ik kon zeggen dat zoiets heel onwaarschijnlijk is. Maar zoals in elk ziekenhuis in dit land zijn onze mogelijkheden beperkt. We hebben niet genoeg personeel – het is mogelijk dat hij hier heeft rondgelopen zonder dat iemand hem vroeg wat hij moest. En Nicholas ligt niet op een gesloten afdeling.'

'Is het waarschijnlijk dat Cranmer iets zinnigs uit hem heeft weten te krijgen?'

'In welk opzicht?'

'Zou hij een gesprek met hem kunnen hebben gevoerd?'

'Nee,' zei Goldman. 'Nicholas zit zwaar onder de kalmeringsmiddelen.'

Het leek erop dat hij hier op een dood spoor zat. 'Ik hoop dat u mij de vraag niet kwalijk neemt,' zei Tate, 'maar wat is eigenlijk Nicholas' probleem?'

Goldman antwoordde: 'U kunt van mij niet verwachten dat ik mijn beroepsgeheim schendt.'

'Ik heb twee mensen die vermist worden,' zei Tate. 'Ik hoopte dat u net zo graag als ik wil voorkomen dat het er drie worden, en misschien nog wel meer.'

Goldman leek verscheurd te worden door zijn plicht jegens zijn patiënt en zijn plicht jegens het algemeen belang. Het algemeen belang won. 'Dit is vertrouwelijk,' zei hij kalm. En toen: 'Nicholas werd naar mij doorverwezen door een arts van een kostschool waar hij als kind heen ging. Een van de leraren vermoedde dat hij werd gepest. Hij vroeg de arts om eens naar hem te kijken, in de verwachting dat zijn vermoeden bevestigd zou worden.'

'En, was dat zo?'

Goldman antwoordde: 'Artsen verbonden aan kostscholen leren al heel gauw herkennen welke kinderen gepest worden, zoals ze ook leren herkennen wie er worden misbruikt en wie zich bezighouden met homoseksuele activiteiten. De arts in kwestie had nog nooit zulke verwondingen gezien als bij Nicholas Herrol.'

'Waar dacht hij dat ze door veroorzaakt werden?'

'Hij vermoedde dat ze door Nicholas zelf waren toegebracht.'

Tate dacht terug aan de manier waarop de wonden waren verschenen. Zoiets kon je toch zeker niet zelf veroorzaken? Maar hoe was het anders te verklaren?

'Hoe oud was hij?'

'Elf.'

Terwijl Tate daarover nadacht, voegde Goldman eraan toe: 'Ik moest ook de mogelijkheid overwegen dat wat Nicholas deed onderdeel was van een auto-erotisch ritueel.'

'Maar elf jaar. Het lijkt nog zo jong.'

'U zou verbaasd staan,' zei Goldman. 'Ik zie het niet vaak, maar het komt voor. En sommigen zijn zelfs nog jonger dan elf.'

'Maar hun ouders dan...'

'Hun ouders komen er meestal nooit achter. Maar soms... wordt een jongen dood aangetroffen. De ouders krijgen dan de schuld omdat ze niet in de gaten hebben gehad hoe ongelukkig de jongen was. Het beeld ontstaat van een geïsoleerde jongen die zich in een opwelling heeft verhangen en iedereen accepteert dat omdat zelfmoord te verkiezen is boven de waarheid. Geloof me, meneer Tate, heel veel kinderzelfmoorden zijn in werkelijkheid dodelijke ongelukken, gevallen waarbij de auto-erotische experimenten verkeerd afliepen.'

'Elf,' zei Tate weer, ongelovig.

Goldman glimlachte. 'Tegen de puberteit is onze seksuele identiteit al gevestigd. Het enige dat we voor dergelijke kinderen kunnen doen is een therapie bieden en hopen dat we ze zover kunnen krijgen dat ze hun gedrag aanpassen.'

'En wat heeft de therapie u over Nicholas geleerd?'

Goldman zweeg even. En toen antwoordde hij: 'Die heeft me geleerd dat hij danste met de ongenode gast.'

Tate had die uitdrukking nog nooit eerder gehoord.

'Sommige mythes zijn universeel. Ongeacht het land of de cultuur, er is altijd de mythe van de ongenode gast.'

'Gaat u verder,' zei Tate.

'Volgens die mythe is het van wezenlijk belang dat je bij de geboorte van een kind een religieuze ceremonie houdt, niet zozeer voor de familie als wel voor de geesten. Er wordt geofferd aan zowel goede als boze geesten. Natuurlijk is het belangrijk de goede geesten te smeken over het kind te waken, maar het is net zo belangrijk om de boze geesten te vriend te houden, om ze zich net zo belangrijk, zo gewild, te laten voelen als de goede geesten. De grootste fout die een familie kan maken, is vergeten een van die boze geesten uit te nodigen. Als een boze geest erachter komt dat hij niet is uitgenodigd, zou je kunnen zeggen dat hij zichzelf uitnodigt en zich ongezien, onopgemerkt mengt tussen de andere gasten. Soms spreekt hij alleen maar een vloek uit over het kind en vertrekt dan weer. Maar soms treedt hij binnen in het kind, om zich pas weer te manifesteren als het kind ouder is. Dan neemt hij wraak door het kind de dood in te dansen.'

Tate kon nauwelijks geloven dat hij dit van een academisch gevormde arts hoorde. 'U wilt me vertellen dat Nicholas op een dag wakker werd en merkte dat hij was overgeleverd aan een soort duivel?'

'Ik vertel u alleen maar dat primitieve volkeren geen andere uitleg hadden voor geestesziekte, of waarom de een er wel last van heeft en de ander niet.'

'En u?' zei Tate. 'Wat denkt u zelf?'

Goldman nam de tijd om een antwoord te formuleren, en toen dat kwam, was het tamelijk oppervlakkig. 'De meesten van mijn collega's zijn het erover eens dat Nicholas aan een vorm van schizofrenie lijdt.' Het klonk alsof Goldman die mening niet deelde. 'Een vroeg symptoom daarvan manifesteerde zich in de vorm van een denkbeeldige vriend.'

Het was niet abnormaal dat kinderen zich een denkbeeldige

vriend schiepen, maar de aard van zijn fantasieën baarde Goldman kennelijk zorgen. 'Ik heb op een gegeven moment,' zei hij, 'hypnotherapie toegepast om hem terug te brengen naar de leeftijd waarop hij zich voor het eerst bewust werd van het bestaan van dit... ding.'

Toen Tate bleef zwijgen, ging Goldman verder. 'Dergelijke fantasieën ontstaan niet zomaar. Ze nemen gewoonlijk langzaam hun definitieve vorm aan en de manier waarop zich dat ontwikkelt, is van vele factoren afhankelijk.'

'Wat wilde u ermee bereiken?'

'Ik hoopte te ontdekken of deze "vriend" iets weg had van zijn ouders. Ik dacht dat het hem misschien iets gaf wat zijn ouders hem niet konden geven.'

'En, was dat zo?'

Niets van wat Nicholas zei, gaf Goldman de indruk dat zijn vriend een vervanging was voor ouderlijke liefde. Welk kind zou nu iets verzinnen wat hem folterde, hem obsceniteiten toefluisterde, hem in zijn rug klauwde? 'En wat ik nooit heb begrepen... hij zag direct vanaf het begin het ding tot in details. Niet eerst een ontwikkeling, het was er plotseling.'

Terwijl Goldman beschreef wat zich tijdens die hypnotherapeutische sessies afspeelde, merkte Tate dat zich bij hem het beeld vormde dat hij ook al had proberen te krijgen toen hij met Nicholas' leraar, Graham Lush, had gepraat.

'Ik ben met hem teruggegaan naar de tijd dat hij vier was,' zei Goldman. 'Hij vertelde me dat hij in de tuin speelde. Even later gleed hij van de bank en begon met zijn vingers in het tapijt te klauwen. Ik vroeg hem wat hij deed. Hij vertelde me dat hij dingen begroef. En toen ik hem vroeg wat hij dan begroef...'

Goldman zweeg, alsof de herinnering aan het antwoord hem nog steeds van zijn stuk bracht. Na enkele ogenblikken voegde hij eraan toe: 'Nicholas was te jong voor het woord "offerande", maar daar kwam het wel op neer. Zijn vriend mocht zijn chocola hebben, zijn beer, de oren en staart die waren gecoupeerd bij een terriër die zijn vader had gekregen.'

Het idee van een kind dat dingen begroef bij wijze van offerande, deed bij Tate de alarmbellen rinkelen. 'Is dat normaal?'

Goldman antwoordde: 'Meestal neigt de denkbeeldige vriend meer naar een ondergeschikte rol.'

De implicaties hoefden nauwelijks te worden verwoord: wat als dit ding nog steeds bestond, ook al was het dan in Nicholas' hoofd? En wat als het nog steeds offers vroeg? Tate zei: 'Hoe noem je iemand die lijdt aan dit soort...'

'Psychose?' zei Goldman. Hij glimlachte. 'Zoals ik daarnet al zei, denken diverse collega's van mij dat hij aan schizofrenie lijdt.'

Tates werk bracht hem af en toe in contact met schizofrenen. Er leefden er heel wat op straat en die zochten vaak hun toevlucht tot politiebureaus, bibliotheken – overal waar ze warmte konden vinden en beschutting tegen de regen. Een paar had hij wat beter leren kennen. Niet echt goed, maar genoeg om te weten wat hun problemen waren. Die problemen waren talloos en zeer uiteenlopend. Maar geen van hen ontwikkelde bij zijn weten vurige, bloedende wonden die binnen enkele minuten verschenen en binnen enkele uren weer waren verdwenen.

'En hoe zit het met u?' vroeg Tate. 'Wat is uw diagnose?'

Toen Goldman daar niet op reageerde, zei Tate: 'U bent het niet eens met de diagnose van uw collega's. Waarom niet?'

Goldman antwoordde: 'Schizofrenie kan niet worden genezen, maar het kan wel worden behandeld en over het algemeen reageren schizofrenen op medicatie. Hen behandelen komt voornamelijk neer op het zoeken naar een medicijn dat aanslaat. Maar bij Nicholas heeft nooit iets gewerkt, en ik vraag me daarom af...'

Hij wierp een blik op de boeken achter hem. 'Een eeuw of zo geleden was de psychiatrie ongeveer even geloofwaardig als de reflexologie. Wij denken allemaal dat we zoveel weten. Maar ik stel mezelf vaak de vraag: wat weten we nu echt? Heeft ons liefhebberen in de wetenschap ons zo arrogant gemaakt dat we niet langer kunnen accepteren wat zo overduidelijk lijkt?'

'Dat kunt u niet menen.'

'Waarom niet? Vanwege wat ik ben, wat ik doe? Plotseling mogen psychiaters niet meer geloven in iets anders dan de goddelijke wetenschap? Ik weet niet wat ik moet geloven, meneer Tate. Nicholas Herrol is al meer dan tien jaar een patiënt van mij. Ik begrijp nog steeds even weinig van zijn probleem als toen hij voor het eerst naar mij werd doorverwezen – ik weet alleen dat ik hem niet kan helpen.'

'Waarom zijn uw collega's er zo zeker van dat het schizofrenie is?'

'Hij ziet dingen, hoort dingen – voor hen is dat voldoende om tot een diagnose te komen.'

Tate ging in gedachten terug naar het moment dat hij samen met Cranmer in Ginny's kamer had gestaan. Waar was Cranmer mee bezig anders dan het horen en zien van dingen? 'Hoe zit het met Cranmer?' vroeg Tate. 'Hoe noem je iemand die beweert de stemmen van de doden te horen?'

Goldman las de kranten. Hij wist wie Cranmer was. Hij antwoordde: 'Diezelfde collega's van mij zouden Cranmer als net zo schizofreen beoordelen als Nicholas.'

'Kan iemand schizofreen zijn en toch redelijk normaal functioneren?'

Goldman antwoordde: 'Het merendeel van ons krijgt elke dag schizofrenen onder ogen. We werken met ze, we communiceren met ze, en we hebben zelden in de gaten dat ze een probleem hebben, deels omdat hun symptomen worden onderdrukt door medicijnen, deels omdat hun ziekte zich in haar mildste vorm manifesteert. Pas als mensen gaan beweren dat ze ontvoerd zijn door buitenaardse wezens, of dat God hun maar blijft opdragen de wereld van prostitutie te verlossen, beginnen we in de gaten te krijgen dat er iets aan ze mankeert. En dan zijn er ook nog de mensen die zich realiseren dat het misschien niet zo'n goed idee is om toe te geven dat ze al dertig jaar met kabouters praten. Zij staan nog niet zo ver buiten de werkelijkheid dat ze niet meer weten wat de reactie daarop zal zijn en dus blijft hun communicatie met kabouters hun geheimpje. Gesteld dat hij echt stemmen 'hoort', dan zou Cranmer dus iemand kunnen zijn die het allemaal onder controle weet te houden.'

'Wat denkt u van Cranmer?'

Goldman antwoordde: 'Zo'n beetje hetzelfde als wat ik van Nicholas denk. Hij zou schizofreen kunnen zijn, hij zou het ook niet kunnen zijn – we weten het gewoon niet.'

Tate wist nog steeds niet wat hij van Cranmer moest denken, maar één ding was zeker – zijn betrokkenheid bij de zaak garandeerde voortdurende media-aandacht en dat was een zwaard dat aan twee kanten sneed. Aan de ene kant zette het mensen ertoe aan informatie aan de politie te verschaffen. Aan de andere kant bleek de meeste informatie niet ter zake doende. Hij moest er gewoon op vertrouwen dat anderen die informatie natrokken en besloten waar hij achteraan moest.

Na zijn vertrek bij Goldman keerde hij terug naar het bureau, waar twee berichten van Fletcher op hem lagen te wachten. De een betrof Audrah Sidow. De ander ging over een man genaamd Williams. Hij had gelezen wat er op Lyndle gaande was en de naam Francis Herrol deed bij hem een belletje rinkelen. Kon Tate hem misschien bellen?

Tate besloot dat Audrah Sidow nog wel even kon wachten. Hij zou haar morgen zien en haar confronteren met wat Fletcher had ontdekt. Dan kon ze uitleggen wat ze werkelijk op Lyndle moest. Maar op die boodschap van Williams zou hij direct reageren.

Hij had een telefoonnummer in Londen opgegeven. Tate draaide het. Williams nam op. Op de achtergrond klonk het geschreeuw van kinderen die vochten om de Play Station. Het deed hem beseffen dat hij June en de kinderen de afgelopen week nauwelijks had gezien. Het verzekerde hem er ook van dat Williams een gezin had. Hij klonk redelijk nuchter – niet het type dat verhalen verzint.

'Wat wilt u weten?' vroeg hij.

'Vertel me maar gewoon wat u ook al tegen Fletcher verteld hebt,' antwoordde Tate.

Williams vertelde dat hij in 1985 beveiligingsbeambte was geweest bij een van de meest prestigieuze modellenbureaus van het land. 'Het heette Margo's,' zei Williams.

Het bureau was gevestigd in Bond Street en een goede bewaking was essentieel, want sommige modellen waren nogal in trek bij de paparazzi. Ze hadden vaak ook een grote aantrekkingskracht op bepaalde mannen. En nu hij het daar toch over had...

Williams had bij diverse gelegenheden Francis Herrol uit de burelen moeten verwijderen. 'Hij was gek op een van de meisjes. Hij liet haar nooit met rust. Mij werd opgedragen hem buiten te zetten en hem ook buiten te houden.'

'Hoe weet u dat dit dezelfde Francis Herrol is?'

'Ik zag zijn foto in de krant,' zei Williams. 'Hij was daarop al wat ouder, maar hij is het wel.'

'Hoe kunt u daar zo zeker van zijn?'

'Ik ben bewaker,' zei Williams. 'Laat mij een foto van iemand zien en ik zal me dat gezicht herinneren. Mijn baan hangt af van mijn vermogen om ze uit een menigte te pikken, en niet alleen op de dag dat u me hun foto laat zien, maar ook nog weken, maanden, soms zelfs jaren later. Hij was het.'

Tate maakte een einde aan het gesprek en dacht na over wat hij zojuist gehoord had. In 1985 waren Claudia en Francis zo'n vijf jaar getrouwd. Hij vroeg zich af wat Claudia ervan had gevonden dat haar man achter een jong model aan zat. Hij vroeg zich ook af of Francis achter Ginny aan had gezeten. Als dat zo was, had Nicholas daar mogelijk aanstoot aan genomen en hem vermoord. Het was magertjes, maar het was een motief. En tot dat moment had Tate zich niet kunnen voorstellen waarom Nicholas zijn vader zou willen vermoorden. Niet dat er per se een aanleiding moest zijn. Bij iemand zo ziek als Nicholas Herrol wist alleen God wat er door zijn hoofd spookte. Goldman beweerde dat hij niet schizofreen was. Misschien was hij dat ook niet. Maar er was wel iets heel erg mis met hem. En hoe je dat noemde, maakte niet zoveel uit.

Hij riep goedenacht en liep het bureau uit. Op de trap naar de ingang bleef hij even staan. Geen wolkje aan de lucht. Alleen maar sterren en de zekerheid dat er voor morgenochtend geen sneeuw meer zou vallen

Dat was een prettig idee, want sneeuw zou zijn werk morgen een stuk hebben bemoeilijkt. Morgen zouden ze namelijk beginnen aan een grondige zoekactie in de gracht en de bossen. Het zou dagen kunnen duren voor ze haar vonden, maar Ginny moest daar ergens zijn. Daar had hij John Cranmer niet voor nodig.

19

Guy en zijn vader waren een half uur geleden bij het ziekenhuis in Leeds gearriveerd. Nu zaten ze in een kamer met een coassistent. Hij raadpleegde de notities die waren gemaakt toen Rachel werd opgenomen en zei: 'Uw vrouw werd vanmiddag hier binnengebracht nadat iemand haar op haar kamer had horen schreeuwen.'

Dat moest een van de huisgenoten geweest zijn. Guy vroeg zich af wie.

'Toen ze weigerde de deur open te doen, hebben ze hem geforceerd.' De arts schoof zijn aantekeningen terzijde. 'Meneer Harvey,' zei hij, en even dacht Guy dat hij het tegen zijn vader had. Niemand noemde hem ooit meneer Harvey. 'Heeft u enig idee waarom uw vrouw een overdosis genomen kan hebben?'

De arts deed het klinken alsof het zijn fout was, maar wat had hij anders kunnen doen dan vertrekken toen Rachel hem overduidelijk had gemaakt dat ze hem niet langer in de buurt wilde hebben? 'Nee,' zei hij. 'Totaal niet.'

'U zegt dus dat uw vrouw geen enkele indicatie gaf dat er iets fout was?'

'Dat heb ik niet gezegd,' zei Guy. 'De afgelopen maanden is ze–'

Zijn vader viel hem in de rede. 'Het doet er niet toe wat er de afgelopen maanden gebeurd is – de vraag is wat er nu gaat gebeuren.'

De dokter antwoordde: 'Dat hangt in grote mate van meneer Harvey af. Ik neem aan dat hij zijn vrouw wil zien en–'

'Dat bedoel ik niet. Ik bedoel... wat gebeurt er als iemand probeert zich van kant te maken? Ik neem niet aan dat u ze gewoon weer de straat op schopt.'

De arts begreep nu waar hij heen wilde. 'Pogingen tot zelfmoord worden beoordeeld door een psychiater. Het is aan de psychiater om te besluiten of iemand weer uit het ziekenhuis wordt ontslagen. Rachel is al onderzocht door...' Hij raadpleegde nog een keer zijn notities. '...dr. Elizabeth Rossiter. Dr. Rossiter zei dat uw vrouw morgen weer naar huis kan, mits er daar iemand is die een oogje op haar kan houden, maar ze zou wel eerst even met u willen praten.'

Toen Guy geen antwoord gaf, voegde de dokter eraan toe: 'Ik neem aan dat u bereid bent een oogje op haar te houden?'

'Ja,' zei Guy, maar het klonk niet van harte.

'Dan zal ik een van de verpleegkundigen vragen u mee te nemen naar de betreffende zaal.'

Zijn vader had tijdens de reis nauwelijks een woord gezegd, maar toen hij en Guy op weg gingen naar de zaal, haalde hij dat flink in.

Een zelfmoordpoging was niet niks. Rachel was duidelijk labiel. Ze zou waarschijnlijk de rest van haar leven psychiatrische hulp nodig hebben. Als Guy bij haar bleef, kon hij een normaal leven wel vergeten. Van kinderen zou al helemaal geen sprake zijn. Rachels probleem kon wel eens erfelijk zijn. Hij kon maar beter een echtscheidingsprocedure in werking zetten. Zij was niet zijn probleem.

Guy probeerde op dit moment uit te leggen dat Rachel wel degelijk zijn probleem was omdat het ziekenhuis haar wilde ontslaan – ze hadden het bed nodig. Ze hadden haar maag leeggepompt, haar lever gecontroleerd en nog een hele rij andere tests gedaan, al was het alleen maar om zich in te dekken als ze eenmaal hun handen van haar hadden afgetrokken. Ze wilden niet dat ze op straat stierf, maar ze wilden haar ook niet langer opnemen dan nodig was. Ze had een huis waar ze heen kon. En hij werd geacht voor haar te zorgen. Hij zag echt niet wat voor andere keus hij had.

Zijn vader zei: 'Je moet zorgen dat zij jou een keus *geven*.'

'En hoe moet ik dat doen?

'Door weg te lopen.'

'Dat kan ik niet.'

Zijn vader begon zijn geduld te verliezen. 'Ik geef je twintig jaar en dan kijk je naar een vrouw van middelbare leeftijd met grijzend haar en een lege blik. En dan kom je er niet mee door haar op zolder op te bergen, Guy. Ik weet toch hoe het in dit land toegaat? Dan moet je haar zelf thuis verzorgen – en wat voor leven denk je dat dat voor jou zal zijn – of je betaalt je blauw aan verzorging voor haar.'

Guy had nog steeds het gevoel dat de grond golfde, een gevoel dat nog werd verergerd toen hij en zijn vader in de lift stapten. Hij stopte op de derde verdieping en ze stapten een gang in die naar een aantal zaaltjes leidde, elk onderverdeeld in groepjes van vier bedden.

Het bed waar Rachel in lag, werd afgeschermd door gordijnen. Een verpleegster schoof ze weg en liet het verder aan Guy over – zijn vader had gezegd dat hij liever op de gang bleef.

Guy, die zijn eigen gevoelens op dit moment maar nauwelijks kon bevatten, had bijna gewild dat hij bij hem op de gang had kunnen blijven. Hij was enorm opgelucht dat Rachel weer in orde was, maar hij was ook kwaad – en iets anders, iets wat hij eerst niet thuis kon brengen: hij was bang. Wat Rachel had gedaan, ging zijn voorstellingsvermogen te boven en hij wist niet hoe hij ermee om moest gaan. Wat betekende het voor de toekomst? Zelfs als hij van haar zou scheiden, zou hij mogelijk wettelijk verplicht zijn om haar de rest van haar leven te onderhouden.

Hij schaamde zich voor de angst die dat bij hem teweegbracht. Een paar dagen geleden zou hij hebben gezegd dat niets zijn gevoelens voor haar zou kunnen vernietigen. Was de liefde dan zo kwetsbaar dat ze bij het eerste het beste probleem wegsmolt? Op dit moment voelde hij geen liefde. Hij voelde niets anders dan angst. Hij wilde dat dit allemaal niet gebeurd was. En toen hij zich realiseerde dat hij niet genoodzaakt wilde zijn de verantwoordelijkheid voor zijn vrouw op zich te nemen, zag hij een trekje van zijn vader door zijn eigen psyche heen breken. Het was geen prettige constatering, maar hij was er wel.

Rachel zat in bed, gekleed in een ziekelijk geel ziekenhuishemd dat alle kleur uit haar huid wegtrok. Ze zag er vaal uit en – hij haatte zichzelf erom – onaantrekkelijk. Alsof het ertoe deed hoe ze eruit zag! En toch maakte het uit. Het maakte uit dat hij op het moment dat hij haar zag, werd herinnerd aan wat zijn vader had gezegd: dat ze op een gegeven moment een vrouw van middelbare leeftijd zou zijn, afhankelijk en met holle ogen.

Hij had het idee dat hij iets moest zeggen, maar hij wist niet wat. Bovendien was hij bang dat als hij eenmaal zijn mond opendeed, hij eruit zou flappen dat hij het liefst zijn vaders advies zou opvolgen. *Denk aan jezelf, Guy – begin aan de echtscheidingsprocedure, nu!*

Naast het bed was een raam. Hij liep ernaartoe om het open te zetten, om er vervolgens achter te komen dat het een draairaam was, want dat was makkelijker schoon te houden. Wat stom om iemand die zojuist een zelfmoordpoging had ondernomen naast zo'n raam te leggen. Als ze wilde, kon Rachel zo het raam opendoen en naar buiten springen. *Misschien zou dat voor iedereen beter zijn.*

Hij schrok van zichzelf. Hoe kon hij daar zelfs maar aan denken? Hij duwde met zijn vingertoppen tegen het glas. Het draaide van hem weg met een soepelheid die duidde op een goed geolied mechanisme.

'Krijg ik misschien ook te horen waarom?' zei hij.

'Wil je wel weten waarom?'

Dat was de meest rationele reactie die hij in lange tijd van haar had gekregen. Misschien dat er toch iets te zeggen was voor een zelfmoordpoging. Misschien werkte het verhelderend. 'Waar ging het allemaal om?' vroeg hij. 'Ik bedoel niet alleen die overdosis – ik bedoel de afgelopen maanden.'

'Het lag niet aan jou,' zei ze. 'Het heeft nooit iets met jou te maken gehad.'

'Wat was het dan wel?'

Het leek erop dat ze de afgelopen uren had nagedacht. Het zou heel wat moeite kosten om het hem te vertellen, maar ze ging het proberen. Het enige dat ze van hem vroeg, was dat hij op zijn minst *probeerde* haar te geloven.

'Herinner je je nog die dag dat we naar dat huisje zijn gegaan?'

Het had dus inderdaad met dat huisje te maken. 'Wat is daarmee?'

'Ik liep de achterdeur uit voor een wandelingetje. De tuin was overwoekerd. Ik moest me een weg banen door de brandnetels en verliet de tuin via een opening tussen twee palen. Er had daar ooit een hek gezeten.'

Ze glimlachte, alsof het wandelen door die woestenij een plezierige herinnering was. 'Er was een laan.'

Hij wist welke laan ze bedoelde. Hij scheidde de rij huisjes van het bos.

'Het was er prachtig, Guy. De bladeren begonnen net te verkleuren en ik vond een soort holle weg die het bos doorsneed.'

Ze was toch zeker niet een afgelegen, holle weg ingeslagen? Dat deden vrouwen niet – niet als ze bij zinnen waren.

Buiten was het inmiddels donker. Het raam werd een spiegel. Hij zag Rachel erin weerspiegeld, liggend op het bed. 'Probeer je me te vertellen dat je verkracht bent? Is dat waar dit allemaal om gaat?'

Het beeld begon te barsten. Zijn vrouw was niet langer één. Ze lag nu te trillen en viel voor zijn ogen in stukken uiteen.
'Guy,' zei ze. 'Ik denk dat ik een geest gezien heb.'

De parkeerplaats van het ziekenhuis baadde in het licht. Guy zag een beveiligingscamera aan een muur vlakbij. Deze bewoog langzaam heen en weer en richtte zich toen op hen alsof hij werd bediend door iemand die maar niet kon beslissen of hij en zijn vader de eigenaars waren van het voertuig waar ze naast stonden, of dieven die hun kansen inschatten. Gekleed als ze waren in jeans en leren pilotenjacks konden ze net zo goed dieven zijn. Ze zagen er niet rijk genoeg uit om zo'n Jaguar te bezitten en dieven werden aangetrokken door Jags, althans, dat werd beweerd.

Zijn vader leunde tegen de zijkant van de auto naast de hunne. 'Guy, jij bent mijn zoon. Ik wil niet dat je de rest van je leven vergooit.'

'Ze is ziek.'

'Ik ben blij dat je dat in de gaten hebt. Ik hoop dat je ook in de gaten hebt dat het niet jouw probleem is.'

Maar het was wel zijn probleem. 'Ik kan haar niet zomaar in de steek laten. Waar moet ze heen?'

'Laat het ziekenhuis maar iets zoeken.'

'Wat dan?'

'Een pension of zoiets, weet ik veel? Niemand kan jou dwingen om haar onder je hoede te nemen.'

'Niemand dwingt me ook. Je begrijpt het niet.'

'Je zult er nog spijt van krijgen,' zei zijn vader.

Misschien had hij gelijk. Maar hij kon er niet zomaar vandoor gaan. 'Het eerste dat ik morgen doe,' zei hij, 'is haar mee naar huis nemen.'

20

Toen Guy de volgende ochtend in het ziekenhuis aankwam, trof hij Rachel op een stoel naast het bed. Hij gaf haar een plastic waszak met kleren. Het ziekenhuis had hem dat gevraagd, want de kleren die ze aan had gehad, waren verpest, zeiden ze. Hij zocht ernaar in het kastje. Ze waren er niet en op het moment dat hij vroeg waar ze volgens haar zouden kunnen zijn, herinnerde hij zich weer de waarschuwing van zijn vader: *Uiteindelijk zul je haar moeten wassen, voeden en voortdurend in de gaten moeten houden of ze niet in haar nachtpon de straat op loopt.*

'Weet ik niet,' zei ze. 'Vraag maar aan de verpleegster.'

Guy haalde een spijkerbroek, een truitje, een slipje, beha, sokken en schoenen uit de tas. 'Ik zal vast wel iets vergeten zijn,' zei hij.

Ze had gedoucht of was gewassen, een van de twee, want haar haar was vochtig. 'Je kunt het maar beter eerst drogen – het is buiten verschrikkelijk koud.'

De stad was licht bepoederd met sneeuw. Er was wat blijven liggen op de daken die door dat dodelijke draairaam te zien waren. Hij had er niet aan gedacht een jas voor haar mee te nemen. Hij zou haar straks de zijne wel geven.

Hij vroeg zich af of hij nog wat meer warmte kon krijgen uit het elektrische straalkacheltje in hun kamer. 'Shit,' zei hij zacht.

'Wat is er?'

Hoe kon hij haar vertellen dat de afgelopen paar dagen in het appartement van zijn vader hem nog eens extra duidelijk hadden gemaakt hoe het was om in een beschaafde omgeving te wonen, met meubilair dat niet werd ontsierd door brandplekken van sigaretten, en met kamers die centraal werden verwarmd. Het zou niet zo mogen zijn dat hij haar mee terug moest nemen naar Rippon Gardens.

'We zullen op zoek moeten naar een nieuwe kachel.'

Hij had het nog niet gezegd of het kwam op hem over als de meest banale opmerking die je maar kon maken. Dat was wat ze van hem zou maken – een persoon die ze bij de sociale dienst als zorgverlener aanduidden. Het was een etiket dat werd geplakt op personen die hun leven opofferden in naam van de liefde, of plichtsbetrachting. Geen sociaal leven. Geen vakanties. Geen zakgeld. Geen enkele kans op een eigen leven. Alles in hem wilde haar hier achterlaten, wilde de verantwoordelijkheid afschuiven. Maar hij kon het gewoon niet. Misschien moest je dat leren, om zomaar een zieke in de steek te laten. Het was in ieder geval een verdomd stuk moeilijker dan een gezond iemand in de steek laten.

'Waar denk je aan?' vroeg Rachel.

Wat een heldere vraag. Hij had plotseling het gevoel dat ze al zijn gedachten kon lezen en hij schaamde zich. 'De psychiater met wie jij gisterochtend hebt gesproken, wil mij ook nog even zien voor we vertrekken.'

Hij liet haar achter zodat ze zich aan kon kleden en ging op zoek naar dr. Elizabeth Rossiter. Hij vond haar uiteindelijk aan de andere kant van het gebouw.

Ze liet hem binnen in een kantoor dat ze af en toe 'leende' en vertelde hem dat ze ervan overtuigd was dat Rachels zelfmoordpoging een schreeuw om hulp was geweest. 'Een reactie op de dood van haar tante,' zei ze.

'Waarom zou de dood van haar tante haar tot zelfmoord brengen?'

Rossiter antwoordde: 'Als iemand in onze directe omgeving overlijdt, confronteert dat ons met onze eigen sterfelijkheid. Een instorting is dan niet ongewoon. Het patroon van Rachels gedrag wijst op de diagnose van een door een sterfgeval veroorzaakte depressie.'

Guy kende maar weinig mensen die een familielid of vriend hadden verloren. Er was een medestudente op de universiteit wier vader was gestorven. Ze was verpletterd geweest, maar ze was geen dingen gaan zien.

Rossiter was nog niet klaar. 'Behalve dat ze haar tante verloren heeft, moet Rachel ook haar identiteit van de afgelopen maanden herbezien en ik vermoed dat dat invloed heeft gehad op de aard van haar depressie.'

'Hoe bedoelt u – herbezien?'

'Naar ik heb begrepen, hebben de autoriteiten haar gedwongen het huis van haar tante te verkopen teneinde de kosten van het verpleeghuis te betalen.'

Guy bevestigde dat en Rossiter voegde eraan toe: 'Het is al erg genoeg om uit eigen beweging afscheid van je huis te nemen, bijvoorbeeld omdat je gaat verhuizen, maar als zoiets buiten jezelf om beslist wordt, is het dubbel zo traumatisch.'

Nu hij er vanuit die optiek op terugkeek, leek het hem inderdaad een mogelijkheid.

'Bovendien,' zei dr. Rossiter, 'is Rachel zes maanden geleden met u getrouwd, nadat ze u pas drie maanden daarvoor had leren kennen.'

'Heeft ze gezegd dat ze daar spijt van heeft?'

Rossiter haastte zich om hem ervan te verzekeren dat Rachel niets in die richting had gesuggereerd. 'Maar een huwelijk betekent toch een tamelijk rigoureuze verandering in je leven. Sommigen hebben tijd nodig om daaraan te wennen.'

'Wat u bedoelt, is dat een combinatie van deze factoren haar te veel is geworden?'

'Dat is precies wat ik bedoel.'

'Ze zal er dus wel weer overheen komen?'

'De meesten wel, ja. Ik raad haar aan een tijdje antidepressiva te slikken en ik zal u de naam geven van een goede consulent op dat gebied.'

Hij had nu de angst van zijn schouders moeten voelen glijden, maar die bleef als een koud, dood gewicht aanwezig.

'U leek zich zorgen te maken over iets–'

Waarom was hij toch zo'n lafaard. Waarom kon hij niet toegeven dat wat Rachel hem verteld had, totaal verschilde van wat ze tegen Rossiter gezegd had? Gisteren, toen hij bij haar bed stond, had ze het totaal niet over de dood van haar tante gehad. Ze zei dat ze een geest gezien had en wat had hij anders kunnen doen dan vragen wat haar tot dat idee gebracht had?

'Herinner je je dat ik zei dat ik een holle weg gevonden had?'

De manier waarop zij het beschreef, bracht het allemaal uiterst levendig voor ogen.

'Ik ben die weg ingeslagen,' zei Rachel. 'Ik volgde hem tot aan het terrein van een oud huis.'

Hij wist welk huis ze bedoelde. Lyndle Hall stond aangegeven op de kaart die hij had gebruikt om bij het huisje te komen.

'Er was een soort veld dat het huis scheidde van de bomen. Er liep een man overheen met bloemen. Hij legde ze naast een pijp die uit de oever stak. Zoals hij ze neerlegde... ik kan het niet beschrijven... En toen zag hij mij en liep hij min of meer wankelend weg. Het leek wel alsof mijn verschijning een enorme schok voor hem was...

Als ze *níet* verkracht was... als er niets was gebeurd... wat was dit dan allemaal?

'En toen keek ik achterom en... zag ik een vrouw door het struikgewas kruipen... ze sleepte zich gewoon voort. Ze zat onder het bloed – ze *stikte* er in.'

Nu begon Rachel te huilen.

'Ze zocht naar een plek om zich te verbergen en het enige dat ze zag, was die pijp. Ze... ze kroop erin...'

Lyndle Hall was de laatste weken nogal in het nieuws geweest en in eerste instantie vroeg hij zich af of Rachel misschien getuige was geweest van de moord op het meisje naar wie de politie op zoek was. Toen realiseerde hij zich dat dat onmogelijk was. Hij en Rachel waren eind augustus naar Lyndle gegaan. Naar wat hij in de kranten had gelezen, had Ginny's vader in september nog contact met zijn dochter gehad.

'Waarom heb je me dat niet eerder verteld?'

Rachel antwoordde: 'Hoe kon ik dat nu? Ze was daar niet echt.'

Wat had het voor zin om op een dergelijke uitspraak in te gaan? 'Probeer nu eerst maar eens wat te slapen,' zei Guy, en ze wist toen dat hij haar niet serieus nam.

'Je denkt dat ik gek geworden ben.'

Gedurende vijf, tien seconden stond Guy op het punt om Rossiter te vertellen wat Rachel tegen hem gezegd had. En toen vroeg hij zich af wat zijn motief was. Misschien hoopte hij dat Rossiter haar hier zou willen houden voor verdere observatie. Misschien wilde hij gewoon de verantwoordelijkheid voor Rachel afschuiven op iemand anders. Dan kon hij daarna naar huis en zichzelf wijsmaken dat zijn vader toch gelijk had gehad dat het zijn probleem niet was.

'Meneer Harvey?'

Zeg het, dacht Guy. *Zeg het!* Hij zei: 'Weet u zeker dat Rachel in orde is? Ik bedoel, echt in orde?'

'Niets van wat ze me gisteren heeft verteld, geeft mij aanleiding om haar hier te houden. Ze mag dan depressief zijn, en een beetje in de war, maar ze is niet... om het in lekentaal uit te drukken, *gek*, als u dat soms denkt.'

Laat maar zitten, zei hij bij zichzelf. Het minste dat je kunt doen, is je vrouw een kans geven. 'Bedankt,' zei hij, en hij nam het recept mee en ging terug naar de ziekenzaal.

Het eerste dat hij zag, was een scherm rond haar bed. Hij trok het open in de verwachting haar erachter te zien zitten. Wat hij aantrof, was een ziekenverzorgster die het bed afhaalde. 'Waar is Rachel?' vroeg hij.

'Je bent haar net misgelopen, schat. Ze is vertrokken.'

'Vertrokken? Waarheen?'

'Naar huis, neem ik aan. Iemand zou haar komen ophalen.'

Hij bedwong de neiging te schreeuwen dat hij die 'iemand' was. Ze hadden haar toch niet zomaar naar buiten laten gaan? Hij was zelf verbaasd over zijn kalmte, toen hij zei: 'Hoe laat is ze ongeveer vertrokken?'

'Ongeveer een half uur geleden.'

Het was beginnen te sneeuwen. De stad verloor zijn ijzig geglazuurde aanblik en hij zag haar daar al ronddwalen, gekleed in niet meer dan een spijkerbroek, een truitje en sportschoenen. Hij begon te rennen, zonder te weten waarheen, of waar hij heen moest als hij eenmaal buiten het gebouw was. Zijn gezonde verstand zei hem dat hij niet in paniek moest raken, dat hij het ziekenhuis moest verwittigen, de politie. Maar ondanks zichzelf rende hij door de gangen, de trappen af en de parkeerplaats op, en pas toen realiseerde hij zich dat hij nog steeds van haar hield. Laat haar alsjeblieft niets overkomen – alsjeblieft.

21

Een huiszoekingsbevel krijgen voor een pand dat onder monumentenzorg viel, was niet eenvoudig. Tate ontdekte dat toen hem werd gevraagd of hij mannen ter beschikking had die gekwalificeerd waren om historische panden te doorzoeken zonder beschadigingen aan te brengen. Het zou nog wel enige dagen duren voordat hij een dergelijke ploeg bij elkaar had. Ondertussen besloot hij de gracht te dreggen en het bos te doorzoeken en hij keerde terug met voldoende mannen om beide te doen.

De mannen buiten waren bezig het ijs in de slotgracht kapot te slaan, zodat straks de duikers hun werk konden doen. Hijzelf echter bevond zich in de studeerkamer, samen met Claudia.

Hij zag het vertrek weerspiegeld in de verweerde, in een vergulde lijst gevatte spiegel die een hele muur in beslag nam. Het effect was dat de studeerkamer twee keer zo groot leek. Het effect was ook dat alles eruit zag alsof het was ondergedompeld in een donkergroene poel. Een speling van het licht, van de ouderdom en de kwaliteit van het glas.

Claudia stond er schuin voor en kon zo heel goed zien wat er zich buiten afspeelde. Ze was niet blij toen, om zes uur die ochtend, een konvooi voertuigen over de gazons ploegde. Twee terreinwagens, een Transit-busje en een mobiele kantine. Van al die voertuigen was het vooral de rijdende kantine die haar de meeste afschuw inboezemde. Hij zag eruit als een hotdogtent. Ze wilde hem 'verwijderd' hebben.

Hij vond het te gek voor woorden dat zij, die erbij liep als een zwerfster, bezwaar maakte tegen 'dat vulgaire geval' dat daar op haar gazon stond. En toch begreep hij haar wel: Lyndle straalde iets hooghartigs uit. Het gebouw keek op de voertuigen daar beneden neer alsof het wilde zeggen dat hier al eeuwenlang mensen stierven, van wie sommige onder gewelddadige, misschien zelfs wel afgrijselijke omstandigheden. Wat was één jong meisje onder zovelen? Waarom die plotselinge opwinding?

Dit was de eerste keer dat Tate de gelegenheid kreeg om met Claudia te praten en hij begon met te zeggen dat het niet mee moest vallen om dit huis te onderhouden. Hij zei er niet bij dat het een duidelijk verloren strijd was. Hij wilde het luchtig houden, hij wilde het doen voorkomen alsof hij hier was om haar te helpen. 'Wanneer bent u hierheen gekomen?'

'Ik woonde hier al als kind.'

Dat was niet het antwoord dat hij had verwacht. Hij had aangenomen dat Francis Lyndle had geërfd en dat Claudia hier pas sinds hun huwelijk woonde.

'Francis en ik zijn neef en nicht,' zei ze. 'Onze ouders woonden in het buitenland. Wij zaten op kostschool en brachten hier de vakanties door. Grootvader liet ons Lyndle na op voorwaarde dat we met elkaar trouwden.'

Tate kon zich niet voorstellen waarom iemand een dergelijke voorwaarde zou stellen, tenzij...

'U en uw echtgenoot moeten elkaar heel na hebben gestaan.'

Daar gaf ze geen antwoord op.

Hij weerstond de verleiding haar te vragen wat ze ervan vond dat Francis uit een modellenbureau was gegooid, want wat hij zestien jaar geleden had gedaan, kon toch nauwelijks invloed hebben op wat Nicholas de afgelopen weken had gedaan.

Trouwens, de suggestie dat Claudia van zijn escapades wist, zou de huwelijkse ontrouw weer oprakelen en dat zou de kans dat ze dichtsloeg alleen maar vergroten. En dat wilde Tate nu juist niet. Hij wilde haar vertrouwen winnen. Hij wilde haar zó inpalmen dat ze hem dingen toevertrouwde.

'Het moet niet makkelijk voor u zijn, al deze toestanden.' Hij wees naar buiten 'U bent alleen. Niemand tot wie u zich kunt wenden. En Nicholas... nou ja, die is ziek, dat besef ik ook wel...'

Ze ging in een van de rode leren armstoelen zitten. De hitte van de open haard verlichtte haar gezicht, maar toch trok ze de jas stevig om zich heen. Tate vermoedde dat ze er ook in sliep. Ze rook heel vaag naar klamheid. En hij realiseerde zich plotseling hoe mager ze was. Niet alleen in haar gezicht, maar ook haar vingers – een verzameling elegante botjes. Ze had waarschijnlijk al in geen weken fatsoenlijk gegeten. 'Claudia,' zei hij. 'Ik wil je helpen... maar dat kan alleen als je me vertrouwt.'

Ze zat weggedoken in haar stoel, haar vingers wit weggetrokken van de kou. 'Wat u gisteren zag... betekent niets...'

'Ik heb met Goldman gesproken. Ik weet dat hij heel erg ziek is.'

'Hij is niet ziek,' zei Claudia.

Een van de duikers kwam boven, met in zijn handen een oude pendule – een maan en sterren omringd door planeten. Hij gaf hem aan Fletcher, die hem op de oever legde. 'Ik weet van die vriend,' zei Tate. 'Ik weet dat hij daaraan moet offeren. En wat mij zorgen baart... wat mij zorgen baart, is dat Ginny...'

Ze begon plotseling te huilen. Het was geen loskomen. Het was een heel eigen, innerlijk wenen. En hij kreeg ineens medelijden met haar. 'Claudia, laat mij je helpen.'

'Niemand kan me helpen.'

'Laat me het in ieder geval proberen.'

Huilen was een teken van zwakte, volgens Francis. Niet één keer had ze hem zien huilen, al die jaren niet. Maar dat wilde nog niet zeggen dat hij niets voelde. Hij leed er ook onder. Mijn God, hij leed eronder. Hoe kon iemand anders zweren dat hij nooit meer tegen zijn vrouw zou praten, om dat vervolgens zestien ellendige jaren vol te houden? Niet één keer had hij in die tussentijd iets tegen haar gezegd, tenzij het absoluut niet anders kon, tenzij het was om te zeggen: *Ik denk dat ik je de rest van mijn leven zal blijven haten.*

Nadat Tate vertrokken was, was ze in de studeerkamer gebleven. De gedachte dat iemand haar in deze toestand zou zien... Wat had ze er niet voor over gehad om hem te kunnen vertellen... Maar ze moest aan Nicholas denken. Hij had haar nodig. Ze kon zijn vertrouwen niet beschamen.

Op het bureau lag een vulpen, de huls zwart, de kroontjespen van veertien karaats goud. Ze pakte hem op. Hij was ooit van haar grootvader geweest. Nu was hij van Francis, wiens vader beweerde dat hij er recht op had.

Naar hem was niets gegaan. En naar haar vader ook niet, want de zoons van grootvader hadden hem teleurgesteld. Daarom had hij Lyndle ook aan haar en Francis nagelaten, en niet in het minst omdat zo rond hun puberteit duidelijk werd dat er tussen hen een band bestond die verderging dan de genegenheid die je tussen een neef en een nicht mocht verwachten.

Hij vond dat kennelijk amusant, of misschien was het vooral amusant vanwege de walging die hun relatie bij zijn zoons opriep. Hoe dan ook, hij stelde de voorwaarde dat ze om te erven met elkaar moesten trouwen en wat voor twijfels zijn zonen ook gehad mochten hebben, ze werden ondergeschikt gemaakt aan hun hebzucht. Ze wilden ook hun graantje meepikken, al was het dan via een omweg. Ze maakten daarom ook geen bezwaar tegen deze regeling. Het huwelijk leek plotseling een terechte zaak en ze waren per slot oud genoeg om de voorwaarden van het testament aan te vechten. Het feit dat ze dat geen van beiden deden, sprak boekdelen en hun relatie werd een onderwerp van gesprek dat nooit meer ter sprake kwam nadat ze hadden geërfd. 'Ze zijn getrouwd. Zand erover,' was de gangbare houding.

De eerste, euforische reactie op het nieuws dat Lyndle nu van hen was, verbleekte al snel toen bleek dat hun erfenis een vervallen, geldverslindende molensteen was. Francis wilde het huis verkopen. Wilde het verbranden en het verzekeringsgeld opstrijken. Wegvluchten naar een klein, warm land waar bruine meisjes zaden in veelkleurige potten naar de velden droegen. Zij wilde het houden, maar hoe had ze kunnen weten wat de toekomst voor haar in petto had?

Een van de mannen buiten had een van zijn voeten op de treeplank van een auto gezet. Hij trok wandelschoenen aan en de manier waarop hij zijn veters strikte...

Dat prachtige licht. Het lijkt me een ideale ochtend om eropuit te trekken.

Je bent van plan haar te ontmoeten

Ik heb geen tijd, en ook geen geduld, voor hysterische toestanden.

Ik vermoord haar... ik zweer het, Francis... Ik vermoord haar... Ik vermoord haar!

22

Audrah werd wakker door het geluid van voertuigen die buiten optrokken. Ze stapte uit bed, volledig gekleed, en keek uit het raam. Geen gordijnen, alleen maar een dun laagje ijs op de breekbare ramen. Ze veegde het glas schoon met haar mouw, keek naar buiten en zag politie het gazon in beslag nemen.

Tate stapte uit een van de voertuigen. Er was iemand bij hem. Het duurde even voor ze zich realiseerde wie het was. Hij had bergsportkleding aan. Het was niet het soort kleding dat ze van hem gewend was. Cranmer droeg vrijwel alleen maar kostuums.

Gisteren had Tate hem nog van de binnenplaats laten verwijderen. Nu keek hij in de richting die Cranmer hem aanwees, knikkend, pratend, helemaal opgaand in wat Cranmer te melden had. Het herinnerde haar er weer aan hoe goed Cranmer was. In nog geen vierentwintig uur was hij erin geslaagd om Tates houding jegens hem te veranderen. Ze wist niet hoe hem dat gelukt was, maar ze kende hem goed genoeg om te weten dat hij daar zijn foefjes voor had. Wee je gebeente als hij zich met Nicholas Herrol ging bemoeien...

Ze dacht plotseling aan Marion. Toen Claudia eenmaal in de gaten had wat ze wilde, had ze haar toegestaan te blijven logeren. Voor zover Audrah wist, lag ze in de kamer naast de hare. Ze hoopte voor haar dat hij iets warmer was, iets minder spaarzaam gemeubileerd...

Er werd op de deur geklopt. Ze verwachtte Claudia, maar het bleek Bevan te zijn.

'Tate zou u graag even spreken.'

Hij ging haar voor de trap af naar een vertrek achter de keuken, waar Tate voor de paar scherven glas stond die voor een raam door moesten gaan. Hij stond met zijn rug naar het vertrek, alsof de aanblik daarvan hem weerzin inboezemde.

'U vertelde me gisteren dat u psychologe was.' Hij wendde zich af van het raam en keek haar aan. 'U vergat te vertellen dat u colleges paranormale psychologie geeft op het BIPR.' Het verbaasde haar niet dat hij dat wist. Hij zou een slecht rechercheur zijn als hij niet natrok wie de mensen hier waren en wat ze kwamen doen. 'Wat bracht u hierheen?'

'Mevrouw Herrol hoopte dat ik haar zoon zou kunnen helpen.'

'En, kunt u dat?'

'Nee,' zei Audrah.

'Als u hem niet kunt helpen, waarom bent u dan nog steeds hier?'

'Ik wil niet dat hij voor het karretje van John Cranmer wordt gespannen.'

'Wat hebt u tegen Cranmer?'

'Het is een oplichter.'

Tate zweeg even. En toen zei hij: 'Ik kreeg gisteren een telefoontje van Cranmer. Hij had dit vertrek nog nooit gezien en toch kon hij het beschrijven.'

'Wat is er zo bijzonder aan deze kamer?'

'Het was de kamer van Ginny.'

Ja, dat lag voor de hand, dacht ze. Dit mocht dan de eenentwintigste eeuw zijn, maar sommige zaken veranderden nooit: wie anders dan een meisje dat de meest simpele huishoudelijke klussen moest opknappen, zou een dergelijk hok accepteren? 'Ik zal eerlijk tegen u zijn,' zei Tate. 'Ik worstel met de vraag hoe hij dit vertrek zo tot in detail kon beschrijven.' Hij trok een kastdeur open. De ijzeren klerenhangers rinkelden. 'Tot aan het geluid dat deze hangers maken.'

Audrah bedacht hoe makkelijk Marion ongezien Lyndle binnen had kunnen glippen en hoe ze erin geslaagd was om Tate, twee van zijn mannen, Claudia en haarzelf te ontwijken. Als Marion dat al kon, hoeveel eenvoudiger was het dan niet voor Cranmer, zeker als hij hier al binnen was geweest voordat deze zaak echt begon te spelen? En zou het nu echt zo moeilijk voor hem zijn geweest om de kamer te vinden die aan iemand als Ginny zou worden toegewezen?

'Hij is hier waarschijnlijk een keer binnengedrongen.'

'Te veel risico, gezien zijn reputatie,' zei Tate.

'Daar zou hij zich wel weer uit hebben gemanipuleerd,' zei Audrah. 'Mensen als hij verdienen hun geld met het geloofwaardig maken van het onmogelijke.'

Tate glimlachte. 'U heeft kennelijk geen hoge dunk van paranormaal begaafden.'

'Mijn jarenlange ervaring met hen heeft me geleerd dat het allemaal oplichters zijn. Cranmer is nog glibberiger dan de rest.'

'Waarom doen ze het?'

Zo'n eenvoudige vraag. Zo'n ingewikkeld antwoord.

In de geschiedenis van de criminologie lijken paragnosten van onschatbare waarde voor de politie te zijn geweest. Onder hen waren mensen als Janos Kele, de Hongaarse helderziende van wie werd gezegd dat hij het vermogen bezat om fysieke objecten, situaties of gebeurtenissen van een afstand te zien, en Gerard Croiset uit Nederland, die in 1964 de politie van Mississippi zou hebben geholpen bij het onderzoek naar de moord op drie mensenrechtenactivisten.

Deze mensen heetten oprecht te zijn, vooral ook omdat ze er geen geld voor wilden hebben, maar veel van wat ze beweerden, was moeilijk te bewijzen. Men dacht dat zij werkelijk in contact stonden met de spirituele wereld, maar al te vaak was de informatie die zij aandroegen vaag of sloegen ze zelfs helemaal de plank mis. En ook als ze bijna griezelig accuraat leken, was er altijd minstens één plausibele verklaring voor de vraag hoe ze aan hun informatie waren gekomen.

'Ze doen het in het algemeen voor het geld. Meestal, maar niet altijd. Sommigen doen het vanwege de kick die ze krijgen van het te slim af zijn van academici die hen bestuderen. Anderen zijn verslaafd aan de aandacht van mensen die denken dat ze iets bijzonders zijn.'

'En Cranmer?' vroeg Tate. 'In welke categorie valt hij?'

'Cranmer hunkert naar adoratie en respect.'

'Daar is niets vreemds aan, lijkt me,' zei Tate.

'Heeft hij u verteld waar u naar het lichaam moet zoeken?'

'In het bos.'

'Tja, dat lijkt me een redelijk veilige gok. Beter dan u vertellen dat u zich op het huis moet concentreren.'

'Hij was wel iets specifieker trouwens – hij zei dat het in of bij iets ronds was.'

'Rond, hè?' zei Audrah. 'Tja, met "rond" zit je al gauw goed.'

Tate begreep niet helemaal waar ze heen wilde. 'Boomstammen zijn rond,' zei Audrah. 'En paddestoelen, en stenen. Sommige planten zijn rond. Rond is een vorm die veel in de natuur voorkomt. Ik was meer onder de indruk geweest als hij u had gezegd naar iets achthoekigs te zoeken.'

'Maar toch, het lijkt me geen kwaad te kunnen om te zoeken naar iets dat hij adviseert.'

'En als u Ginny vindt, zal de pers beweren dat Cranmer haar voor u gevonden heeft. Als u haar niet vindt, zal Cranmer zeggen dat u niet grondig genoeg bent geweest. De pers zal hem steunen, want journalisten zijn gek op paragnosten, terwijl ze van de politie een minder hoge pet op hebben. Ze zullen eerder uw reputatie aantasten dan de zijne.'

'Hebt u de rapporten van de FBI gezien?'

'Zijn reputatie is gebaseerd op een paar gokjes die toevallig goed uitpakten.'

'Hoe kan iemand dat soort informatie per ongeluk verkrijgen?'

De gedachte dat Tate inmiddels Cranmer het voordeel van de twijfel wilde geven, maakte haar woedend. Ze stak haar hand in haar zak en haalde er een rubberbal uit. 'Wat zou u denken als ik u vertelde dat ik mijn hart naar willekeur zou kunnen laten ophouden te slaan?'

Tate keek haar niet begrijpend aan.

'Voel mijn pols maar,' bood ze aan.

Tate pakte haar bij de pols en merkte dat die niet meer klopte. 'Hoe doet u dat?'

Ze bracht haar hand onder haar jas en haalde de rubberbal onder haar arm vandaan. 'Ik heb de bloedtoevoer afgeklemd door de bal tussen een ader en mijn ribbenkast te klemmen.'

'En wat wilt u ermee zeggen?'

'Ik heb de illusie geschapen dat ik mijn hart kon laten ophouden met kloppen,' zei Audrah. 'Dat is wat nep-paragnosten doen – ze scheppen illusies, sommige met hulpmiddelen als deze bal, andere met informatie waar ze op de een of andere manier aan gekomen zijn. Cranmer is een meester in het creëren van de illusie dat hij informatie heeft die hij onmogelijk op normale wijze had kunnen verkrijgen.' Ze gooide hem de bal toe. 'Hou maar,' zei ze. 'En voel er even aan, elke keer dat u de neiging krijgt in Cranmers gaven te geloven.'

De ontmoeting met Tate gaf haar het gevoel dat ze buiten moest zijn en dus stond ze nu op de brug en keek naar de duikers die hun uitrusting achter uit de auto's haalden.

Ze worstelden zich in hun wetsuits en even later liepen ze de gracht in. De rafelige ijsschotsen weken even en sloten zich weer toen zij uit het gezicht verdwenen en naar de bodem zonken. *Nu ben jij voor altijd de onze... en moet je de wereld van licht en lucht vergeten die daar boven het oppervlak bestaat.*

Audrah,' zei Cranmer.

Ze draaide zich om en zag dat hij vlak achter haar stond.

'Jij hebt met Tate gesproken. Hoe ging dat? Of heb je liever niet dat ik dat vraag?'

Hij wist heel goed dat ze waarschijnlijk had geprobeerd Tate om te praten en hij wist ook dat haar dat waarschijnlijk niet gelukt was. Hij haalde een rubberbal uit zijn zak en gooide die omhoog. Het was er eentje die ze ooit had gegeven aan iemand die al net zo was ingepalmd door Cranmer als Tate nu leek te zijn. Hij ving hem weer op en gooide hem opnieuw in de lucht.

'Steeds als ik aan jou denk, Audrah – wat helaas niet zo vaak is, moet ik toegeven – zie ik je een speelgoedwinkel binnengaan en een heel stel rubberen balletjes kopen.' Hij gooide de bal plotseling over de rand van de brug. Hij kwam in het water terecht en dobberde daar tussen twee stukken ijs. 'Je moet zo langzamerhand aandelen hebben in het bedrijf dat ze maakt.'

Het was moeilijk om niet te happen. 'Ik moet toegeven dat een felicitatie op zijn plaats lijkt,' zei ze.

'Hoe bedoel je?'

'Tate,' antwoordde ze. 'Hij begrijpt niet hoe jij kon weten hoe Ginny's kamer eruit ziet. Maar ik begrijp dat wel, want ik weet hoe je het doet.'

Hij schudde zijn hoofd en glimlachte toen ze verder ging. 'Je hebt over Ginny Mulholland gelezen. Je hebt de hele zaak gevolgd omdat ze er misschien, heel misschien, niet met de echtgenoot vandoor is. Misschien is ze wel vermoord. Negen van de tien keer heb je het verkeerd, maar dit keer heb je raak geschoten. Dus kom je hierheen en dringt het huis binnen, om vervolgens de kamer te zoeken die hoogst waarschijnlijk die van Ginny was.'

Cranmer klonk vooral geërgerd toen hij antwoordde: 'Waarom wil jij toch niet accepteren dat er mensen zijn die dit kunnen, die deze gaven echt hebben, die ze gebruiken om anderen te helpen?'

'Ik ken jouw trucs.'

'Er is geen truc.'

Audrah antwoordde: 'Weet je, John, het heeft even geduurd voor ik erachter kwam waarom jij het deed. Ik dacht eerst dat het met geld te maken had, of met een hunkering naar respect – dat is wat ik Tate verteld heb – maar sinds kort realiseer ik me dat ik me daarin heb vergist.'

'Zeg het maar als ik ernaast zit, maar voeren we dit gesprek niet elke keer dat we elkaar ontmoeten?'

Ze ging verder alsof hij niets gezegd had. 'Parapsychologen willen vaak niet geloven in goed en kwaad – dat zou hetzelfde zijn als toegeven dat er een spirituele wereld bestaat en dat zou hun onderzoek diskwalificeren. Maar in jouw geval ben ik bereid tot een uitzondering.' Ze keek hem nu recht aan. 'Jij vertegenwoordigt het kwaad, John. Je verwoest mensenlevens omdat je dat leuk vindt.'

Cranmer antwoordde: 'Ik neem aan dat ik me gevleid zou moeten voelen dat iemand zich zijn hele beroepsmatige leven met mij bezighoudt, maar het begint me zo langzamerhand de keel uit te hangen. Bovendien ben je inconsistent, Audrah, en dat baart me eerlijk gezegd zorgen. Het zou er op kunnen duiden dat de integriteit van jouw onderzoek in twijfel moet worden getrokken.'

'Er is niets inconsistents aan de conclusies die ik ten opzichte van jou trek.'

'Integendeel,' zei Cranmer. 'Je hebt net zelf gezegd dat je ooit dacht dat ik het voor het geld deed, of vanwege het respect. Maar je bent kennelijk van mening veranderd, want je had onlangs het lef een artikel te publiceren waarin je beweert dat ik het doe omdat ik een kick krijg van het vrijen met vrouwen die net hun man hebben verloren – het zou iets te maken hebben met seks en de dood, geloof ik. Vraag me niet waarom ik je niet heb aangeklaagd – ik zou volkomen in mijn recht hebben gestaan.'

'Waarom heb je dat dan niet gedaan?'

Cranmer haalde een tweede rubberbal uit zijn zak, alsof hij er speciaal een aantal bij zich had gestoken om haar te irriteren. Net als bij de eerste gooide hij ook deze omhoog terwijl hij antwoordde: 'Steeds als ik in de Verenigde Staten ben, zie ik mezelf omringd door mensen die elkaar aanklagen over zaken die ze beter zouden kunnen negeren.'

'Je was gewoon bang voor de publiciteit–'

'Ik was bang voor de rekening van de advocaat,' zei Cranmer droogjes. 'Trouwens, er bestond ook een kans dat je ergens een paar van die ongelukkige types had weten op te duikelen die jouw beweringen zouden staven.'

Audrah had er wel meer dan twee opgeduikeld. Ze was er helemaal van uitgegaan dat Cranmer haar zou aanklagen. Het had haar zeer verbaasd dat hij dat niet gedaan had.

'En dit gezegd hebbende...' De rubberbal maakte een kletsend geluid toen hij in Cranmers hand landde, 'zal het je misschien plezieren om te horen dat ik met heel wat vrouwen geslapen heb sinds jij me voor het eerst smeekte om je te helpen je echtgenoot te vinden. Geen van hen heeft mijn hulp ingeroepen, maar zij hadden dan ook geen echtgenoot die hen zo verschrikkelijk in de steek heeft gelaten als Lars bij jou gedaan heeft.'

Een van de ijzeren staven waarmee de mannen het ijs hadden gebroken, stond binnen handbereik. Heel even had ze de neiging hem te pakken en er zijn hersens mee in te slaan.

'Je zou me dankbaar moeten zijn,' zei hij. 'Zonder mij zou je je kostje bij elkaar moeten scharrelen met het luisteren naar verveelde huisvrouwen die je de oren van de kop praten over hun ontrouwe echtgenoten en hun teleurstellende kinderen. Nu lijk je jezelf de fascinerende taak te hebben toebedeeld om te bewijzen dat ik een oplichter ben.'

Hij gooide haar de bal toe en onwillekeurig, en tot haar grote spijt, ving ze hem op. Ze gooide hem terug, hard, en Cranmer lachte toen de bal hem raakte. 'Dat temperament van jou ook, Audrah,' zei hij zachtjes.

23

De vorige avond had Claudia Marion naar een kamer gebracht naast die waar Nicholas normaal gesproken sliep. Het was er koud en er stond nauwelijks meubilair. Maar er was een bed en Marion, die desnoods in de schuur had willen slapen, was er dankbaar voor. Alvorens naar bed te gaan verzamelde ze de krantenknipsels uit de studeerkamer en spreidde ze uit in haar slaapkamer. Ze wilde die graag als laatste zien voor het slapen gaan en als eerste bij het opstaan.

Gewoonlijk opende ze haar ogen met het zicht op Michael Reeve die zijn gezicht voor de camera afschermde, maar deze ochtend zag ze bij het wakker worden een konvooi voertuigen dat over het gazon reed. Michael Reeve was onmiddellijk vergeten. Ze sprong uit bed en liep naar het raam om te kijken wat er aan de hand was.

Tate was teruggekeerd en dit keer had hij meer mannen meegenomen. Niet veel later klopte een van hen op haar deur en zei dat ze tot nader order op haar kamer moest blijven. Hij werd gevolgd door Claudia, die haar vertelde dat de politie ook Cranmer had meegenomen Hij was bereid haar later die ochtend op te zoeken.

Het feit dat de politie Cranmer geloofwaardig achtte, vergrootte haar eigen vertrouwen in hem. Het kon haar niet schelen hoe lang ze moest wachten voordat hij bij haar langskwam, áls hij maar langskwam. Ze bleef op haar kamer totdat Claudia kwam vertellen dat hij beneden op haar wachtte, waarna ze, ondanks het verbod van de politie, Claudia volgde naar de studeerkamer waar Cranmer met zijn rug naar de grote, vergulde spiegel stond.

Toen ze binnenkwam, draaide hij zich om. Hij leek nogal ontspannen, maar dit was natuurlijk allemaal niet nieuw voor hem, terwijl zij ineens een beetje bang werd voor wat haar mogelijk te wachten stond. Het idee om hierheen te gaan in de hoop iemand te ontmoeten die haar mogelijk in contact kon brengen met Kathryn was één ding; de realiteit, ontdekte ze, was weer heel iets anders.

De afgelopen dagen had ze te veel praktische problemen aan haar hoofd gehad om haar energie te verspillen aan de angst dat ze er misschien op het laatste moment toch vanaf zou zien. Nu het zover was, merkte ze dat ze begon na te denken over de mogelijke implicaties van een confrontatie met een reëel bestaand hiernamaals. Een bewijs ervoor zou haar nopen tot een herbezien van haar levenshouding en de manier waarop ze met mensen omging. Als dit nu eens niet de enige wereld bleek waarin gerechtigheid geschiedde? *Mij is de wrake, zei de Heer.* Wat als er van haar werd geëist dat ze Michael Reeve vergaf? Ze wilde hem niet vergeven; en ook wilde ze haar recht op wraak niet afstaan aan iemand die ze voorheen altijd als een mythe had beschouwd.

Toen hij haar in de deuropening zag aarzelen, noodde Cranmer haar binnen, en toen ze nog steeds aarzelde, zei hij: 'U hoeft nergens bang voor te zijn. Er gebeurt u niets wat u niet aankunt.'

Hij was aantrekkelijk en dat verbaasde haar – het was heel lang geleden dat ze een man aantrekkelijk had gevonden. Ze zou hebben gezegd dat Gordons gedrag ervoor had gezorgd dat mannen voor haar hadden afgedaan. Het besef dat dit niet waar bleek, overviel haar nogal. Hij pakte haar hand en vertelde haar wat hij van plan was – en de manier waarop hij dat deed, gaf haar het gevoel dat hij eigenlijk niets liever deed dan haar hand vasthouden.

'Is er iets in het bijzonder dat u zorgen baart?'

Ze vertelde hem dat ze had gehoord van mediums die in trance gingen, en van ectoplasma dat uit hun mond stroomde. Dat klonk haar niet bepaald aangenaam in de oren.

Cranmer antwoordde dat hij dat ook geen prettig idee vond. Hij verzekerde haar dat hij niet van plan was geestverschijningen op te roepen – dergelijke zaken kon je maar beter overlaten aan victoriaanse nep-paragnosten. Hij zou voornamelijk praten. Hoe leek haar dat?

'Ik voel me opgelucht,' zei Marion, en Cranmer glimlachte, om vervolgens te zwijgen.

Hij sloot zijn ogen en Marion verwachtte dat hij direct zou beginnen te praten. Maar Cranmer bleef zwijgen gedurende wat wel een eeuwigheid leek en ze begon zenuwachtig te worden. Plotseling leek de kamer heel klein, terwijl toch de deuren onbereikbaar ver weg leken. Als ze op zou staan, als ze ernaartoe zou rennen, zouden ze terugwijken; ze kon de rest van haar leven blijven rennen en ze toch nooit bereiken.

Ze had al sinds de moord op Kathryn last van paniekaanvallen. Het overkwam haar meestal als ze rustig thuis was, maar soms gebeurde het ook in het openbaar. De worsteling om toch normaal over te komen terwijl de muren om haar heen afbrokkelden was immens, evenals de drang om zich op het trottoir tot een bal op te rollen en zich voor haar omgeving af te sluiten; en als mensen dan iets zeiden, zoals Cranmer nu, leken hun woorden uit een andere wereld te komen, eentje die ze niet langer aankon, die haar niets meer zei.

'Marion, ga zitten – ik moet je iets vertellen.'

Ze zat al. Wat bedoelde hij? Toen herinnerde ze zich dat dit was wat Gordon had gezegd op de dag dat hij haar verliet.

Ze had geweten dat dat moment zou komen. Ze had het al

maanden geweten. En toen Tessa haar had gevraagd hoe het had gevoeld, had ze gezegd dat het was alsof je tegen het verkeer in op een snelweg reed. Ze had niet geweten of ze moest stoppen of verder moest rijden in de hoop dat ze de tegenliggers op de een of andere manier kon ontwijken. Ze koos voor het ontwijken, maar voor de uitkomst had het geen verschil gemaakt. Uiteindelijk was onvermijdelijk de botsing gekomen die altijd komt als iemand waarvan je houdt je meedeelt dat hij je niet langer wil.

Voor Marion was het meer een implosie dan een frontale botsing. Maar nadat hij het haar verteld had, hij 'het haar naar eer en geweten had duidelijk gemaakt', zoals hij het noemde, had Gordon zich gedragen alsof hij zojuist notulen van een vorige bijeenkomst had voorgelezen. Nu de kwestie van zijn verlangen om met een andere vrouw verder te leven was afgehandeld, ging hij over tot de vraag hoe het nieuws volgens hem aan Kathryn moest worden meegedeeld.

Cranmer voegde er, in de precieze bewoordingen die Gordon ervoor had gebruikt, aan toe: 'Ze moet weten dat ze mij hierdoor niet kwijtraakt.'

Opnieuw verbaasde het haar dat Gordon niet had begrepen dat wat hij ook zei, Kathryn altijd het gevoel zou houden dat hij haar in de steek liet. 'Zeg het tegen hem,' zei Kathryn. 'Zeg dat hij niet zomaar kan vertrekken!'

'Ze komt er wel overheen,' zei Gordon. 'Er zijn hordes kinderen die zich in een vergelijkbare situatie bevinden. Als ze maar weet dat wij van haar houden, dan zal het allemaal wel goed komen.'

Cranmer zei: 'Ik zie een huis. Geen tuin. Alleen een patio, en op de achtergrond geluid van druk verkeer.'

Thuis. Dat kleurloze huisje in een van de minder aantrekkelijke wijken van Bristol – het huisje dat was gekocht van het geld dat ze aan de scheiding had overgehouden. De eerste keer dat ze het zag, had Kathryn gehuild. Ze weigerde te geloven dat dit was waar ze van nu af aan moest leven.

Cranmers beschrijving ervan was griezelig accuraat, tot aan de metalen kozijnen die de oude schuiframen hadden vervangen. Ze was van plan ze ooit nog eens te vervangen, als ze er het geld voor had. Ondertussen was er cellofaan op het glas geplakt – iemand had haar verteld dat dat als dubbele beglazing fungeerde.

Kathryn zei dat ze nog liever bevroor dan te wonen in een huis met cellofaan op de ramen, maar meer konden ze zich nu eenmaal niet veroorloven. Gordon had zijn aftocht zo goed gepland, en al zover van tevoren, dat zijn bedrijf bij zijn vertrek vrijwel failliet bleek, en op de echtelijke woning was zonder haar weten een extra hypotheek gevestigd. Nadat ze het verkocht hadden en de schulden hadden afbetaald waarvan ze niet eens wist dat ze die hadden, was er niets over. Maar toen de juridische schermutselingen voorbij waren en zij uiteindelijk genoegen had genomen met de fooi die haar was toegewezen, had Gordon wonder boven wonder een huis gekocht dat nauwelijks kleiner was dat hun voormalige woning.

Hoe komt het dat pappa een prachtig huis heeft en wij hierin moeten wonen?

Iemand moest daar de schuld van krijgen, en aangezien Kathryn haar vader aanbad, moest die iemand wel haar moeder zijn. Zo oneerlijk, maar sinds wanneer waren pubers eerlijk?

Het beeld van het huis was verdwenen en had plaatsgemaakt voor een heel ander soort onroerend goed. Te horen naar Cranmers beschrijving kon het alleen maar Darracott Road zijn, waar het zo'n komen en gaan was van daklozen, verslaafden en langdurig werklozen, die zo weinig aandacht hadden voor hun omgeving, dat wat Tessa zo vaak 'het criminele deel van onze samenleving' noemde, er ongestoord kon verkeren.

Een van de huizen was een explosie van kleur, dekens voor de ramen in plaats van gordijnen, het etnische dessin van brede gouden banden afgewisseld door rood en oker.

Marion wist direct welk huis Cranmer beschreef. Twee jaar

geleden had de politie er een cordon omheen gelegd. Ze rende er op af. *Alsjeblieft, God, laat het niet waar zijn–*

'En nu zie ik jou, Marion – ik zie je over straat rennen. Je komt bij het huis en een agent pakt je beet, voorkomt dat je naar binnen gaat. Je worstelt, en hij probeert je te kalmeren.'

Hoor eens, dame, ik zou daar niet naar binnen gaan – u kunt niets meer voor haar doen en ze zou niet willen dat u haar zich zo zou herinneren.

Ze was het huis niet binnen gegaan. Daar had Fripp wel voor gezorgd. En nu had ze er spijt van dat ze de kamer niet gezien had waarin Kathryn gestorven was, want bij gebrek aan feiten werd het aan haar verbeelding overgelaten, en aan de informatie die ze uit kranten en politieverklaringen had gehaald, om zich een beeld te vormen van die plek. Op de houten vloer lag een kleed, en daarop een matras, en op de matras, naakt, haar huid kersrood...

De geur van vuiligheid overheerste. Wie had dat geschreven? Een journalist van een van de boulevardbladen – iemand die de huiseigenaar had geïnterviewd en elk woord van de man had opgeblazen. Het was de eigenaar die als eerste achterdocht had gekregen, die op de deur gebonsd had. Hij had hem ingetrapt en vervolgens de politie gebeld. *Twee jonge meisjes – allebei dood.* Het was de politie die merkte dat een van de meisjes nog leefde en de huiseigenaar stond erbij toen het ambulancepersoneel al het mogelijke deed om het leven te redden van het meisje dat zich nog met één draadje aan het leven vastklampte.

Ze dacht plotseling aan Tessa en een kankerachtige wrok die haar vrijwel dagelijks dreigde te verteren, welde op in haar keel. Waarom ik? wilde ze schreeuwen. Waarom ik, en niet jij? Jij die al zoveel hebt, een man die van je houdt. Geld. Sociaal aanzien. Een carrière. En het belangrijkste van alles, *nog een kind.*

Cranmers houding veranderde nu. 'Mammie,' zei hij. 'Zeg dat ze zich vergisten.'

Marion boog voorover. 'Vergisten?' zei ze. 'Waar vergisten ze zich in?'

‘Ik heb geprobeerd het ze te vertellen. Maar niemand wilde naar me luisteren.’

‘Wat wilde je vertellen?’ vroeg Marion.

Cranmer klonk nu angstig. ‘Ze hebben haar weer aan het ademen gekregen, maar niemand bekommerde zich om mij. Ik stond daar en ik keek ernaar en ze letten gewoon niet op mij. Hoe konden ze zoiets doen, mammie? Hoe konden ze me zo aan mijn lot overlaten?’

‘Kathryn, liefje – wat bedoel je?’

‘Ze hebben me aan mijn lot overgelaten. Ze dachten dat ik dood was. Maar dat was ik niet, mammie. Dat was ik niet.’

Audrah zag Marion het huis uit komen. Op de binnenplaats bleef ze staan, met haar rug naar de schuur. Even later zonk ze op haar knieën, haar hoofd in haar handen, en Tate rende op haar af. Hij was er enkele ogenblikken voordat Audrah bij haar was.

Toen hij tegen haar sprak en geen antwoord kreeg, wendde hij zich tot Audrah. ‘Kent u haar?’

‘Ze is gisteren hier op komen dagen. Ze hoopte Cranmer te spreken te krijgen.’

‘Enig idee wat haar mankeert?’

‘Ik vermoed dat ze heeft gekregen waar ze voor kwam.’

Tate begreep niet wat ze daarmee bedoelde. ‘Laten we haar weer naar binnen brengen.’

24

Hun reactie op de krantenknipsels was een interessant staaltje van menselijk gedrag. De psychologe gedroeg zich alsof het de normaalste zaak van de wereld was dat je de muren van een kamer overdekte met datgene wat jouw eigen vermogen om normaal te functioneren overdekte, terwijl Tate de knipsels openlijk bestudeerde.

'Ik was me er niet van bewust dat u een dochter hebt verloren – het spijt me.'

Dat was wat mensen altijd zeiden, maar medeleven loste niets op. Niet meer. Wat er wel toe deed, was dat Reeve ermee weggekomen was. Kathryn was dood, maar Reeve was nog steeds op vrije voeten. Niet dat ze zou toestaan dat hij ooit nog van het leven zou genieten. Hij was onlangs, net als Gordon, zo ver mogelijk bij haar vandaan verhuisd, hoewel hij dat in tegenstelling tot Gordon had gedaan omdat ze erachter was gekomen waar hij woonde, benzine door zijn brievenbus had gegoten, een lucifer had aangestoken, die erachteraan had gegooid en was blijven wachten tot hij het huis uit kwam rennen. *De dood van uw dochter heeft u duidelijk erg aangegrepen, mevrouw Thomas. Daarom zullen we het in dit geval...*

Tate bekeek de foto van Kathryn, degene die Gordon twee jaar geleden had gemaakt. De schaamteloosheid straalde er vanaf, net als de kwetsbaarheid. Ze voerde een act op voor haar vader, terwijl ze eigenlijk het liefste de klok had teruggedraaid, met uitgestrekte armen op hem af was komen rennen om op zijn schouder uit te huilen.

Kathryn had het een mooie foto gevonden, want voor één keer had zij in het middelpunt van de belangstelling gestaan. Dat gebeurde niet zo vaak. Ze leek volkomen onopgemerkt door het leven te gaan. Sommige kinderen hadden dat nu eenmaal. Ze hadden net de boot gemist; ze waren niet echt lelijk of dom, maar gewoon onopvallend. Misschien dat ze daarom zo onuitstaanbaar werd tijdens haar pubertijd. 'Je bent ook zo hopeloos. Moet je jou nu zien! Geen wonder dat pap bij je weg is gegaan.'

Tessa kon niet geloven dat ze dergelijk gedrag tolereerde en ze probeerde het goed te praten. 'Ze heeft het heel moeilijk sinds Gordon weg is.'

'Dat is geen excuus,' zei Tessa. 'Sasha zou het niet in haar hoofd halen om zo tegen mij te praten!'

Misschien niet. Sasha was een muis. Om preciezer te zijn, Sasha had nog steeds een duidelijk aanwezige vader, terwijl Kathryns vader nu aan de andere kant van het land woonde, samen met de dertigjarige redactrice van het soort vrouwenbladen dat Marion nooit las. Het was allemaal een schreeuw om aandacht, meer niet – een soort verklaring. *Wanneer ziet nu eindelijk eens iemand dat ik besta?*

Ze stelde zich voor wat het ambulancepersoneel zag toen ze het vertrek binnenkwamen: Kathryn was naakt, maar Sasha droeg een pyjama. Ze was van huis weggelopen om haar beste vriendin gezelschap te houden, maar niet zonder een schone pyama, een tandenborstel en haar huiswerk geschiedenis, waarvan ze later zei dat ze dat per post had willen opsturen. Zo'n braaf meisje – maar wat belangrijker was, dacht Marion, een *leuk* braaf meisje, en de verplegers, die voor een keus stonden, kozen voor de zwaan en niet voor het lelijke eendje.

Dat was niet helemaal eerlijk, en dat wist ze. Deze mensen

waren beroeps. Ze zouden haar dochter al net zomin aan haar lot overlaten als een in zijn urine gedrenkte, in zijn kots liggende dronkelap.

Een vergissing dus, dacht Marion. Ze dachten dat ze dood was en hadden verder geen aandacht aan haar besteed.

Maar dat deed niets af aan het feit dat ze niet had hoeven sterven. Ze wist niet hoe ze dat nieuws ooit aan Gordon moest overbrengen.

Op de dag van Kathryns begrafenis had hij naast het graf gestaan, zijn hoofd schuddend als een hond die het water van zich afschudt. 'Vorige week op dit tijdstip zaten we nog in de bioscoop. En nu begraven we haar. Laat iemand me zeggen dat het verdomme niet waar is!'

Nou, het was verdomme wel waar en ze wilde hem zien huilen – iets wat hij in al die jaren nog nooit in haar bijzijn had gedaan. Waarom eigenlijk niet? Waarom stond hij daar te vechten tegen zijn tranen? Het was zijn trots, verdomme, dat was het. Hij was te trots om te huilen om zijn dochter; maar hij was niet te trots om van haar te stelen – hij had haar huis gestolen, haar geborgenheid, haar vertrouwen. Hij had vooral zichzelf gestolen. Hij had zichzelf uit haar leven verwijderd. Hij had zichzelf verwijderd zonder toestemming van zijn dochter. Bestond daar geen wet tegen? Hoe noemden ze dat ook alweer?

Eenzijdig nemen.

De mensen lieten hen bij het graf achter. Ze verwijderden zich beleefd, alsof ze verwachtten dat zij en Gordon op een moment als dit samen wilden zijn.

De waarheid was dat ze niet wisten hoe ze elkaar moesten troosten. Je zou denken dat als twee mensen samen een kind hadden opgevoed, haar hadden verloren, dat ze dan in staat zouden zijn om iets belangrijkers te zeggen dan *Gaat het een beetje?*

Wat een domme opmerking. Natuurlijk ging het niet, en dat gold ook voor Gordon. Hij zag eruit als een paard dat niemand durfde doodschieten, als iets dat ondraaglijk pijn leed. *Alsjeblieft – dood me.*

Toen kwam Tessa aanlopen om te zeggen dat de auto op hen wachtte. Goeie, ouwe Tessa. Wat een vriendin. *Laat het allemaal maar aan mij over.* Dus gingen de mensen na de begrafenis naar Tessa's huis. Vrienden van Kathryn, in gezelschap van hun ouders. Vroegere buren. Vage kennissen. Maar geen Sasha. Te ziek. Te breekbaar. Te veel getraumatiseerd om hierbij te zijn.

Ze wilde ontsnappen aan de sympathie en het medelijden, dus sloop ze de trap op naar de badkamer met zijn ijskleurige wanden. En ze stal de zeep in het papier met zijn patroon van wilgenblaadjes. Ze bleef er zó lang dat Alex op de deur begon te bonzen. Toen ze niet reageerde, zette hij zijn schouder ertegen, in de verwachting daarbinnen God mocht weten wat aan te treffen, om haar uiteindelijk bij het raam te zien staan, uitkijkend op de brug en zich afvragend wanneer ze op een fatsoenlijke manier kon vertrekken.

'Ik geef je wel een lift,' zei Gordon, wiens vaardigheid in het verdoezelen van kapitaal ervoor had gezorgd dat ze geen geld had voor een auto, en ze accepteerde het onverschillig. Er was een tijd geweest dat het bij Gordon in een auto stappen onoverkomelijk voor haar was. Te pijnlijk. Te zeer een herinnering aan gelukkiger tijden. Vakanties. Opvoeringen op school. Tochtjes naar Londen om dat heerlijke toneelstuk van Stoppard te zien. Dat was niet langer het geval. Integendeel, vanaf het moment dat Kathryn was vermoord, deed het verlies van Gordon er niet meer toe. Het verlies van haar dochter wierp een heel nieuw licht op wat wel belangrijk was en wat niet.

Ze kon zich nauwelijks voorstellen dat het mislukken van haar huwelijk haar zozeer in beslag had genomen. Drie lange jaren had ze het tot in den treuren geanalyseerd in een poging erachter te komen wanneer Gordon nu precies had besloten dat het huwelijk wat hem betrof voorbij was. Kathryns dood veegde dat allemaal weg; maakte het totaal onbelangrijk. Gordon hield niet meer van haar. Nou en? Hij had haar ingeruild voor een ander. Nou en? Wat deed dat er in vredesnaam toe, vergeleken met dat veel grotere, veel ingrijpender verlies?

Het was de eerste keer dat Gordon het huis van binnen zag en ze wilde hem per se rondleiden. *Dit zijn de ramen waarvoor Kathryn zich tegenover haar vrienden schaamde, en dit is de keuken waarvan ze hoopte dat ze hem nooit zouden zien.*

Zijn reactie kwam erop neer dat haar armoede niet zijn probleem was, een echo van Kathryns mening dat het allemaal haar schuld was geweest dat ze in deze ellende terecht waren gekomen. Ze had hem Kathryns kamer laten zien en dat dreigde even zijn vastberadenheid te doorbreken om in haar bijzijn niet te huilen. Hij probeerde weg te lopen, maar ze deed de deur dicht en sloot hem net zo effectief in als ze later anderen insloot om hen te dwingen haar aan te horen. Er was iets wat ze hem wilde vertellen – iets waarvan ze vond dat hij het moest weten: Kathryn haatte dit huis. Ze was bang in deze wijk. Sommige vrienden hadden haar na de verhuizing laten vallen. Het was niet zozeer snobisme als wel het feit dat je hier bijna geen openbaar vervoer had, en ze waren te jong voor een auto. Ook speelde de kwestie van veiligheid. 'Waarom kon je ons niet genoeg nalaten om een fatsoenlijk leven te kunnen leiden?'

Ze verwachtte dat hij zou aanvoeren dat het zijn zaak was, dat hij die had opgebouwd terwijl zij verkoos een hongerloontje te verdienen met werk dat hij afdeed als 'eerzaam', maar het enige dat hij zei, was: 'Mensen scheiden nu eenmaal, Marion. Ze houden niet meer van elkaar. Ze trekken verder. Het spijt me dat er niet meer geld voorhanden was.'

'Je hebt ons bestolen,' zei Marion. 'Kathryn adoreerde je, maar uiteindelijk besefte zij ook dat je gewoon een dief was. En jij bent net zo schuldig aan haar dood als Reeve.'

Dat ging Gordon te ver. Zijn woorden sloegen in als een explosie. 'En waar was jij verdomme toen ze iemand nodig had om mee te praten?'

'Ik was hier, in dit huis – waar was jij verdomme!'

Hij was op het randje van een instorting en kreeg er geen woord meer uit.

'Ze had het gevoel dat ze zich tot niemand kon wenden. Tot wie moest ze zich wenden, Gordon? Jij had ons in de steek gelaten, en ze gaf mij daarvan de schuld. Ze had alle vertrouwen in ons verloren.'

Tate wendde zich van de foto af. 'Is er iemand – een vriend – die u hier zou kunnen komen ophalen?'

'Ik kan zelf wel rijden.'

'Ik heb toch liever dat u dat niet doet,' zei Tate. 'Niet op dit moment.'

'Ik kan niemand bedenken,' zei ze, en dat was waar. Ze had haar vrienden van zich vervreemd. En daar kon ze alleen zichzelf maar de schuld van geven.

'Er moet toch *iemand* zijn,' zei Tate, maar de enige persoon die ze kon bedenken, was waarschijnlijk ook de laatste persoon op aarde die haar zou willen helpen. Ze kon tegelijkertijd niemand anders verzinnen die ze liever in verlegenheid zou brengen.

'Misschien dat u zou kunnen proberen om Sasha Barclay aan de telefoon te krijgen.'

Sasha zou geschokt zijn. Geen enkele kans dat ze zou komen. Maar als iemand als Tate contact met haar zocht, zou het misschien tot haar doordringen dat geen enkele beperkende maatregel haar de vrijheid zou geven om een normaal leven te leiden.

In gedachte hoorde ze weer Tessa's stem, zo duidelijk alsof ze hier in de kamer stond. 'Waarom achtervolg je haar, Marion? Waarom laat je haar niet met rust?'

'Hoe kan ik dat nu, als ik weet dat ze iets voor me achterhoudt?'

'Wat brengt jou in vredesnaam op het idee dat zij iets achterhoudt?'

Marion kon daar niets anders op antwoorden dan zeggen dat als je iemand al vanaf haar geboorte kende, je wist wanneer zo iemand loog. En als ze iets achterhielden – mijn God, dan merkte je dat ook direct.

'Sasha,' zei ze opnieuw. 'Ik zal u het nummer geven.'

Tessa Barclay stond doodstil. Bleef doodstil. Voor haar begon een wit geschilderde trapleuning aan zijn sierlijke bocht omlaag naar een hal die nog onlangs in een interieurtijdschrift had gestaan. In het bijgaande artikel werd beschreven hoe Tessa 'die werkelijk beeldige kleine vaas' voor de hal had gevonden. Hij stond op het tafeltje waar Sasha nu naar staarde, het tafeltje waarop ook als een klein kunstwerk de telefoon troonde.

Tessa hoorde hem overgaan en ving het gesprek op tussen haar dochter en iemand van wie al snel duidelijk werd dat Sasha hem of haar niet kende. En toen Sasha de hoorn weer op de haak legde, riep Tessa: 'Wie was dat, liefje?'

Sasha gaf zo zachtjes antwoord dat het aan de akoestiek van de hal lag dat de woorden haar moeder bovenaan de trap bereikten. 'Een of andere meneer Tate – inspecteur-rechercheur Tate.'

De toon van Tessa's stem veranderde onmiddellijk. Ze klonk bezorgd en kwam nu de trap af rennen. 'De politie?'

'Ik zou geen andere beroepsgroep weten die inspecteur-rechercheurs kent.'

'Waar belde hij vandaan?'

'Uit Northumbria.'

'Waar vandaan?'

'Daar heb je toch weleens van gehoord, mam – het ligt op de grens van Engeland en Schotland. Zo lang ben je nu ook weer niet van school.'

'Liefje – waarom praat je zo tegen mij? Je klinkt als–'

'Als Kathryn?' zei Sasha, en plotseling wist Tessa waarom die persoon – die Tate – gebeld had.

'Het heeft met Marion te maken, hè? Sasha, zeg eens. Het ging over haar, of niet?'

Sasha liep de hal uit naar de kamer met dat onbetaalbare uitzicht op de Avon. Tessa liep achter haar aan. 'Wat is er aan de hand?' vroeg ze.

Sasha antwoordde: 'Hij vroeg of ik haar wilde komen ophalen.'

'Wie moet je ophalen?'

'Marion,' zei Sasha.

'Marion!'

'O, in 's hemelsnaam,' zei Sasha. 'Hou nou eens op met dat gegil, mam.'

'Waar moet je haar ophalen?'

'Van Lyndle Hall,' zei Sasha. 'Ik heb je toch verteld dat ze daarheen ging om die paragnost te ontmoeten.'

'Ik neem aan dat je hem hebt verteld dat dat onmogelijk is?'

'Ze is ziek,' zei Sasha, kalm. 'Wat had ik anders kunnen doen?'

'Maar je kunt toch niet–'

'Ik heb geen keus.' Tranen welden op. 'Ik kom nooit meer van haar af, mam.'

Tessa pakte haar bij haar schouders, alsof ze haar door elkaar wilde schudden. 'Ze manipuleert je, schat – dat is precies wat ze wil.'

'Tate zei dat ze niemand anders kon bedenken.'

'Ik ben niet van plan dit op zijn beloop te laten,' zei Tessa. Ze liet Sasha los, beende de hal in en pakte de telefoon.

'Mam, niet doen,' zei Sasha, en iets in haar stem maakte dat Tessa aarzelde. Sasha zei: 'Ik ga erheen...'

Tessa, voor het moment sprakeloos, vond eindelijk haar stem terug. 'Waarom zou je dat in 's hemelsnaam doen?'

'Het moet gewoon. Als ik het niet doe, kom ik nooit meer van haar los.'

'Het dwangbevel...'

'Dat zal niet eeuwig gelden. Het houdt haar zelfs nu al niet tegen! En ik wil niet de rest van mijn leven bang hoeven zijn dat ik haar stem hoor als ik de telefoon opneem, of dat ze er in slaagt me te laten ontslaan, of dat ze over mijn schouder kijkt in de supermarkt, in een kledingzaak, of zelfs in een restaurant. Mam – ik kan er niet meer tegen. En trouwens–'

Tessa stond daar maar, haar hand op de telefoon, haar gezicht vertrokken van woede.

'Ik ben het haar verschuldigd.'

'Je bent haar niets verschuldigd.' Het kwam er sissend uit.

'Jawel,' zei Sasha. 'Dat ben ik wel.'

Er school iets onvermurwbaars in die laatste opmerking en Tessa reageerde erop door te zeggen: 'Als ik je niet kan overhalen om niet te gaan, dan ga ik met je mee.'

'Dat heb ik liever niet.'

'Je hebt geen keus,' zei Tessa. Ze draaide 1471 en nadat ze het nummer had gekregen waar Tate vandaan had gebeld, toetste ze 3 in. De telefoon ging twee keer over. Tate nam op. En Tessa zei: 'Rechercheur Tate? Mooi. Ik ben Tessa Barclay, de moeder van de persoon met wie u zojuist gesproken hebt. Nee... er is geen probleem... mijn dochter en ik komen haar ophalen. Maar voordat we daar arriveren, lijkt het me goed dat u een paar dingen weet.'

25

Tate liep de keuken in, waar Claudia een handvol spinazie in een pan met roereieren gooide. De blaadjes krompen terwijl hij meedeelde dat de gracht een negatief resultaat had opgeleverd.

Een negatief resultaat, dacht Claudia. Wat een vreemde woordkeus. Waar kwam dat vandaan, hoe was het binnengesijpeld in het eigentijdse dialect van een man die was geboren en getogen in een voorstad van Newcastle, want daar kwam hij vandaan; geen twijfel mogelijk.

Ze schoof de eieren op een bord, uit een pan zo groot en zwaar dat ze beide handen nodig had om hem op te tillen. Het schopte haar pogingen in de war om het netjes te doen, een poging die helemaal op niets uitliep toen Fletcher vanaf de binnenplaats de keuken binnen struinde. 'Heeft u even?'

Tate volgde hem naar buiten en Claudia liep met hen mee. Nicholas stond op de binnenplaats. Hij was omringd door politie. Audrah stond naast hem, alsof ze hem tegen de anderen wilde beschermen. Tussen de bomen verdween een taxi.

'Vertel me niet dat ze hem uit het ziekenhuis hebben ontslagen,' zei Tate.

'Dat hoeft ook helemaal niet,' zei Claudia. 'Hij is er vrijwillig heen gegaan. Hij heeft het recht om te vertrekken wanneer hij wil.'

Ze had kunnen weten dat dit zou gebeuren. Als de kalmerende middelen eenmaal waren uitgewerkt, deed Nicholas vervolgens vaak net alsof hij ze nog innam, of hij weigerde ze gewoon te slikken. Hij haatte Broughton. *Op een dag, moeder, boren ze een gat in mijn schedel en zuigen me leeg.* En misschien was dat ook wel zo. Goldman had vaak genoeg gezegd dat er ooit een tijd was geweest dat er een lobotomie op Nicholas zou worden uitgevoerd. Tegenwoordig gebeurde dat met behulp van chemicaliën. Het constante gedrup van de chemische tap die onvermijdelijk zowel de lever als de hersens weg zou vreten.

'Weet Goldman dat je hier bent?'

'Hij heeft geprobeerd je te bellen.'

Natuurlijk. De telefoons werkten niet meer. Nicholas had ze allemaal van de muren gerukt. *Ze praten tegen me, moeder. Ze zeggen dingen die ik nooit heb willen weten.*

Tate sprak even met Fletcher. 'Bel Goldman maar even op.'

'Ik ga niet terug,' zei Nicholas.

Claudia kwam ertussen. 'Waar is Cranmer?'

Audrah antwoordde: 'Wat wilt u van Cranmer?'

'Ik wil weten waar we mee te maken hebben. Ik wil weten wat mijn zoon kwelt.'

'Dat lijkt me niet zo'n goed idee.'

'Maar mij wel,' zei Claudia. Ze wendde zich tot Audrah. 'Goldman kan hem niet helpen. U kunt hem niet helpen. Misschien dat Cranmer dat wel kan.'

Het licht dat door het erkervenster viel, vormde een melkachtig ovaal op de stenen en Cranmer stond erin alsof hij in de spotlights stond.

Audrah was naar hem op zoek gegaan in de hoop hem ervan te overtuigen dat hij Nicholas met rust moest laten. Haar gezonde verstand zei haar dat ze haar tijd verdeed, maar ze moest het gewoon proberen.

'Realiseer je je wel wat voor ellende je teweeg kunt brengen door iemand als Nicholas te laten geloven dat hij is bezeten door een kwade geest?'

Cranmer antwoordde: 'Besef je wel wat voor schade je kunt aanrichten door iemand als Nicholas te laten geloven dat een handvol medicijnen en een therapie hem kunnen helpen? De medicijnen van Goldman hebben in ieder geval weinig succes gehad – dat zegt toch wel iets?'

Audrah antwoordde: 'Dat zegt me dat hij nog niet het juiste middel gevonden heeft.'

'Trouwens,' zei Cranmer, 'Tate wil graag dat ik het doe. Hij hoopt dat het ertoe leidt dat Nicholas bekent dat hij Ginny heeft vermoord.'

Dit leidde tot niets. Ze draaide zich om en wilde weglopen. Cranmer hield haar tegen door eraan toe te voegen: 'Ik ben eigenlijk wel blij dat je mij hebt opgezocht.' Hij glimlachte. 'Ik heb een boodschap voor je, Audrah.' Ze kende dat toontje zo goed. 'Het heeft iets te maken met een walnotenbureau...'

Ze stond in de schaduw, dankbaar dat Cranmer haar niet kon zien, want ze was zich er maar al te goed van bewust dat haar gezicht boekdelen sprak. Ze kon zich niet voorstellen hoe hij daarvan kon weten.

'Jij bezit een bureau van walnotenhout. Ontken het maar niet... ik weet dat het waar is...'

Stemmen dreven naar binnen toen de mannen buiten zich klaarmaakten om de holle weg op te gaan. Ze liepen nu over het land dat de gracht van de bomen scheidde. Het zou niet lang duren of de bomen hadden hen opgeslokt, en dan zou het weer doodstil zijn in de Hall.

'Wie heeft je dat verteld?'

'Eva's moeder.'

Cranmer kon daarmee alleen maar Lars' grootmoeder bedoelen, en die was al heel lang dood.

'Waarom ben je zo stil, Audrah?'

'Ik probeer te bedenken hoe je hier achter bent gekomen.'

'Ze vertelde me dat het een prachtig gebaar zou zijn als jij dat bureau aan Eva zou geven – ten teken dat je vrede wilt, misschien?'

Als Audrah al behoefte had aan een prachtig gebaar, dan toch zeker niet jegens Eva. En wat dat vrede sluiten betreft, ze betwijfelde of een moeder die geloofde dat haar schoondochter haar zoon had vermoord ooit bereid zou zijn om in ruil voor een bureau de strijdbijl te begraven. Ze had er geen idee van hoe Cranmer erachter was gekomen wat er tussen haar en Eva speelde, maar het was wel duidelijk dat hij het wist en het was zijn vermogen om dergelijke informatie te vergaren dat hem zijn reputatie als paragnost had bezorgd. 'John,' zei ze, 'dat was echt briljant.'

'Audrah, zou je nu niet eens voor één keer–'

'Maar stel nu eens dat Lars nog leeft – hoewel we allemaal weten dat dat onmogelijk is – heeft zijn grootmoeder dan misschien ook verteld waar hij nu uithangt?'

Cranmer antwoordde: 'Er zijn redenen waarom die informatie niet kan worden onthuld.'

'Ja, die zijn er altijd,' zei Audrah. 'Vreemd toch hoe visioenen altijd op het cruciale moment vervagen. Mensen als jij kunnen *bijna* de naam van de straat lezen waar iemand woont, en je kunt *bijna* de eerste letter van de naam van een moordenaar zien, maar dan zijn jullie vervolgens altijd te uitgeput om nog langer in trance te blijven. Of het is te gevaarlijk, of jouw spirituele leidsmannen worden weggeroepen, of misschien zweven ze gewoon weg naar andere sferen.'

Het melkachtige ovaal van licht lag ongerept op de stenen. Cranmer werd niet langer in het licht gezet. Cranmer was niet langer daar. Ze voelde zijn adem in haar nek en zijn vingers die heel even haar borsten raakten.

En toen was hij verdwenen.

Haar mobiele telefoon lag op het bed. In een impuls pakte ze hem en toetste Wobers nummer.

'Ik kom terug.'

'Waarom die haast?'

Ze antwoordde dat Cranmer zichzelf had overtroffen. Het kostte hem normaal gesproken toch minstens een paar dagen om iedereen in zijn omgeving uit zijn hand te laten eten. Dit keer had het hem nog geen vierentwintig uur gekost. Het had geen zin om nog langer te blijven. Bovendien kon ze verder ook niets doen voor Nicholas Herrol. Claudia wilde met alle geweld dat Cranmer zou proberen contact te maken met wat zij dacht dat een kwade entiteit was, en Audrah had geen behoefte de uitslag daarvan af te wachten.

'Wat is er volgens jou dan mis met hem?' vroeg Wober.

Audrah antwoordde dat Nicholas alle symptomen van schizofrenie vertoonde. Helaas werd hij, zoals wel vaker gebeurde, behandeld door een psychiater die niet bereid was een diagnose te stellen. Dat betekende dat hij niet de juiste medicatie kreeg.

Toen hij hoorde dat nog niemand erachter was hoe die wonden ontstonden, zei Wober: 'Ik zou toch graag nog iets meer over deze zaak willen weten. Hoe zei je dat de naam van die psychiater was?'

' Goldman,' zei Audrah.

'Denk je dat hij met mij zal willen praten?'

Audrahs ervaring met Goldman was dat hij voor parapsychologen weinig tijd had, maar Wober stond algemeen bekend als een expert op het gebied van religieuze zieners. Hij was bovendien doctor in de medicijnen. 'Mogelijk wel, ja.'

'Dan bel ik hem,' zei Wober.

'Gesteld dat hij je wil ontvangen, wanneer ben je dan hier?'

'Op zijn vroegst morgen,' zei Wober. 'En ik ga waarschijnlijk rechtstreeks naar Broughton. Ondertussen zou ik graag zien dat jij op Lyndle Hall bleef.'

Audrah stond bij het raam en keek omlaag naar de gracht. De duikers waren vertrokken. Het water lag er rimpelloos bij. En op het oppervlak vormde zich alweer een dun laagje ijs.

Tate en zijn mannen verdwenen tussen de bomen. Het zou

haar niet verbazen als Cranmer weer het geluk zou hebben dat haar stoffelijke resten daar werden gevonden. Maar meer dan geluk was het niet. Giswerk gebaseerd op logisch denken.

26

Voor de eerste keer sinds hun vertrek uit Edinburgh begon Steven Harris te twijfelen of hij er wel goed aan deed met zijn vrouw naar de Furlough Mountains te gaan. Het hielp ook al niet dat, toen ze zich realiseerde waar ze heen gingen, Paula zei dat ze nu toch echt met haar bek vol tanden stond, een uitdrukking waar hij gruwelijk de pest aan had. 'Waar wil je heen?' zei ze. 'In dit jaargetijde?' En toen: 'Waarom wil je in vredesnaam daarheen?'

Hij stond op het punt om te zeggen dat de natuur daar fantastisch was. Dat was toch zeker al reden genoeg om erheen te willen? Maar uiteindelijk gaf hij toch toe dat hij de afgelopen jaren met de gedachte had gespeeld om alles te verkopen en naar Furlough te verhuizen. 'We zouden daar een heel ander leven kunnen hebben.'

'Wat is er verkeerd aan het leven dat we nu leiden?' zei ze. 'Ik stap in de auto en binnen twintig minuten zit ik in het centrum van Edinburgh. Waar zou jij dat voor willen opgeven?'

Hij keek inmiddels naar een landschap dat ouder was dan de Alpen. *Daar* wilde hij het voor opgeven.

'En Marc dan? Waar moet hij naar school?'

'Hij kan hier naar school,' antwoordde Harris. *En dan kan hij verder elke dag van zijn leven genieten van een omgeving die ik als kind maar eens in de paar jaar zag.* 'Ik denk dat het goed voor hem zal zijn.'

Ze leek niet erg overtuigd en hij voelde dat ze voor één keer had gewild dat ze kon zeggen dat het slecht voor haar carrière was. Maar aangezien ze geen carrière had, was dat geen excuus; maar dat zou ze nog wel vinden, daar was hij van overtuigd.

Ze staarde door de elektrisch bediende ramen van de Land Rover Discovery waarvan ze hem nooit had vergeven dat hij die gekocht had, en ze zei: 'Als ik had geweten dat dit jouw reden was om hierheen te gaan...'

Dan had je me tegengehouden, zoals je alles tegenhoudt wat ik wil.

De wrok lag als een steen op zijn maag. Dat kwam er ook nog bij. Als hij het niet een beetje onder controle hield, zou die wrok hem op een dag zover brengen dat hij alles waar hij voor had gewerkt achter zich liet. Dan moest ze verder maar zien wat ze deed. En waarom ook niet? Hij was tenslotte degene die zich uit de naad werkte, terwijl zij op haar bevallige kontje zat en klaagde dat ze in vergelijking met hun vrienden zo weinig hadden. Maar als hij vertrok, zou hij ook hierheen gaan en dan zou hij in een caravan gaan wonen, op een van die velden daar tussen de bosjes. Er waren op dit moment geen caravans, alleen maar de open plek waar de mensen 's zomers hun auto parkeerden.

'Ik wilde er gewoon een kijkje nemen, verder niet.'

'Nou, we hebben het gezien,' zei ze. 'Dus kunnen we nu wel weer naar huis.'

Een opmerking als deze was meestal voldoende om zijn woede in te slikken en haar omwille van de lieve vrede maar haar zin te geven. Maar ze waren hier nu en hij wilde toch op zijn minst nog even naar de cairn wandelen voor ze teruggingen. Hij had hem in geen jaren gezien. Al niet meer sinds zijn vader nog actief genoeg was geweest om er met hem heen te gaan. En sinds de dood van zijn vader had hij niet de fut gehad om in zijn eentje aan de wandeling te beginnen. Het werd tijd dat daar verandering in kwam. Het werd tijd om zijn oudeheer de eer te bewijzen die hem toekwam, op een plek die voor hen beiden heel veel had betekend.

'Waarom zijn we hier, pap?'

'Om te gaan wandelen,' zei Harris.

'Niemand zal je tegenhouden,' zei Paula. 'Maar wij blijven hier.' Ze draaide haar hoofd om naar de vijfjarige Marc op de achterbank te kijken. 'Vind je ook niet, Marc? Pappa kan best gaan wandelen – wij wachten wel in de auto.'

Harris antwoordde: 'Ik zou graag willen dat we met z'n allen gingen. Voor deze ene keer.' Hij smeekte nu bijna en hij haatte zichzelf. 'Het heeft toch geen zin om dat hele stuk te rijden en dan weer meteen terug te gaan? Alleen maar even naar de cairn. Dat is niet zo ver. *Alsjeblieft?*'

Even leek het of ze botweg zou weigeren de auto te verlaten. Hij zag het aan het plotselinge verkrampen van haar rug, de spanning in haar nek. En toen vertrokken haar lippen tot een kleine, triomfantelijke glimlach. Ze wees op de van een hielbandje voorziene schoenen die hij haar had afgeraden te dragen. 'Je verwacht toch niet dat ik hiermee door de sneeuw ga lopen!'

Een korte periode nadat ze elkaar hadden ontmoet, hadden ze veel samen gewandeld. Niet al te avontuurlijk, gewoon een paar kilometer door de velden. Hij had een paar wandelschoenen voor haar gekocht. Hij betwijfelde of ze die sinds hun trouwen meer dan een paar keer had aan gehad. 'Ik heb je wandelschoenen achterin gelegd,' zei hij. 'En ook een spijkerbroek.'

Ze gaf geen krimp. 'En Marc dan?'

'Die draag ik wel.'

Ze sprak als een buikspreker. Haar lippen bewogen nauwelijks, zo woedend was ze. 'Je hebt het kennelijk al helemaal uitgedacht.'

Hij had het inderdaad gepland, zoals ze ontdekte toen ze uitstapte om in de kofferruimte te kijken. Hij wees op een kartonnen doos en toen ze het deksel eraf haalde, zag ze jacks, sjaals, handschoenen, sokken en chocolade, allemaal zonder haar medeweten ingepakt. Hij had zelfs aan een kleine zaklantaarn gedacht, en aan de mobiele telefoon – allebei voorwerpen die hij verder alleen meenam op die lange, eenzame wandelingen die voor hem een soort ontsnapping waren.

Bij het zien van de telefoon kon ze een snerende opmerking niet voor zich houden: 'Jij zegt altijd dat je door die wandelingen even weg bent van alles – en wat is het eerste dat je meeneemt? Een mobieltje verdomme!'

Maar als je in je eentje door afgelegen gebieden dwaalt, kon een mobiele telefoon weleens van levensbelang zijn. Het kon bij een ongeluk het verschil maken tussen snelle hulp of misschien wel dagen moeten wachten tot ze je gevonden hadden.

'Hoever denk je ons met je mee te slepen?'

Hij wees naar de cairn. 'Tot daarboven. Niet ver.'

Ze keek naar de heuvel die achter de bosjes oprees. De cairn was een driehoek van rotsen die waren opgestapeld op de top. 'Dat is kilometers lopen.'

'Anderhalve kilometer heen. Anderhalve kilometer terug. Dat kun jij zelfs nog wel.'

Zijn onkarakteristieke koppigheid maakte haar duidelijk dat argumenteren nauwelijks zin had, maar de blik die ze hem schonk, maakte precies duidelijk wat er door haar hoofd ging: laat hem zijn wandeling maar hebben. Maar de komende dagen en weken zou ze hem terug laten betalen. Geen seks. Een gigantische telefoonrekening. Met haar creditcard gekochte kleren die ze niet meer kon terugbrengen omdat ze ze gedragen had.

Ze gingen op weg over een pad dat naar het bosje leidde. Hij had de auto ook op de open plek tussen de bomen kunnen zetten, maar dat wilde hij niet. Iets aan het uitzicht vanaf hier deed hem aan zijn vader denken. En dat was waarvoor hij in feite hierheen was gekomen.

Hij was hier voor het eerst geweest toen hij vijf was. Zijn vader had hem op zijn schouders gedragen, net zoals hij nu Marc droeg, en de spanning tussen hem en Paula herinnerde hem eraan dat zijn vader zijn moeder had gehaat, dat het samen met hem wandelen een vlucht was voor een vrouw die lui was, egoïstisch en chagrijnig.

Misschien zat er wel een bepaald patroon in dergelijke dingen. Misschien was het waar wat ze zeiden over mensen die met partners trouwden die op hun ouders leken. Als dat zo was, dan moest hij net als zijn vader een manier zien te vinden om het vol te houden tot Marc oud genoeg was om te kiezen bij wie hij wilde wonen. Hopelijk zou hij dezelfde keus maken als hij en zijn moeder laten vallen.

Marc zat op zijn schouders en de sneeuw droop van zijn schoenen op zijn jack. Paula sjokte achter hen aan en bleef herhaaldelijk staan, soms om haar veters opnieuw vast te maken.

Ze zaten te los.

Ze zaten te vast.

Ze dacht dat ze een steentje in haar sok had.

Geen steentje.

En toen begon de ellende met haar veters weer van voren af aan.

Hij en Marc liepen gestaag verder. Marc zong inmiddels een liedje dat hij op de kleuterschool had geleerd, en toen waren ze tussen de bosjes. Harris had het nog nooit zo gezien, zo totaal uitgestorven, maar hij was hier dan ook nog nooit in de winter geweest.

Er hadden hier onlangs mensen gelopen. De sneeuw was geplet op de route waarlangs het pad liep. Hij volgde het, met Paula zo'n twintig meter achter hen aan.

Op een gegeven moment hoorde hij haar roepen dat hij moest wachten en toen hij zich omdraaide, zat ze op een boomstam en schraapte met een tak de zool van haar schoen schoon. Hij wachtte even, maar toen het ernaar uitzag dat ze echt een probleem had, ging hij terug. 'Wat nu weer?'

'Er zit bevroren sneeuw onder mijn schoen. Ik glij steeds weg.'

Ze gedroeg zich als een klein kind.

Hij wachtte terwijl zij haar schoenen uittrok en ermee tegen de boom sloeg. De sneeuw schoot uit het profiel. Over enkele seconden zou het weer vol zitten. Niet dat het wat uitmaakte – de grond was helemaal niet moeilijk om over te lopen.

Paula trok haar schoenen weer aan, strikte de veters, maakte ze weer los, strikte ze weer en zei toen dat ze er genoeg van had. 'Ik zie je straks wel bij de auto.'

Het idee om haar naar de auto te laten terugkeren, zodat hij alleen met Marc verder kon, was heel verleidelijk, maar hij was vastbesloten haar tot aan de cairn te laten lopen. Het was een heel makkelijke wandeling. Als hij het met een kind op zijn schouders kon, moest zij het toch zeker ook kunnen. 'Laten we nu voor één keer eens iets samen doen,' zei hij, 'als een gezin.'

Ze sleepte zich weer voort over het pad en raakte bij elke stap verder achterop. En toen hij zich omdraaide om te kijken waar ze bleef, zag hij dat ze tussen de bomen naar hem stond te kijken.

Alles aan haar maakte overduidelijk dat ze tot hier zou gaan en niet verder. 'Kom op!' schreeuwde hij, maar ze bleef waar ze was. Onvermurwbaar.

Marc begon nu ook te roepen: 'Kom op, mammie – het is niet ver meer!'

Maar Paula Harris bleef staan, haar armen over elkaar, haar gewicht iets meer op het ene dan op het andere been.

Als ze zich bukt om weer aan die veters te frunniken, trek ik ze eruit en wurg haar ermee. 'Pau-la!' schreeuwde hij. 'Kom nou.'

Niets. Geen enkel teken dat ze zou inbinden.

Woedend keerde hij op zijn schreden terug. Marc greep hem zo stevig bij zijn haar dat hij bijna ineenkromp toen hij bij haar was. 'Wat nu weer.'

Ze knikte naar de cairn. 'Ik weiger dat ding te beklimmen.'

'Niemand vraagt je ook dat stomme ding te beklimmen – alleen maar de helling ernaartoe.'

'Pappa vloekt, pappa vloekt!' Marc, opgetogen, greep zijn haar nog steviger vast.

'Ik wacht hier wel,' zei ze. 'Ga jij maar naar boven. Ik blijf hier.'

'We gaan als gezin.'

Ze zwaaide met een vinger voor zijn ogen. 'Als jij zo nodig naar boven moet, dan ga je maar,' zei ze, en hij wist op dat moment dat hij haar alleen nog mee naar boven zou krijgen als hij haar er bij haar haren heen sleepte.

Hij wilde iets zeggen – wat dan ook – om te laten merken hoe hij van haar walgde, maar met Marc op zijn schouders beheerste hij zich. Hij slikte en haalde toen heel diep adem. Het kalmeerde hem, maar slechts een beetje. 'Hier,' zei hij, en hij gaf haar de autosleutels. 'Ga maar terug en wacht op ons. We blijven niet lang weg.'

Ze pakte de sleutels en beende terug over het pad. Hij keek haar na. En toen ze tussen de bomen verdween, ging hij verder.

Hoeveel stappen had hij gedaan toen hij het gesmoorde geluid hoorde? Tien? Misschien meer? Hij was maar net aan de klim begonnen toen hij het hoorde.

Negeren, zei hij tegen zichzelf, en hij probeerde zich voor te stellen wat hij zou aantreffen als hij terugging. Paula zou op de grond zitten en over een enkel wrijven die volgens haar verzwikt was. Hij zou haar naar de auto moeten brengen en dan kon hij wel vergeten om nog terug te gaan naar de cairn. En dat was natuurlijk precies wat ze wilde. De gil, het voorwenden van een verzwikte enkel die eenmaal terug in Edinburgh op miraculeuze wijze was genezen, het was allemaal bedoeld om hem ervan te weerhouden om te doen wat hij zo dolgraag wilde.

'Pappa,' zei Marc. 'Ik hoorde mammie roepen.'

'Met mammie is niets aan de hand,' zei Harris. 'Mammie speelt gewoon een spelletje.'

Hij liep verder.

'Maar als dat nu eens niet zo is?'

'Het is een spelletje.'

'Maar als mammie nu eens *gewond* is?'

Het had geen zin. Het had nooit zin. Ze zou altijd, *altijd* winnen. En als Marc nu eens gelijk had? Als er voor deze ene keer nu eens echt iets met zijn moeder gebeurd was? Dan zou Marc zich dat zijn hele leven blijven herinneren, en dan zou hij zich ook herinneren dat zijn vader niet terug was gegaan.

Hij wierp nog een laatste blik op de cairn, draaide zich toen om en volgde het pad terug.

Hij was nu tussen de bomen, maar zag geen enkel spoor van zijn vrouw. 'Pau-la !' riep hij.

En van ergens dichtbij hoorde hij opnieuw een gesmoorde kreet. Harris kon haar niet zien, maar hij hoorde haar wel. Hij speurde de bomen af en het pad dat ertussendoor liep, en iets ving zijn aandacht, iets vlak naast het pad, iets dat daar niet thuis leek te horen.

Hij liep erheen, ging op zijn hurken zitten en tilde Marc van zijn schouders. Toen zocht hij in zijn zak naar de zaklantaarn. Hij knipte hem aan en scheen in een gat dat lag verborgen onder rottende planken. Ze waren onder Paula's gewicht bezweken, en wat Harris zag, schokte hem ongelooflijk.

Hij deinsde achteruit, greep Marc beet en trok hem weg van het gat, zich ervan bewust dat zijn hersens op volle toeren draaiden. *Je kunt haar daar niet zomaar achterlaten – ze is de moeder van je kind.*

Het was het feit dat Marc haar hulpgeroep had gehoord, anders had hij zonder twijfel een spelletje verzonnen dat 'Zoeken naar mammie' heette. En tegen de tijd dat ze haar gevonden hadden, zou mammie allang dood zijn.

Mammie was momenteel nog springlevend. Ze jammerde nu om hulp en Harris pakte zijn mobiele telefoon en belde het alarmnummer. Hij was zich ervan bewust dat Marc huilde, was zich ervan bewust dat zijn instinct hem vertelde dat zijn moeder echt in de problemen zat. En toen realiseerde hij zich iets heel afschuwelijks, iets zo absoluut afgrijselijks, en prachtigs, en onvoorziens, en verlokkelijks, dat hij zijn kind beetpakte en door de bomen weg begon te rennen. 'Laat haar niet alleen, pappa – laat haar niet alleen –'

Marc was vijf jaar. Hoe kon hij begrijpen dat er geen keus was? Hij had Paula niet één, maar wel duizend keer verteld dat ze de mobiele telefoon weer moest opladen na haar urenlange gezwets met die leeghoofdige vriendinnen van haar.

Het enige dat hij nu nog kon doen, was zo snel mogelijk bij de auto zien te komen, naar het dichtstbijzijnde huis rijden en alarm slaan. Met een beetje geluk zouden ze nog net op tijd terug zijn om Paula te redden.

Hij bereikte de auto, het zweet stroomde langs zijn gezicht. Hij zette Marc neer en zocht naar zijn sleutels. Toen bleef hij staan – doodstil – terwijl hij zich herinnerde wanneer hij ze voor het laatst had gehad. *Hier zijn de sleutels*, had hij gezegd.

En hij had ze aan zijn vrouw gegeven.

27

Nicholas zat tegenover de spiegel. Hij zag er duidelijk de slotgracht in weerkaatst. Een van de duikers was verdronken. Zijn hoofd was van de romp geraakt. Het dobberde een eindje van het lichaam vandaan onder het ijs. De lippen bewogen. De woorden kon hij niet verstaan.

'Ik wil dat je me vertrouwt,' zei Cranmer. 'Kun je dat, Nicholas? Kun je me vertrouwen?'

De gracht lag bezaaid met het afval van eeuwen. Terwijl Cranmer sprak, richtte Nicholas zijn aandacht op voorwerpen die op de kant lagen. Een tafelpoot. Een kapotte lamp. Een stukje gematteerd glas afkomstig van een vaas.

'Ik zal je vertellen wat ik zie,' zei Cranmer. 'En jij gaat me vertellen waar dat mee te maken heeft.'

Je ademt me in flessen die je in een dichtgetimmerde kist opbergt, maar ik blijf vrij.

'Ik zie een meisje,' zei Cranmer. 'Ze rent door het bos. Ze lijkt bang.'

Dat kon alleen maar Sylvie zijn.

'Waar heb je haar ontmoet?'

'Op de universiteit.'

'Je hebt seks met haar.'

Hij vond het geen prettig idee dat Cranmer iets zo intiems kon zien.

'En je bloedt,' zei Cranmer.

Hij had nog nooit eerder een seksuele relatie gehad. Sylvie dacht dat hij daarom in het begin zo terughoudend was om haar zijn naaktheid te tonen.

Ze ging met haar vingertoppen over de littekens op zijn rug. 'Hoe heb je die gekregen?'

'Ik ben door een deur heen gevallen.'

'Hoe oud was je toen?'

'Vier.'

Ze kuste de littekens. 'Geen last meer?'

'Geen last meer.'

De grote fout was dat hij haar had meegenomen naar Lyndle. Maar als je van iemand hield, wilde je ook met die persoon pronken. Je wilde dat je ouders haar ontmoetten. Dus nam je haar mee naar huis. Hij had moeten voorzien dat als iets geen substantie had, geen fysieke mogelijkheid om zijn eigen lust te bevredigen, het jaloers zou worden. Waarom had hij zich niet gerealiseerd dat het wraak zou nemen?

Sylvies gezicht toen de wonden op zijn lichaam verschenen – hij zou dat moment nooit meer vergeten. Ze belde haar vader en smeekte hem haar op te komen halen. Toen rende ze het bos in en ze stond aan het begin van de oprijlaan te wachten tot hij verscheen.

Hij schreef haar en kreeg nooit antwoord, en toen ze weer college ging lopen, ontweek ze hem. Dat kon hij begrijpen. Ze was geschokt. Ze had tijd nodig. Maar de tijd verstreek. *Weken* gingen voorbij. En nog steeds wilde ze geen contact met hem.

Het ergste was dat ze hem in het begin probeerde te paaien. Ze zei dat ze het begreep. Het was alleen dat ze hem nu even niet kon ontmoeten. Ze moest een werkstuk maken. Ze ging op bezoek bij een vriendin. Ze werkte in het weekend. Ze was ziek. Ze had andere verplichtingen. En eindelijk, onvermijdelijk, zei ze dat ze het gevoel had dat ze even afstand moest nemen.

Hij wist direct wat er was gebeurd: iets had bezit van haar

genomen; iets wat als haar voelde, als haar rook, als haar neukte, maar wat er ook een intens genoegen in schepte om te zeggen dat het over was. Sylvie was weg en het ding dat haar lichaam bewoonde, neukte met mensen in ruil voor persoonlijke gunsten.

Zodra hij dat had ontdekt, begon hij overal op de universiteit briefjes op te hangen. Daarin beschreef hij wat ze deed – tot aan het meest intieme, seksuele detail. Als zij zo expliciet met haar lichaam kon zijn, kon hij dat met zijn pen. Ze prostitueerde zich nu bijna openlijk en had allerlei ziektes onder de leden. Hij schreef brieven aan mensen dat ze zich moesten laten controleren. En dat was het moment dat iedereen zich tegen hem begon te keren. Je bent een zieke schoft, Herrol. Ziek.

Mannen staken de gazons over, op weg naar het bos.

's Nachts komen de bomen tot leven en lopen over de woeste gronden.

Handen komen uit de grond en grijpen je bij je enkels.

Kinderen vallen door onzichtbare deuren in werelden vol angst en pijn.

Hij ging op zoek naar die deuren tot zijn vader hem ten slotte vertelde dat de bossen waren behekst door de geest van iemand die daar lang geleden gestorven was.

'Hoe lang geleden?'

'Lang genoeg.'

Cranmer bracht hem voorzichtig weer terug tot de werkelijkheid. 'We hadden het over Sylvie.'

'Sylvie is dood.'

Cranmer antwoordde dat Sylvie volgens Tate gewoon thuis bij haar moeder woonde, levend en wel. Dat was niet waar. De waarheid was dat het ding dat in haar lichaam huisde en dat met zijn vrienden en zijn leraren neukte, haar lijk thuis hield. Het was nooit teruggekeerd naar de universiteit. Het was te ziek om het te verbergen. Het bleef weg. En hij wist dit allemaal omdat het hem was verteld.

'Door wie?'
'U weet wel–'
Cranmer wilde de zin voor hem afmaken, maar Nicholas ging haastig verder. 'Benoem het niet. Noem zijn naam niet. Roep het niet. Breng het niet naderbij.'
'Is het hier?'
'Sst,' zei Nicholas, met een vinger tegen zijn lippen. Hij fluisterde nu. 'Laat niet merken dat je kijkt.'
'Waar is het?' vroeg Cranmer, voorzichtig.
Nicholas, het hoofd gebogen, wees naar een kleine onregelmatigheid in de verste hoek van de spiegel. 'Daar huist het. In de spiegel. Niet tegen Tate zeggen.'
'Dat zal ik niet doen,' zei Cranmer.
Na enkele ogenblikken voegde hij eraan toe: 'Heeft het daar altijd gezeten?'
'Altijd.'
'Zelfs al toen je nog een kind was?'
'Ja, ook toen al.'
'Wat wilde het van je?'
'Dingen.'
'Wat voor dingen?' vroeg Cranmer.
'Gewoon, dingen – dingen die ik begroef.'
'Offers,' zei Cranmer.
'Offers,' bevestigde hij.
'En nu je ouder bent, breng je nu nog steeds die offers?'
Nicholas gaf geen antwoord.
'Wat voor offers?' zei Cranmer.
'Soms masturbeer ik – en net op het moment dat ik dreig klaar te komen, houd ik op.'
'Waarom?'
'Omdat ik het beu ben.'
'Waarom ben je het dan beu?'
'Het vindt het verschrikkelijk als ik gelukkig ben.'
'Waarom denk je dat?'

'Omdat het me dan weer lastigvalt.'

'Waarom zou het je lastigvallen alleen omdat je gelukkig bent?'

'Het is jaloers.'

Cranmer reageerde daar niet op en Nicholas zei: 'Dat was mijn grote fout. Ik liet het zien dat ik seks met haar had. Het haatte mij daarom. Wat het verder ook kan, dát kan het niet – daarom wil het ook niet dat ik klaarkom.' Er waren momenten dat hij wanhopig werd van zijn eigen stommiteit. 'Mijn fout,' zei hij. 'Ik had het niet onder zijn neus moeten wrijven. Het was alsof ik zei: "Kijk eens wat ik heb – kijk eens wat ik kan." Je kunt het dat niet eens kwalijk nemen. Ik heb het zelf teweeggebracht.'

Er was iets in de manier waarop Cranmer naar hem keek – niet beschuldigend, maar triest, en bang, en die angst was er om hem. 'Nicholas,' zei Cranmer. 'Herinner je je nog dat ik je vroeg mij te vertrouwen?'

Luister niet naar hem, Nicholas. Ik ben je enige vriend.

'Waar is Ginny?'

Nicholas keek naar de onregelmatigheid in de spiegel. De fysieke manifestatie van zijn eigen ziekte vrat aan hem, verteerde hem stukje bij beetje. Andere mensen hadden substantie, hadden kleur, hadden diepte. Hij daarentegen was nauwelijks meer dan een paar lijntjes die met een zacht potlood op papier getrokken waren, zijn neus een schuine streep, zijn mond het wiskundige symbool voor een vergelijking.

Laat ze me niet uitwissen.

Laat ze me niet letter voor letter verwijderen.

Laat er een of ander watermerk zijn als bewijs voor mijn bestaan.

'Ik word uitgegomd,' zei hij. 'Het zal niet lang meer duren, of er staat geen lijntje meer van mij op papier.'

28

Tate voelde in zijn zak naar de stevige rubberbal. Hij kneep erin en herinnerde zich Audrahs waarschuwing.

Voel er even aan, elke keer dat u de neiging krijgt in Cranmers gaven te geloven. Zie het als een geheugensteuntje.

De waarheid was dat hij helemaal geen geheugensteuntje nodig had. Zoals Goldman al had gezegd, mocht Cranmer dan misschien schizofreen zijn, of paranormaal begaafd, of een oplichter, maar wat hij ook was, hij moest in de gaten gehouden worden en Tates reden om hem in de buurt te houden had meer daarmee te maken dan met zijn zogenaamde helderziendheid. Als hij hier was, op Lyndle, kon hij niet ergens anders met de pers staan praten. Hij kon zo makkelijker een oogje op hem houden. Het gaf hem bovendien de mogelijkheid hem te gebruiken om informatie los te krijgen uit Nicholas. De uitkomst daarvan mocht dan misschien voor de rechter geen stand houden, maar het zou hem in ieder geval enig inzicht verschaffen in wat er met Ginny gebeurd was. Daarna zou het voornamelijk een kwestie zijn van bewijzen zoeken. Ondertussen moest er een bosgebied doorzocht worden, en de holle weg was een voor de hand liggende plek om daarmee te beginnen.

Aan weerszijden van hem waren mannen bezig met lichtgewicht metalen stokken het gebladerte opzij te duwen. Af en toe hurkte er eentje neer om iets wat nauwgezetter te bekijken, om vervolgens weer overeind te komen en verder te lopen. Het viel niet mee om in dicht struikgewas te moeten zoeken, zeker niet als er ook nog sneeuw op de grond lag. De holle weg was gelukkig te vochtig om de sneeuw vast te houden. Het bemoeilijkte weliswaar het lopen, maar je zag ook beter wat zich onder je voeten bevond.

Fletcher kwam op hem af met de mededeling dat er op het talud van de holle weg iets was gevonden wat veel weg had van een bos bloemen. Het zag er nogal ongewoon uit en Tate volgde hem naar de plek waar ze het hadden gevonden. Er waren alleen nog maar stelen over en die vormden niet veel meer dan een massa vezels, bijeengehouden door een touwtje. Het was niet het soort bloemen dat in beboste gebieden groeide. Deze waren in een winkel gekocht. En de manier waarop ze lagen, wees er eerder op dat ze waren neergelegd dan neergegooid.

Toen hij overeind kwam, werd zijn aandacht getrokken door iets dat uit het talud stak. Hij schraapte de modder weg om te zien wat het was en realiseerde zich al snel dat het een stenen pijp was.

Bischel had geschreven dat overtollig water vroeger via een serie doorlaten van de gazons naar het bos werd gevoerd. Eind negentiende eeuw waren de doorlaten vervangen door pijpen die liepen onder wat later croquetvelden zouden worden. Ze mondden uit in één grote pijp die op de holle weg uitkwam.

In de tijd dat deze pijp was gelegd, was de holle weg een openbaar pad. De Herrols hadden er een veredelde greppel van gemaakt. Volgens Bischel had de plaatselijke bevolking wel geprotesteerd, maar dan alleen onder elkaar. Het dorp en alles behoorde aan de Herrols. De mensen keken wel uit om hun baantje, hun huis op het spel te zetten.

Hij stak zijn hand uit en ging met zijn vingers langs de rand. De pijp was bruin, geëmailleerd en gebarsten. Hij had ook een doorsnee van minstens vijfenzeventig centimeter. Cranmer had gezegd dat het lichaam was verborgen in of bij iets ronds.

En die bloemen... de manier waarop ze waren neergelegd... het deed hem denken aan de manier waarop mensen bloemen op een graf schikten.

De pijp was vrijwel dichtgeslibt. 'Help eens even,' zei hij.

Samen met Fletcher maakte hij de opening van de pijp tot een meter diep vrij, en dat was precies net zo ver als een mannenarm reikte. Ze zouden gereedschap nodig hebben om dieper te gaan, maar had dat wel zin? Dode lichamen vormden een dood gewicht. Ze waren ook geneigd hun eigen ding te doen. Ze voelden zich niet verplicht om mooi recht te blijven liggen, of mooi stijf. Een lichaam in een pijp duwen die maar net groot genoeg was om de schouders te omvatten, zou voor wie dan ook een hele klus zijn. Verder dan zij nu gekomen waren, zou je daarbij niet komen. Als Ginny's lichaam in die pijp was geschoven, zouden ze het nu hebben moeten zien. En niet alleen dat, de stank van rottend vlees zou hen onpasselijk gemaakt hebben. Het enige dat hij rook, waren modder en rottende bladeren. En trouwens...

Als mensen probeerden een lichaam onder modder te bedekken, zag dat er altijd wat kunstmatig uit. De troep die hij uit de pijp had gehaald, zag eruit alsof deze zich gedurende een langere periode had opgehoopt. Het was ingeklonken. Het was een hele klus geweest om het eruit te krijgen. En toch...

Hij riep een paar mannen die vlakbij het bos doorzochten. Ze kwamen naar hem toe. 'Ga terug naar de voertuigen en haal de volgende attributen voor me–'

Hoe dieper de weg het bos in voerde, hoe hoger het talud werd. Maar hier, zo dicht bij de gazons, lagen er maar enkele decimeters aarde tussen de hogere grond en de pijp. Als ze de pijp over een lengte van zo'n drie meter uit konden graven en hem dan openbraken, zou hij absolute zekerheid hebben.

Toen de mannen terugkeerden, pakte Tate een schop, deels omdat hij liever zelf groef dan te moeten toekijken hoe de anderen het deden, maar vooral omdat hij vermoedde dat hij hen aan een klus zette die waarschijnlijk zinloos zou blijken.

De lucht om hen heen was vochtig en bitterkoud, maar al gauw liep het zweet over zijn rug. De bovenlaag was bevroren. Het leek wel ijs waar hij de schop doorheen moest zien te krijgen. En het ergste was nog dat het allemaal zonde van de tijd was. Hij had voor zichzelf al uitgemaakt dat niemand een lijk in een pijp als deze kon krijgen, en al zeker geen drie meter diep. Hij deed daarom meer dan zijn deel van het werk, want als ze de pijp zouden openbreken en niets vonden, mochten de mannen niet het idee krijgen dat hij zich had gedrukt. Hij wilde dat ze het zweet op zijn voorhoofd zagen en dat ze zouden weten dat dit niet zomaar een gril was.

Tegen de tijd dat ze klaar waren met graven, had de daardoor ontstane greppel veel weg van een ondiep graf. Hij was bijna drie meter lang en zo'n vijftig centimeter diep en de pijp lag als een lange, bruine doodskist op de bodem. De klei waar hij van gemaakt was, was in de loop der jaren donkerder geworden. Er lag een zwartbruine glans overheen en het glazuur was nog steeds intact maar gebarsten, een testament van Victoriaans vakmanschap.

Er werd een slijptol gebruikt om de pijp open te maken en toen de bovenste helft er vanaf werd getild, verwachtte hij niet veel anders te zien dan daarstraks. Maar daar vergiste hij zich in. Hij besefte vrijwel direct dat niets hem kon hebben voorbereid op wat die pijp bevatte.

Hij was niet onbekend met wat er na de dood met een lichaam gebeurde. Er was nu eenmaal niets moois aan de dood. De dood liet monden wijdopen staan, zodat de inhoud van de longen rond de lippen schuimde en borrelde. De dood ledigde blaas en ingewanden en ontnam het lichaam alle waardigheid. De dood deed lijken rotten tot op het bot, soms zelfs buitengewoon snel, vooral wanneer de stoffelijke resten in een natte omgeving verkeerden, zoals hier.

Het was niet het feit dat ze al tot een massa botten was geworden dat hem de meeste afschuw inboezemde, maar meer de positie waarin ze lag, want het maakte iets duidelijk over de wijze waarop ze was doodgegaan, en die was nogal schokkend: ze lag op haar buik, met haar gezicht weg van de holle weg en haar armen voor zich uitgestrekt, alsof ze zo de golf modder en bladeren had willen tegenhouden. Niemand kon haar zo hebben neergelegd. Ze was naar binnen gekropen.

Iemand zei iets tegen hem. Fletcher. Tate keek op en zag dat twee van zijn mannen Claudia Herrol probeerden tegen te houden. Ze duwde hen opzij alsof het kinderen waren en staarde omlaag naar de pijp. Vijf, misschien tien seconden stond ze daar alleen maar. Toen hief ze haar gezicht op naar de hemel en viel op haar knieën.

Jochen had een boodschap achtergelaten op Audrahs mobiel. Inspecteur Stafford probeerde haar te bereiken om haar te laten weten dat er iemand vermist was geraakt in omstandigheden vergelijkbaar met die waarin Lars was verdwenen. 'Kun je me terugbellen?'

Audrah kreeg op haar kamer geen verbinding. Ze liep naar beneden, naar de binnenplaats en probeerde het daar nogmaals. Haar handen trilden toen ze het nummer intoetste.

'Ik denk dat het eindelijk zover is,' zei Jochen. 'Ik denk dat we er eindelijk achter zullen komen wat Lars is overkomen.'

'Wat gebeurt er nu verder?'

Jochen antwoordde dat het de politie enkele dagen zou kosten om de mannen en de uitrusting bij elkaar te krijgen die nodig waren om erachter te komen of Lars op dezelfde manier was gestorven als Paula Harris. 'Wil je erbij aanwezig zijn?'

Ze wist het niet.

'Neem er de tijd voor,' zei Jochen. 'Niemand verwacht dat je daar zomaar een beslissing over kunt nemen.'

Ze had niet geweten wat ze zou voelen als dit moment ooit zou komen. Ze nam aan dat het nogal dom was om te hopen dat ze zich opgelucht zou voelen. Ze had alleen niet verwacht dat ze bang zou zijn.

Ze beëindigde het gesprek toen Tate de binnenplaats op kwam lopen. Hij vertelde haar dat ze de stoffelijke resten van Ginny hadden gevonden, maar het geluid van brekend glas deed hen beiden naar de studeerkamer rennen.

Wat ze daar bij binnenkomst zagen, was een totale chaos. Nicholas zat slap als een ledenpop aan de voet van de enorme vergulde spiegel. Overal lagen glasscherven en hij keek naar zijn handen, alsof hij zich afvroeg waar al dat bloed vandaan kwam.

Cranmer zag lijkbleek.

'Wat is er gebeurd?' vroeg Tate.

'Hij probeerde door de spiegel te springen.'

Hij was er gezien de ravage nog goed vanaf gekomen. Een paar sneden. Niet meer dan dat. Maar het feit dat hij er doorheen had proberen te springen, was voor Audrah de druppel die de emmer deed overlopen. 'Hij moet terug naar Broughton,' zei ze. 'Met een beetje geluk nemen ze hem nu niet op vrijwillige basis op. Misschien dat ze hem dit keer isoleren.'

29

Dit keer was het Cranmer die Claudia naar Broughton reed. Tate was teruggekeerd naar de holle weg en Audrah ging op zoek naar Marion Thomas.

Ze trof haar in haar kamer, waar ze op bed zat. Ze plukte aan het dekbed terwijl Audrah uitlegde dat Ginny's lichaam was gevonden bij de holle weg.

'Ik vind het heel erg,' zei Marion. En toen: 'Ik haat de mensen die dat zeggen. Dat zeggen ze altijd als ze erachter komen dat ik mijn dochter ben kwijtgeraakt. Heeft ze ouders?'

'Een vader,' zei Audrah.

'Het zal waarschijnlijk zijn dood worden,' zei Marion. 'Ik wou maar dat iets mijn dood werd. Ik wou dat er op de een of andere manier een einde kwam aan wat ik heb doorgemaakt sinds Kathryn–'

Ze zweeg en Audrah zei: 'Wat Cranmer je ook verteld heeft, het is niet waar.'

'Maar hij wist zoveel van me. Hoe valt dat te verklaren?'

Audrah antwoordde: 'Marion, waar is je auto?'

Die vraag overviel haar. 'Op de oprijlaan. Waarom?'

'Zou iemand die hem daar zag staan hem kunnen aanzien voor een ongemerkte politiewagen?'

Het was geen eerlijke vraag. Audrah had de wagen al gezien. Hij had een H-kenteken, hetgeen betekende dat hij tien jaar oud was. De metallicblauwe verf zat onder de roestspikkels. Niemand die bij zijn volle verstand was, zou die auto aanzien voor een politiewagen.

'Mensen als Cranmer hebben contacten bij publieke en overheidsinstanties. Ze betalen er goed voor. Dat moeten ze wel. Ze kopen er niet alleen informatie, maar ook loyaliteit, en geheimhouding.'

'Ik begrijp niet wat dat met mijn auto te maken heeft.'

'Zodra iemand als Cranmer arriveert op een plek als deze, probeert hij informatie te krijgen over de mensen waarmee hij in contact zou kunnen komen. Hij noteert het kenteken van elke geparkeerde auto die niet duidelijk aan de politie of de pers toebehoort. Cranmer heeft contacten bij het Bureau Kentekenregistratie. Zij zullen hem jouw naam, leeftijd en adres gegeven hebben. Toen hij die gegevens eenmaal had, was het voor hem niet moeilijk om jouw naam op te zoeken in krantenberichten tot zo'n tien of meer jaar terug. Hij zou binnen enkele minuten hebben geweten wat er met Kathryn gebeurd is.'

'Ik kan me nauwelijks voorstellen dat iemand zoiets zou doen.'

'Echt niet?' zei Audrah. 'Dan zal ik je nog iets vertellen over zogenaamde paragnosten. Als de goeie – de echt goeie – in het openbaar optreden, kijken ze al weken tevoren de krantenarchieven van de betreffende regio na. Ze speuren de kolommen af naar berichten over ongelukken en slaan de gegevens uit de overlijdensadvertenties in hun geheugen op. Want als mensen die onlangs iemand hebben verloren, horen dat een alom bekend medium hun stad aandoet, kunnen ze vaak de verleiding niet weerstaan om erheen te gaan, "gewoon om te zien wat er gebeurt". Stel je eens voor hoe perplex ze zullen staan als iemand als Cranmer hun vertelt dat er "een klein meisje doorkomt met een boodschap voor haar oma. Is er iemand in het publiek die dit kind herkent – ze vertelt me dat haar naam

Anna is, dat ze vijf jaar oud is en dat ze de laatste achttien maanden van haar leven in een kinderziekenhuis heeft doorgebracht?" Negen van de tien keer steekt iemand zijn hand op en zegt: "Anna was mijn kleinkind".'

Marion plukte aan het dekbed.

'En daar houdt het niet mee op,' zei Audrah. 'Want al snel verzoeken nu mensen uit het publiek om een besloten zitting met de paragnost. De paragnost heeft al gauw in de gaten wie er geld heeft en hoeveel hij ze kan laten ophoesten.'

Marion reageerde niet en Audrah ging nu behoedzaam verder. Ze was er helemaal niet zeker van hoe haar volgende woorden zouden worden ontvangen. 'Sasha's moeder heeft Tate gebeld.'

De rand van het dekbed was geborduurd. Marion vond een los stukje en plukte eraan terwijl Audrah verder sprak. 'Ze heeft hem verteld wat er met Kathryn gebeurd is.'

'Wat heeft ze gezegd?'

'Dat Kathryn van huis is weggelopen met achterlating van een briefje waarin ze haar leraar ervan beschuldigde dat hij haar heeft proberen te verkrachten. Ze zei dat ze niet meer naar school durfde omdat ze doodsbang was voor Reeve en ze durfde het ook niet te vertellen, want ze was bang dat niemand haar zou geloven.'

Marion zei: 'Wat heeft ze hem nog meer verteld?' en Audrah besefte dat ze wilde weten of zij, als zovele mensen, het standpunt zou innemen dat de autoriteiten er juist aan deden om Reeve niet te vervolgen. Voorzichtig ging ze verder.

'Kathryn haalde Sasha over om met haar mee te gaan. Ze namen een kamer voor één nacht in een pension. Het was koud. Ze gingen naar bed en lieten de gashaard branden. Beiden raakten bedwelmd door koolmonoxide.'

En dat was het. Kathryn was niet vermoord door Reeve, maar door giftige gassen. Niet het slachtoffer van een moord. Maar het slachtoffer van een afschuwelijk ongeluk.

Het enige geluid was het krassen van Marions nagels op het katoenen dekbed. Een voor een haalden ze de naden los. Trokken de draden eruit. 'Kathryn zou zonder Reeve nog hebben geleefd.'

Audrah wilde aanvoeren dat Kathryn nog had geleefd als de pensionhouder gewoon zijn schoorsteen had laten vegen. Maar die pensionhouder had er niet voor gezorgd dat Kathryn van huis was weggelopen.

Verwijzend naar een verklaring die Sasha tegen de politie had afgelegd, zei Marion: 'Het woord van een zestienjarig meisje was niet voldoende om Reeve voor het gerecht te slepen. Wat maak je daaruit op?'

Toen Audrah niet antwoordde, voegde ze eraan toe: 'Daar maak ik uit op dat de wet een meisje van zestien wel oud genoeg vindt voor seks, maar haar woord is geen mallemoer waard.'

Audrah wilde zeggen dat de politie de zaak had laten rusten omdat ze wisten dat ze geen zaak hadden. Maar ze was zich ervan bewust dat het waarschijnlijk geen zin had om met haar in discussie te gaan. Reeve was sinds Kathryns dood al zes keer gedwongen om te verhuizen en van baan te veranderen, en dat allemaal omdat Marion hem voortdurend lastigviel. 'Al die dingen hebben in verschillende kranten gestaan.'

'Cranmer heeft niet de tijd gehad om ze te raadplegen.'

'Het zou je verbazen hoeveel archieven via Internet toegankelijk zijn – of misschien vertrouwt hij gewoon op een paar goede contacten. Hij geeft ze jouw naam. Zij bellen hem binnen het uur terug en geven hem wat hij nodig heeft om jou te overtuigen.'

'Jij beweert dus dat hij mij om de tuin heeft geleid – jij zegt dat hij een oplichter is.'

'Ja,' zei Audrah. 'Dat is precies wat ik wil zeggen.'

Marion trok aan een zijden draad. Het katoenen dekbed trok samen.

'Maar dat is niet wat jij wilt horen, is het wel?'
Marion knikte.
'Waarom niet?'
'Omdat...'
'Nou?'
Marion antwoordde: 'Omdat ik de gedachte niet kan verdragen dat ik haar nooit meer zal zien.'

Audrah wist hoe het voelde om wanhopig op zoek te zijn naar een bewijs dat iemand van wie je hield nog ergens bestond. God wist dat zij hetzelfde had gewenst. Maar Lars was dood. Voor altijd verdwenen. Hij zou nooit meer terugkeren. Hoe moeilijk was het toch om zo'n simpel feit onder ogen te zien. Geen wonder dat mensen er niet aan wilden. Geen wonder dat ze zich vastklampten aan de hoop dat zij en hun geliefden na de dood herenigd zouden worden. Maar dat was niet zo. De dood was echt het einde.

30

Na haar gesprek met Marion liep Audrah naar beneden, de binnenplaats op. Ze zag nu een glimpje licht achter het raam van Ginny's kamer en ze nam aan dat Tate daar weer rondsnuffelde. Vreemd dat hij zich zo tot die kamer aangetrokken voelde. Het leek wel of hij hoopte er een aanwijzing te vinden over wat er met haar gebeurd was, alsof hij dacht dat ze er een indruk had achtergelaten, iets wat hem op een rustig moment iets duidelijk zou maken.

Ze ging via de keukendeur het huis binnen. En toen ze Ginny's kamer naderde, zag ze dat de deur van de klerenkast open was blijven staan. Aan de binnenkant ervan hing een manshoge spiegel en onder de hoek waar zij erin keek, zag ze bijna de hele kamer weerspiegeld.

Maar dat wat ze zag, kon gewoon niet daar zijn. Ginny's stoffelijke resten lagen in een afvoerpijp. Dat meisje met haar rug naar het raam kon dus onmogelijk bestaan. Ze draaide zich om toen ze Audrah in de deuropening zag. Er lag een wasachtige glans over haar huid, alsof ze niet helemaal tot deze wereld behoorde.

'Iemand heeft mijn brief meegenomen,' zei ze. 'De brief van mijn moeder.'

Tates reactie op het nieuws dat Ginny nog leefde en nu in haar kamer rondspookte, was voorspelbaar. 'Als dit een grap is...'

'Het is geen grap,' verzekerde Audrah.

Tate volgde haar naar Ginny's kamer en toen hij naar binnen ging en haar zag, merkte Audrah dat zijn hersens overuren maakten. Ginny was dood. Haar lichaam lag in een pijp bij de holle weg. Wat hij nu zag, kon dus niet echt zijn.

Haar eigen reactie bij het zien van Ginny had ze vooral interessant gevonden: de logica zei dat waar ze naar keek geen geestverschijning kon zijn – zoiets bestond niet. En toch voelde ze een sterk verlangen om haar aan te raken, gewoon om zich ervan te verzekeren dat ze een mens van vlees en bloed was. Parapsychologen noemden dit het Ongelovige Thomassyndroom, en ze was dan ook niet verbaasd toen Tate, na haar verteld te hebben wie hij was, op Ginny af liep en zijn hand op haar arm legde.

Toen hij haar aanraakte, werd ze nerveus. Ginny trok zich terug. 'Hoe weet ik dat u echt van de politie bent?' zei ze.

Tate liet haar zijn legitimatiebewijs zien en nu ontspande ze iets. Hij vroeg: 'Waar ben je geweest?' Tate klonk enigszins schor, alsof de schok over haar aanwezigheid hier zijn keelspieren zozeer had aangespannen dat hij moeite had de woorden eruit te krijgen. Zijn vragen kwamen op Audrah echter nogal nuchter over. Maar wat moest je anders zeggen tegen iemand van wie je enkele minuten geleden nog dacht dat ze dood was? Je was blij – natuurlijk was je dat – maar je was ook geschokt. 'Hoe heb je in je onderhoud voorzien?'

'Voornamelijk door in bars te werken. Hoezo?'

'Veel mensen hebben zich zorgen om je gemaakt. Lees je geen kranten?'

Ze wilde hem niet aankijken.

'Waarom ben je weggelopen? Ik neem aan dat je bent weggelopen?'

'Vanwege Durham. Ik raakte in tijdnood.'

Tate begreep niet wat ze bedoelde. Hij gebaarde dat ze kon gaan zitten en vroeg of ze het wilde uitleggen.

'Ik ben niet toegelaten,' zei Ginny.

'Je bedoelt dat je voor je examens gezakt bent?' vroeg Tate, en in zijn opmerking klonk noch een beschuldiging noch medelijden door; hij wilde alleen de feiten op een rijtje krijgen. Ze knikte. 'Ik wist niet hoe ik het tegen mijn vader moest zeggen.'

'Je had herexamen kunnen doen.'

'Dat wilde ik niet.' Ze legde het uit. 'Ik ben niet zo'n studiehoofd,' gaf ze toe, en bijna direct daarop corrigeerde ze zichzelf. 'Het interesseert me niet, eerlijk gezegd. Ik wil geen herexamen doen. Ik wil alleen... ik wil dat ze me met rust laten, zodat ik er zelf achter kan komen waar ik goed in ben, wat ik echt wil.'

'Wat wil je dan?'

'Zo ver ben ik nog niet. Ik weet alleen dat ik niet naar de universiteit wil.'

'Nou, waarom heb je dat dan niet gewoon gezegd?'

'U begrijpt het niet. Mijn vader was lector. Ik kon dat niet zeggen – niet tegen hem.'

'Je kon toch op zijn minst even bellen om te laten weten dat alles goed met je was.'

'Dan zou hij willen weten waarom ik weggelopen ben.'

'Daar was hij vroeg of laat toch wel achter gekomen. Het verbaast me dat hij het nog niet weet.'

'U kent hem niet – hij ziet me nog liever dood dan dom.'

Tate antwoordde vriendelijk: 'Ik denk dat je je daarin vergist. Ik denk dat hij zó opgetogen zal zijn dat je nog leeft, dat het hem waarschijnlijk helemaal niet meer kan schelen wat je met je leven wilt.'

Ze keek hem beschaamd aan. 'Ik heb wel geprobeerd te bellen,' zei ze, en voordat iemand kon zeggen dat ze daar dan kennelijk niet al te zeer haar best voor had gedaan, voegde ze eraan toe: 'Maar hoe langer ik weg was, hoe moeilijker het werd. En ten slotte kon ik het gewoon niet meer opbrengen.'

Audrah vroeg zich af hoeveel mensen diezelfde gevoelens hadden. Als je al zo lang weg was, kon je onmogelijk weer komen opdagen alsof er niets aan de hand was. Er was van alles gebeurd. Als je de mensen van wie je hield zomaar, zonder een woord van uitleg, in de steek liet, kon je moeilijk verwachten dat ze je weer met open armen ontvingen zonder te willen weten waarom je het had gedaan. En misschien wist je wel helemaal niet waarom. Misschien was het je op een dag gewoon te veel geworden en leek weglopen de enige oplossing. Misschien was je van plan om hoogstens een paar dagen weg te blijven, maar je familie vroeg de politie om naar je te zoeken en plotseling had je er nog een probleem bij. Misschien dat sommige mensen inmiddels zouden zijn teruggekeerd als ze niet als een berg opzagen tegen al die dingen die ze dan zouden moeten uitleggen. Hoe vaak had ze zich niet afgevraagd of dat ook Lars was overkomen?

Er was iets wat Audrah wilde weten. 'Ginny,' zei ze, 'Nicholas heeft voor dit baantje hier gezorgd.'

'Hij wist dat ik wanhopig was – het was heel lief van hem.'

'En je bent hier... hoe lang geweest?'

'Drie weken.'

'Wat moest je doen?'

Daar leek ze over te moeten nadenken. 'Dat weet ik eigenlijk niet. Ik verwachtte wat huishoudelijk werk te moeten doen, maar niemand vroeg me iets. Ik was gewoon... gewoon hier.'

'En waar was Nicholas?'

'Voornamelijk op zijn kamer.'

'Heeft hij je lastiggevallen?'

'Hij leek me eerder te willen ontlopen. Hoezo?'

Audrah bekeek de Spartaans gemeubileerde kamer. 'Wat dacht je toen je zag dat dit jouw onderkomen was?'

Ginny antwoordde: 'Nou, om eerlijk te zijn, ik vond het nogal een zootje.'

'Wat ik bedoelde, was – was je niet bang?'

Ginny keek om zich heen alsof ze het vertrek nu voor het eerst zag.

'Waar zou ik bang voor moeten zijn? Een beetje vuil. Een paar oude stenen. Zo erg is dat niet.'

Dat was een fascinerend inzicht voor Audrah. Sommige mensen waren heel gevoelig voor hun omgeving. Dat was onder andere de reden dat ze dachten over paranormale gaven te beschikken. Ginny bevond zich aan het andere einde van het spectrum. Geef haar een slaapzak en een rol biscuit en ze zou waarschijnlijk met alle plezier de nacht op het kerkhof doorbrengen. Lyndle hield voor haar geen verschrikkingen in. Een beetje ongemak misschien, maar geen angst. Ze zou een goede parapsycholoog zijn.

'Waarom ben je teruggekomen?' vroeg Tate.

'Vanwege de brief,' zei Ginny. 'Waar is die?'

'Die hebben we teruggegeven aan je vader.'

Ze leek ineens te beseffen wat ze allemaal veroorzaakt had. 'Ben ik strafbaar omdat ik niemand heb laten weten dat er met mij niets aan de hand was? Moet mijn vader nu de kosten van het politieonderzoek betalen?'

Nadat Tate haar had verzekerd dat haar vader niet financieel aansprakelijk zou zijn, voegde ze eraan toe: 'Wilt u het hem vertellen? Ik durf het niet – over Durham, bedoel ik.'

Tate en Audrah keken elkaar aan en bij beiden speelde dezelfde gedachte door hun hoofd.

Als de stoffelijke resten die op de Old Lyndle Road gevonden waren niet die van Ginny waren, van wie waren ze dan wel?

31

Tate droomde van bloemen die in een pijp groeiden. Ze wortelden in een compost van afval en zochten vanuit het duister licht en lucht. Maar toen ze dat hadden gevonden, verlepten ze, en hij – zich de betekenis ervan niet realiserend – vertrapte ze.

Hij werd gewekt door de telefoon. De vorige dag waren de stoffelijke resten onderzocht door een patholoog en die wilde nog verder onderzoek doen voordat het lijk werd weggehaald. De duisternis viel en er was een scherm rond de pijp gezet, niet alleen als bescherming tegen de elementen, maar ook tegen nieuwsgierige blikken. De pers wist al dat er iets was gevonden.

De holle weg was afgesloten en tot plaats van een misdrijf verklaard en na voldoende mannen te hebben achtergelaten om desnoods een heel leger journalisten af te weren, was Tate naar Ginny's vader gegaan. Hij huilde van opluchting toen hij hoorde dat Ginny nog leefde. 'Wanneer kan ik haar zien?'

'Nu,' zei Tate. 'Ze zit in mijn auto.'

Het kwam niet zo vaak voor dat hij de mensen eens goed nieuws kon brengen. Hij zou die nacht goed hebben moeten slapen, maar de stelen van die bloemen bevolkten als woekerkruid zijn dromen.

Tijdens het ontbijt las hij de ochtendkranten. Twee koppen vochten om voorrang. De ene meldde: 'Ginny Leeft!' De andere was: 'Lijk gevonden in Lyndle Wood'. In beide gevallen ging het artikel vergezeld van een grote foto van Ginny die haar vader omhelsde. De heer Mulholland verklaarde dat woorden gewoonweg niet toereikend waren om uit te drukken wat hij voelde toen hij hoorde dat Ginny nog leefde. Tate kon dat wel begrijpen. De drang om haar aan te raken, om te kijken of ze het echt was, was overweldigend geweest. Maar Ginny had warm en stevig aangevoeld. Heel anders dan het meisje dat hij in de pijp gevonden had.

Toen hij op Lyndle arriveerde, bleek de patholoog verlaat, maar iemand wilde met hem praten – iemand die zich voorstelde als Veronica Lundy. Ze had gisteravond op het nieuws over de ontdekking gehoord en was van Carlisle hierheen gereden om hem te spreken.

'Waar is ze?' vroeg Tate.

'In haar auto,' zei Fletcher.

Tate liep naar een wagen die bij de gracht geparkeerd stond. Toen hij dichterbij kwam, stapte er een vrouw uit. Haar huid had de kleur van gesmolten chocola. 'Inspecteur Tate?' zei ze. Ze stak haar hand uit. Hij deed hetzelfde. 'Veronica Lundy.'

De gesmolten chocola zat gegoten in een strakke broek en een linnen blouse, beide maatwerk, en hij voelde de blikken van zijn mannen toen hij haar voorging naar de Hall.

De open haard in de studeerkamer was uitgegaan. Het was er koud, maar het was altijd nog beter dan buiten.

'Gaat u zitten,' zei hij, en ze liet zich in een van de rode leunstoelen zakken, waarbij ze één ongelooflijk lang been als rubber om het andere sloeg. Toen keek ze om zich heen en zei: 'Wat is er hier veel veranderd.'

'Veranderd?' zei Tate.

'De boeken zijn weg. De meeste althans. Ik vraag me af waarom ze die verkocht heeft.'

'U bent hier eerder geweest?'

'Slechts kort. Maar ik kan het me nog goed herinneren. Hoe zou je ook een huis als Lyndle kunnen vergeten.'

Hij vroeg haar waarom ze helemaal vanuit Carlisle hierheen was gereden, alleen om hem te spreken, en ze antwoordde dat ze hem iets over haar achtergrond moest vertellen, wilde hij geen verkeerd beeld krijgen.

'Ik luister,' zei Tate.

'In 1985,' zei ze, 'was mijn enige ambitie om een beroemd model te worden. Ik had geluk. Ik kreeg een contract bij een van de meest prestigieuze modellenbureaus van Europa. Het heette Margo's.'

Toen Tate weer uit het huis opdook, kreeg hij te horen dat de patholoog was gearriveerd. Hij ging op weg naar de pijp en sprak even kort met hem. 'Wat zijn de kansen dat we een doodsoorzaak vinden?'

Hij kreeg te horen dat hij zijn verwachtingen niet te hoog moest stellen – er was inmiddels niet veel meer van haar over. 'Enig idee wie ze is?'

Tate, die inmiddels een heel groot vermoeden had wie het zou kunnen zijn, vertelde de patholoog dat hij al stappen had ondernomen om achter haar identiteit te komen. De patholoog luisterde niet. Hij keek de holle weg af. Tate draaide zich om. Een eindje verderop tussen de bomen stond een vrouw naar hen te kijken.

Het zou wel iemand uit de buurt zijn, iemand die het nieuws had gehoord en het weleens met eigen ogen wilde zien, zich niet realiserend dat het echte leven geen lolletje was. Hij zou met haar moeten praten, al was het alleen maar om duidelijk te maken dat ze de plaats van een misdrijf had betreden. Als ze nog niet wist dat zoiets strafbaar was, zou ze daar gauw genoeg achter komen.

Ze had een spijkerbroek en sportschoenen aan en ze was vuil op een manier die eraan deed denken dat ze in de buitenlucht geslapen had. Ze zag er ook uit alsof ze gehuild had, maar mensen waren wel vaker aangedaan als ze hoorden dat bij hen in de buurt een lijk in ontbinding was gevonden. Ze wilden dan met de agenten praten – deels uit nieuwsgierigheid, vaak ook alleen maar om te zeggen hoe erg ze het vonden. Ze hadden het slachtoffer dan misschien niet gekend, maar de gedachte dat er iemand was vermoord, dat hun lichaam was achtergelaten op een plek waar ze zelf als kinderen hadden gespeeld of de hond hadden uitgelaten of hadden gevrijd, wekte hun afschuw. Het kwam te dichtbij.

Hij zou normaal gesproken iedereen die in de buurt van de plaats des misdrijfs kwam, hebben uitgekafferd, maar hoe dichterbij hij kwam, hoe meer hij zich realiseerde hoe jong, hoe *bang* ze was. Hij liet zijn legitimatie zien en vroeg: 'Hoe heet je?'

'Rachel,' antwoordde ze.

'Goed, Rachel,' zei hij, 'ik weet niet of je het beseft, maar we zijn hier met een moordonderzoek bezig. Je hoort hier niet te zijn.'

Ze veegde met haar handpalm over haar gezicht, besmeurde het, zodat ze er enigszins verwilderd uitzag. 'Vertel het me,' zei ze. 'Zeg het eerlijk – de vrouw in die pijp, is ze erin gekropen?'

Er was een verklaring afgegeven aan de media, maar dit soort informatie was niet publiekelijk bekendgemaakt en Tates oorspronkelijke plan – om de vrouw te sommeren zich te verwijderen – smolt weg als sneeuw voor de zon.

'Waar woon je?'

'Leeds.'

Leeds! Dat was een verschrikkelijk eind weg. 'Wat doe je hier?'

'Ik ben teruggekomen.'

'Je bent hier eerder geweest?'

Een timide knikje, en Tate vroeg: 'Wanneer?'

'Afgelopen augustus.'

'Waarom ben je teruggekomen?'

Ze wees naar het scherm. 'Om te kijken of ik haar nog een keer zou zien.'

Die opmerking leek nergens op te slaan. 'Wie wilde je zien?'

'De vrouw in de pijp.'

Hij begon te beseffen wat ze hem duidelijk wilde maken. 'Probeer je me te vertellen dat je haar naar binnen hebt zien kruipen?'

Weer een timide knikje.

Nog maar enkele ogenblikken geleden had de patholoog Tate op iets gewezen dat hem duidelijk maakte dat Rachel zich vergiste.

'Dat is onmogelijk,' zei hij.

'Waarom?' vroeg ze.

Rachels reactie was niet wat hij had verwacht. Ze sloeg haar handen voor haar gezicht en begon te gillen.

32

Marion had de krantenknipsels weer opgeborgen. Tessa wist niet dat ze die had en ze wilde ook niet dat ze dat wist. Niet dat het veel kwaad kon als ze het wel wist – ze kon gewoon de gedachte niet velen dat Tessa nóg een reden zou vinden om haar te beklagen.

Audrah kwam de studeerkamer binnen om te zeggen dat Sasha was gearriveerd.

'Tessa is bij haar,' zei ze, en het klonk als een waarschuwing, alsof ze al snel in de gaten had wat voor iemand Tessa was. Misschien was dat ook zo. Hier was een vrouw voor wie het leven altijd lief was geweest. Liefhebbende ouders en een echtgenoot die haar aanbad, iemand die het zich kon veroorloven allerlei zinloze projecten te ondernemen – de beginnerscursus pottenbakken waar ze weer mee op zou houden zodra ze zich realiseerde dat je daar vuile nagels van kreeg, het bedrijfje dat nooit echt van de grond kwam. Zou het niet mooi zijn als ze voor één keer zou worden weggerukt uit die wereld waarin alles ging zoals zij het wilde?

Ze schaamde zich voor zichzelf. Dit waren de gedachten van een bekrompen, gemene en verbitterde persoon. Het was alleen dat Tessa nooit had geleden. Niet echt. Ze was daar nog het dichtst bij geweest toen ze ontdekte dat Sasha en Kathryn van huis waren weggelopen, en zelfs toen was ze tamelijk koel gebleven. Tieners deden nu eenmaal dat soort dingen. Het was eigenlijk wel amusant. Ze waren ook zo gevoelig, zei Tessa. Bovendien waren ze met z'n tweeën. Een of andere aardige oom agent zou ze wel vinden en ze weer netjes thuisbrengen.

Dat de politie hen zou vinden, dat klopte wel. Maar zelfs toen ze te horen kreeg dat een van de twee meisjes dood was, waren die woorden nog maar nauwelijks bezonken of men verzekerde Tessa al dat de overledene niet haar dochter was. Wat deed, in dat licht bezien, de rest er nog toe? O, wat was het een schok geweest voor Tessa. Ze bleef maar doorzeuren over die twee seconden dat de grond onder haar voeten leek te verdwijnen, alsof het eeuwen geduurd had. Ze dacht bovendien dat ze daardoor beter begreep wat het moest zijn voor mensen die elke dag van de rest van hun bestaan moesten leven met de dood van hun kind. Absurd gewoon dat Tessa dacht dat Kathryns dood een band tussen hen had geschapen, terwijl wat zij had doorgemaakt niet te vergelijken was met Tessa's ervaring. *We zullen altijd vrienden blijven, Marion. Mensen die samen zoiets hebben doorgemaakt, zijn vrienden voor het leven...*

Voor het leven had ongeveer vier maanden geduurd. Daarna wilde Tessa haar uit haar leven hebben. Of beter gezegd, ze wilde haar uit Sasha's leven hebben: *Je begrijpt het niet – je doet haar steeds aan die afschuwelijke toestand denken.*

Sasha kon de klere krijgen, en Tessa ook. En wat dachten ze wel, dat ze haar als een of andere halve gare konden komen ophalen.

Audrah liep voor Tessa uit de studeerkamer in, en daarachter volgde Sasha. Ze zagen er in hun dure kleren en die inderdaad wel mooie kalfsleren laarzen uit als twee modepoppen. Tessa echter was een toonbeeld van beschaving, terwijl Sasha er meer uitzag als een klein, bang hertje. Het leek wel of ze elk moment over de meubels heen kon springen en de kamer uit zou stormen.

Ze ging in een roodleren leunstoel zitten en sloeg verlegen

haar slanke benen over elkaar, en hoe meer Marion naar haar keek, hoe vreemder ze het vond dat Sasha meegekomen was. Ze leek geen enkele belangstelling voor haar omgeving te hebben, maar Tessa keek om zich heen alsof ze niet kon geloven dat huizen als Lyndle Hall echt bestonden. Ze zou ongetwijfeld de krant gelezen hebben, dus ze wist waarom de politie hier was. En Sasha zou haar wel verteld hebben wat er op de bank gebeurd was. Tessa moest daarom beseffen wat Marion naar Lyndle had gebracht. Wat ze niet wist, was of ze erin geslaagd was John Cranmer te ontmoeten, en wat daarvan het resultaat was.

Er was een tijd geweest dat Tessa haar voorzichtig op de wang had gekust. Maar nu niet meer. Ze bleef zo dicht bij de deur staan als maar mogelijk was, met een grimmig gezicht en elke seconde die ze hier was hatend. 'Het leek me maar het beste om ook mee te komen,' zei ze. 'Ik kon haar toch moeilijk in haar eentje die honderden kilometers laten rijden.'

Marion kon zich voorstellen dat Tessa haar best had gedaan Sasha ertoe over te halen niet te gaan. Ze vroeg zich af waarom ze er uiteindelijk toch mee had ingestemd. Ze had toen ze Sasha's naam aan Tate had gegeven eerlijk gezegd geen moment verwacht dat ze ook zou komen.

'Ik heb een seance met Cranmer gehad.'

'Dat kun je ons wel in de auto vertellen,' zei Tessa.

'Ik vertel het liever nu.'

'We hebben anders nog een hele rit voor de boeg.'

'Kathryn leefde nog toen de ambulance kwam.'

Even – heel even maar – was Tessa sprakeloos. Toen kwam ze weer tot zichzelf. 'Doe niet zo belachelijk, Marion. Je weet dat dat niet waar kan zijn.'

'Hij beschreef het huis waarin ze gestorven is. Tot aan de gordijnen die voor de ramen hingen.'

'Hij zal er wel over gelezen hebben,' zei Tessa.

Sasha staarde tijdens de hele woordenwisseling naar de

grond. Nog maar enkele ogenblikken geleden had haar haar in een vlecht gezeten. Nu plukte ze aan wat slierten, wond ze rond haar vingers, trok ze verder los.

'Ze dachten dat ze dood was,' zei Marion. En ze had het nu tegen Sasha. 'Kathryn zag hoe ze jou redden. Ze smeekte hen haar daar niet achter te laten, maar dat deden ze toch. Ze was niet als jij, Sasha. Ze was niet mooi, niet bevoorrecht. De gemiddelde man zou haar in vergelijking met jou niet de moeite waard hebben gevonden om te redden. En dus lieten ze haar achter. Dat is de reden dat ze is gestorven.'

'In 's hemelsnaam, Marion!' Het kwam zelden voor dat Tessa schreeuwde. 'Wat doe je haar aan?'

Audrah bemoeide zich ermee. 'Marion, misschien is het beter als ik je naar huis–'

'Ik wil niet dat jij me naar huis brengt. Ik wil ook niet dat zij me brengt. Ik wil dat ze uitlegt waarom ze weigert toe te geven dat Michael Reeve haar en mijn dochter naar die zitslaapkamer heeft gelokt.'

Ze wendde zich nu tot Sasha. 'Wat is er aan de hand, Sasha? Was jij soms degene die met hem neukte? Moest Kathryn jou indekken?'

Tessa zag eruit alsof ze haar nu elk moment kon aanvliegen. Ze keek Audrah bijna smekend aan. 'Moeten we dit nu echt allemaal over onze kant laten gaan?'

'Ze is ziek,' zei Audrah. 'Ik zal wel iemand regelen die haar–'

Tessa liep naar de deur. 'Sasha, we gaan.' Maar Sasha bleef waar ze was. 'Zo meteen,' zei ze. 'Nog niet. Niet voordat ik gezegd heb waar ik voor gekomen ben.'

Ze stortte plotseling in en Tessa wendde zich weer tot Marion. 'Ben je nu tevreden?' zei ze. 'Is dit wat je wilde?' Ze greep Sasha bij de arm, alsof ze haar daadwerkelijk uit die stoel wilde tillen. 'We gaan,' herhaalde ze.

'Alsjeblieft,' zei Sasha, die zich lostrok. 'Ik moet haar iets vertellen. Dat ben ik haar verschuldigd–'

'Je bent haar niets verschuldigd!'

'Jawel – en ik ben het Kathryn ook verschuldigd.'

'Schatje–'

'In 's hemelsnaam,' zei Marion. 'Laat haar toch uitpraten.' Maar nu puntje bij paaltje kwam, leek Sasha al haar moed te verliezen. 'Michael Reeve,' zei ze, en onmiddellijk drukte Tessa haar handen tegen haar oren. 'Ik wil die naam niet horen.'

Alle kleur trok weg uit Sasha's gezicht. 'Michael Reeve,' zei ze opnieuw, om vervolgens diep adem te halen. Ze zweeg even en voegde er toen aan toe: 'was alles voor Kathryn. Ze aanbad hem.'

Ze kon geen grotere schok teweeg hebben gebracht als ze had gezegd dat Reeve Kathryn vermoord had. Het was enige ogenblikken volkomen stil. Toen verbrak Tessa de stilte: 'Wil je zeggen dat hij misbruik maakte van een kalverliefde?'

'Hij heeft nergens misbruik van gemaakt,' zei Sasha. 'Ik zeg dat Kathryn gek op hem was. Ze hing alsmaar rond om een glimp van hem op te vangen. Ze volgde hem van school naar zijn huis. Ze...'

Marion deed een stap in haar richting. Onmiddellijk ging Audrah tussen hen in staan, maar Marion dwong zichzelf kalm te blijven. 'Ga verder, Sasha.'

'Meneer Reeve zei dat ze ermee moest ophouden. En toen begon ze hem te bedreigen. Ze beschuldigde hem ervan dat hij haar probeerde te verleiden, maar dat deed hij niet, mevrouw Thomas. Hij probeerde nog steeds alleen maar om haar tot rede te brengen. Hij zei dat hij haar niet in moeilijkheden wilde brengen. Hij wilde haar nog een kans geven.'

Het was niet waar. Ze hoefde alleen maar naar Sasha's gezicht te kijken om te zien dat ze loog. Als je een kind al van kleins af aan kende, wist je wanneer ze loog.

'Waarom?' zei ze, en wat ze bedoelde was 'waarom lieg je?' Maar Sasha dacht dat ze wilde weten waarom Kathryn zich zo had gedragen.

'Ze voelde zich zo gekwetst,' zei ze. 'Ze kon de afwijzing niet verwerken.'

Toen Marion naar Tessa keek, zag ze dat wat ze ook had verwacht van Sasha te horen, het was in ieder geval niet dit. 'Sasha, houd ermee op – je weet niet wat je zegt.' Maar Sasha was niet meer te stuiten, alsof ze er al heel lang naar verlangde dit te kunnen zeggen.

'Het was niet waar dat hij had geprobeerd haar te verkrachten. Ze zei dat om hem te straffen. Ze zei dat als we van huis zouden weglopen, hem dat een lesje zou leren, en we hadden ook al verzonnen wat we zouden zeggen als we gevonden werden.' Ze keek Marion aan. 'We wisten dat we gevonden zouden worden, weet u, en Kathryn wist dat als we maar bij ons verhaal bleven, meneer Reeve waarschijnlijk ontslag zou moeten nemen. Dat was wat ze wilde. Ze wilde dat hij zijn baan zou kwijtraken. Ze wilde dat hij zou moeten verhuizen. Ze wilde hem *straffen*.'

Ze keek nu haar moeder aan en ondanks het feit dat ze de afgelopen twee jaar een vrouw was geworden, verviel ze toch weer in haar rol van het kind. 'Ik wilde niet met haar mee. En ik wilde die dingen niet zeggen over meneer Reeve. Ik weet niet hoe ze me zover gekregen heeft. Mammie – het spijt me.'

Dit was meer dan Marion kon hebben. Ze dook op Sasha af. 'Jij leugenachtige, kleine teef!'

Tessa en Audrah wisten haar getweeën net lang genoeg tegen te houden tot Sasha de kamer uit was gerend. En toen waren Tates mannen er en namen het van hen over. Ze huilde en ze haatte het dat Tessa dat zag. 'Ik vermoord haar,' zei ze. 'Dat beloof ik je, Tessa – al is het het laatste dat ik doe.'

'Je bent gek,' zei Tessa, maar ook zij huilde nu. 'Wat is er voor nodig om jou uit ons leven te krijgen?'

Enkele ogenblikken later stond Audrah samen met Tessa en Sasha op de binnenplaats. Ze keken hoe Marion achter in een politieauto stapte.

'Wat gaat er nu met haar gebeuren?' vroeg Sasha.

'De politie zal ervoor zorgen dat ze thuis wordt gebracht,' zei Audrah. 'Daarna weet ik het niet.'

Toen de wagen wegreed, zei Sasha: 'Nu ik de waarheid heb verteld, zal ze me toch eindelijk wel met rust laten, niet?'

Audrah wilde dat ze de zekerheid kon bieden die Sasha zo aandoenlijk van haar verlangde, als een zeehondje dat een trucje uitvoert als zijn meester het vraagt. Maar ze kon net zomin garanderen dat Marion haar nu met rust zou laten als dat ze een gekleurde bal op haar neus kon laten balanceren. 'De waarheid vertellen is één ding. Iemand er ook in laten geloven, is weer heel iets anders,' antwoordde ze.

'Als ik mijn excuses heb aangeboden aan meneer Reeve en een verklaring heb afgelegd bij de politie, zal ze me wel moeten geloven.'

Tessa was geschokt. 'Sasha – dat meen je niet! De gedachte alleen al.'

'Wat moet ik anders?'

Audrah merkte dat Tessa het al helemaal voor zich zag. Om Reeves naam te zuiveren, zouden de feiten openbaar gemaakt moeten worden en de boulevardpers was nooit vriendelijk voor kinderen uit de gegoede burgerij. Ze zouden misschien suggereren dat Sasha verantwoordelijk was voor alles wat Reeve had doorgemaakt, en niet Marion. Want Sasha kende de waarheid, maar had die verzwegen.

Tessa zei plotseling: 'Kathryn was een enorm moeilijk kind. Het lijkt wel of er iets is gebeurd nadat haar vader vertrokken was. Ze is daarna veranderd. Ik weet niet wat ze dacht te bereiken met al die leugens, om daar dan ook nog mijn dochter in te betrekken. Ik ben eerlijk gezegd bijna...'

Bijna blij dat ze dood is. Dat was wat ze had willen zeggen, maar het feit dat Kathryn dood *was*, voorkwam dat ze die gedachte ook uitte. Ze dacht waarschijnlijk net zo over Marion. Wat zou het makkelijk zijn als zij er niet meer was, zodat ze haar keurige, geordende leventje weer kon voortzetten.

Ze streelde Sasha's hoofd. 'Liefje, waarom heb je het ons niet gewoon verteld?'

Audrah dacht het antwoord wel te weten. De mensen die haar omringden na de tragedie waren zo verdrietig, zo blij dat zij het in ieder geval had overleefd, dat ze zich er niet toe kon brengen de waarheid te vertellen. 'Ik was bang,' zei Sasha. 'Iedereen was zo lief voor me. Als ze eenmaal de waarheid wisten, zouden ze niet meer zo aardig zijn. En dan was er ook nog mevrouw Thomas...' Ze begon weer te huilen toen ze eraan toevoegde: 'Ik wilde haar niet kwetsen. En hoewel ik wist dat het verkeerd was om de mensen te laten denken dat meneer Reeve had geprobeerd Kathryn te verkrachten, dacht ik dat het voor haar nog erger moest zijn dan voor hem. Ik dacht dat hij wel een andere baan zou vinden, een ander huis, ergens waar de mensen niet van die beschuldigingen af wisten. Ik denk dat ik dacht dat het na een paar weken gewoon in de vergetelheid zou raken. Stom, dat weet ik, maar ik dacht echt dat hij het op een gegeven moment achter zich kon laten. Mevrouw Thomas zou dat echter nooit lukken. Kathryn was alles wat ze had.'

Ze keek Audrah aan. 'U moet wel denken dat we heel gemeen waren. Maar dat wilden we helemaal niet. We wisten gewoon niet wat we deden.'

Ze bedoelde waarschijnlijk, dacht Audrah, dat ze geen van beiden enig idee hadden gehad van de reikwijdte van hun daden.

'We dachten dat hij zich er een paar weken ellendig door zou voelen. We wisten niet dat we zijn leven ruïneerden. Daar kan ik dus niet mee leven – niet mevrouw Thomas die me voortdurend achtervolgt, en ook niet de wetenschap dat we gelogen hebben, maar het feit dat ik me nu, twee jaar later, eindelijk realiseer wat we hem hebben aangedaan. Ik wil dat rechtzetten. En de enige manier waarop dat kan, is het toegeven.'

Audrah antwoordde: 'Ik denk dat de meeste mensen de situatie zullen inschatten voor wat die is – iets wat twee schoolmeisjes gedaan hebben zonder dat ze begrepen wat de gevolgen konden zijn.'

Tessa dirigeerde haar naar de auto, een crèmekleurige Mercedes met linnen kap. Terwijl Sasha op de passagiersstoel plaatsnam, dacht Audrah onwillekeurige aan wat ze tijdens haar bekentenis had gezegd. *Nu ik de waarheid heb verteld, zal ze me toch eindelijk wel met rust laten, niet?*

Audrah zou er haar leven niet om durven verwedden. Ze kon zich vergissen, maar Marion leek haar iemand die nooit zou opgeven.

De Mercedes was nog niet tussen de bomen verdwenen, of Tate kwam op haar af. Audrah nam aan dat hij iets over Marion wilde zeggen, maar hij had andere dingen aan zijn hoofd.

'Ik wil u om een gunst vragen,' zei hij. 'Ik moet iemand ondervragen en ik wil dat u daarbij aanwezig bent.'

'Heeft u daar een speciale reden voor?'

'U bent psycholoog.'

De politie had haar eigen psychologen en die waren zoals bekend heel achterdochtig jegens diegenen die ze niet kenden of niet vertrouwden. 'Daar heeft u er toch zelf voldoende van?'

'Dat is waar,' zei Tate. 'Maar wat ik op dit moment nodig heb, is een *paranormale* psycholoog.'

'Wat is er aan de hand?'

'Dat merkt u vanzelf wel,' zei Tate.

33

De afgelopen vierentwintig uur waren een hel geweest voor Guy. De politie van Yorkshire had beelden bestudeerd van de bewakingscamera's die elke centimeter van het ziekenhuis in Leeds en de omliggende straten bestreken. Men had daarom een redelijk goed beeld van de route die Rachel had genomen toen ze het ziekenhuis verliet.

Ze was door de hoofdingang naar buiten gegaan en naar een winkelcentrum in Leeds gelopen. Daar was ook camerabewaking, maar daarna was ze een wijk ingegaan met minder camera's. En waar ze vervolgens heen was gegaan, was onbekend.

Nu waren hij en zijn vader in de kamer aan Rippon Gardens. Hij was al meer dan twee weken niet schoongemaakt. Wat een zootje eigenlijk. Vreemd hoe je ergens kon wonen en min of meer immuun werd voor je omgeving. Maar één keer in een wat beschaafdere omgeving en je besefte weer wat een armzalig leven je leidde. Ze mochten dan weinig geld hebben, dat was nog geen excuus voor vervuiling.

Zijn vader ging op de rand van het bed zitten, alsof hij doodsbang was dat hij alleen al door te diep ademhalen iets ongeneeslijks zou oplopen. 'Misschien moet je er eens over denken bij mij in te trekken.'

'En Rachel dan?'

Zijn vader gaf geen antwoord.

'Ik kan haar niet zomaar in de steek laten,' zei Guy. 'Ik dacht dat ik dat al duidelijk had gemaakt.' Voordat zijn vader kon antwoorden, riep iemand van ergens achter in het huis. 'Guy. Telefoon!'

Heel even stond hij zichzelf het idee toe dat het Rachel was. Hij pakte de hoorn van de haak, terwijl binnenin hem woede en opluchting om de voorrang streden. Maar het was de politie en de vloer begon weer te golven. De laatste keer dat hij een telefoontje van hen kreeg, zeiden ze dat hij naar het ziekenhuis moest. Misschien vroegen ze hem dit keer om naar het lijkenhuis te gaan.

'Inspecteur Tate,' zei de stem. 'Northumbria Police.'

Het gesprek verliep zo'n beetje als dat met Wilcox, maar het eindigde met de volgende woorden: 'Uw vrouw is naar het politiebureau in Hexham gebracht. Ze vraagt naar u.'

Guy merkte dat zijn vader hem was gevolgd de trap af naar waar de gemeenschappelijke telefoon hing, in een hoekje van de keuken. 'Heeft u één moment?' zei Guy.

Hij legde zijn hand op het mondstuk en zei: 'Rachel is in Lyndle opgedoken. De politie wil dat ik naar het politiebureau in Hexham ga.'

Zijn vader schudde zijn hoofd, alsof hij wilde zeggen dat Guy een grote fout maakte. Maar hij zei: 'Neem mijn auto maar.'

Guy haalde zijn hand van het mondstuk. 'Zeg maar tegen haar dat ik onderweg ben.'

Guy reed niet rechtstreeks naar het bureau, maar ging eerst bij het dorp langs. Het was nog maar enkele weken geleden dat hij hier voor het laatst geweest was, maar hij kende het bijna niet terug. Toen was het in ieder geval nog bevolkt geweest, al was het door een paar dappere volhouders. Nu was er niemand meer. De winkel waar hij en Rachel een sandwich hadden gekocht, was dichtgespijkerd, niet omdat de zomer voorbij was, maar voorgoed, en dat gold ook voor het benzinestation met zijn twee armzalige pompen.

Toen hij het huisje zag, herinnerde hij zich weer waarom de makelaar het moeilijk te verkopen vond. Hij liep naar binnen en het leek een nog grotere rotzooi dan hij zich herinnerde. Ook de geur van rottend hout leek sterker geworden.

Hij dacht terug aan iets dat Rachel in het ziekenhuis had gezegd. Hij had er zich al vaak het hoofd over gebroken, maar hij begreep er nog steeds niets van. Aan de ene kant probeerde ze hem ervan te overtuigen dat ze een geest had gezien. Aan de andere kant probeerde ze hem te vertellen dat ze zich pas realiseerde dat ze iets gezien had toen ze weer terug was bij het huisje.

'Ik hield mezelf voor dat het niet gebeurd kon zijn – niet echt. Het was alleen maar een indruk, iets wat zich op de een of andere manier in mijn achterhoofd nestelde.'

Hij had niet geweten wat hij ermee aan moest – of hij moest toegeven dat hij geen idee had wat ze bedoelde, of dat hij haar maar gelijk moest geven. Voordat hij iets had kunnen zeggen, voegde ze eraan toe: 'Je weet toch hoe reclame werkt?'

Hij voelde zich misselijk worden. 'Rachel,' zei hij zacht, 'wat hebben advertenties te maken met wat jij me zojuist verteld hebt?'

'Maar je weet het toch – je weet toch hoe ze werken?'

Hij wist er inderdaad wel wat van. Hij wist in ieder geval hoe hij ze moest maken. Of iemand hem ooit de kans zou geven om dat te bewijzen, was een tweede. Zoals het nu ging, mocht hij blij zijn als hij een baantje als koerier kreeg.

'Een van je docenten zei dat hij niet begreep wat commercials met films te maken hadden, maar uiteindelijk gaf hij je toch een goede beoordeling.'

Ze doelde op het essay dat hij had geschreven en dat ging over de impact van beelden op het onderbewuste. Hij herinnerde zich nu dat hij daar met haar over had gepraat, maar hij begreep nog steeds niet wat het te maken had met wat ze zojuist verteld had.

Rachel zei: 'Herinner je je dat bedrijf dat met een idee kwam voor een commercial voor een bepaald merk sigaretten?'

Ze begon te huilen en dat maakte het nog moeilijker om haar te begrijpen.

'Maar terwijl de com... commercial werd vertoond, flitste er een beeld over het scherm dat betrekking had op een bepaald merk lucifers.'

Dit blijft de rest van je leven zo, Guy – de rest van je leven.

'Iedereen die de advertentie zag, merkte dat hij de volgende keer dat hij die sigaretten kocht ook die lucifers wilde kopen, zonder echt te weten waarom. Zelfs als ze een aansteker hadden, kochten ze toch die lucifers.'

Hij herinnerde zich hoe afschuwelijk ze het vond toen hij haar dat vertelde, en dat was terecht ook. Het was een vorm van adverteren die uitging van een wel heel geniepig principe: het beeld was zo kort te zien dat degene die het zag zelfs niet wist dat het geprojecteerd was. Hun bewuste ik registreerde het niet. Maar hun onbewuste wel.

'De mensen beklaagden zich,' zei Rachel. 'Ze dachten dat ze uiteindelijk als zombies rond zouden lopen en dingen zouden kopen die ze niet echt wilden.'

Hij vroeg zich plotseling af waarom ze dacht dat ze werd gehersenspoeld. 'Maak je maar niet druk, Rachel. Die praktijken zijn tegenwoordig verboden. Het mag niet meer.'

Ze luisterde niet. 'Dat is wat er met mij gebeurde toen ik terug was bij het huisje. Toen pas realiseerde ik me dat ik een vrouw door het struikgewas had zien kruipen. Op het moment zelf zag ik haar niet. Pas toen ik terug was, besefte ik dat ik haar gezien had.'

Had ze nu wel iets gezien of niet. Hij wilde haar bijna vragen om de knoop door te hakken. Maar hij hield zijn mond, bang dat ze dan helemaal overstuur zou raken.

'De mensen zien het helemaal verkeerd.' Haar ogen glansden bijna, alsof ze een geheim had ontdekt dat maar weinigen kenden. 'Een geest is niet iets wat je ziet, althans niet in de gangbare betekenis – een geest is iets wat in je onderbewuste wordt opgeslagen. Begrijp je me, Guy? Begrijp je het?'

Hij hield de houten knijper in zijn koude hand geklemd. Toen hij hem had gevonden, had de overtuiging dat een of andere vader hem voor een kind had bewerkt, hem gecharmeerd. Nu was het alleen maar een herinnering dat zijn huwelijk dreigde te stranden. Hij gooide hem terug in de rotzooi, alsof hij daarmee een eind kon maken aan een of andere vloek. Vervolgens ging hij op weg naar het politiebureau.

Tate had Guy en Rachel naar een comfortabel gemeubileerde verhoorkamer gebracht. Met zijn sofa, gordijnen en koffiezetapparaat leek het meer op een woonkamer. Hij was bedoeld voor mensen die in een shock verkeerden en Rachel, met haar bange, donkere ogen, zag eruit als iemand die het volste recht had hier te zitten.

Audrahs eerste indruk was die van een meisje dat er jonger uitzag dan haar negentien jaar. Ze zag er ook uit alsof ze een nachtje buiten had doorgebracht.

Tate stelde Audrah aan hen voor. 'Dit is een collega van me – dokter Audrah Sidow.' Hij richtte zich tot Guy. 'Ik heb haar gevraagd aanwezig te zijn bij mijn gesprek met uw vrouw.'

Toen hij het woord dokter hoorde, leek Guy wat gerustgesteld. Hij keek naar Rachel. 'Vind je dat goed?'

'Ik vind het best,' zei Rachel.

Tate sprak tegen haar alsof ze een kind was. 'Je hoeft niet bang te zijn dat je in de problemen zit, Rachel – we willen alleen maar weten wat jou naar Lyndle bracht.'

Haar antwoord 'Niets' was nauwelijks hoorbaar.

'Het is nogal een lange reis voor niets,' zei Tate.

Guy kneep in haar hand. 'Vertel ze...'

Ze schudde haar hoofd en hij voegde eraan toe: 'Rachel, je moet het ze vertellen.'

Na enkele ogenblikken zei ze eindelijk: 'Vertel jij het maar – ik kan het niet.' En hij legde uit dat afgelopen zomer Rachels tante was gestorven en hun een huisje had nagelaten. Eind augustus waren ze er een kijkje wezen nemen en om redenen waar hij nu niet verder op in wilde gaan, had Rachel sinds die tijd wat problemen gehad. Een paar dagen geleden was ze in het ziekenhuis terechtgekomen. Hij wilde niet zeggen waarom – dat was een privé-aangelegenheid.

Wat Guy hun had verteld, verklaarde waarom ze die eerste keer naar Lyndle waren gegaan, maar niet waarom Rachel was teruggekeerd.

'Waarom ben je hier dan teruggekeerd?' vroeg Tate.

Opnieuw keek Guy naar Rachel en toen ze geen antwoord gaf, zei Tate: 'Je zei zelf dat Rachel nog maar net uit het ziekenhuis ontslagen is. Het moet wel iets heel belangrijks geweest zijn dat ze in dit weer hier is teruggekomen.'

Voordat Guy kon antwoorden, gooide Rachel er plotseling uit: 'De vrouw in de pijp.'

'Wat is er met haar, Rachel?'

Ze begon te snikken, met lange, gierende uithalen. Ze kon de woorden er nauwelijks uit krijgen. *'Ik heb haar zien sterven.'*

Het kostte Tate enige tijd voor hij het hele verhaal uit haar had gekregen. Toen dat gelukt was, vond hij dat ze voorlopig wel genoeg had doorgemaakt. Hij regelde voor de Harveys een kamer in een pension.

Zodra hij en Audrah de verhoorkamer voor zichzelf hadden, vroeg hij wat zij ervan dacht. Audrah antwoordde: 'Voor ik daar antwoord op geef, wil ik eerst iets weten – hoeveel van wat Rachel verteld heeft, klopt met wat u al wist?'

'Alles,' zei Tate. We weten dat de stoffelijke resten die van een vrouw zijn. We weten dat haar moordenaar haar onmogelijk zo diep die pijp in had kunnen duwen, dus kunnen we alleen maar aannemen dat ze er zelf in is gekropen. Die informatie is nog niet openbaar gemaakt. Ik kan geen enkele manier bedenken waarop Rachel aan die informatie had kunnen komen, tenzij ze heeft gezien wat ze zegt gezien te hebben.'

Wat Audrah betrof, was er wel een manier geweest, anders had Rachel het immers niet geweten. 'Ze is getuige geweest van de moord op die vrouw.'

'Waarom zegt ze dat dan niet gewoon?'

Audrah antwoordde: 'Soms, als mensen niet kunnen bevatten wat ze hebben gezien, leggen ze het uit als een bovennatuurlijke ervaring. Als Rachel niet in staat is te accepteren dat ze getuige is geweest van een moord, zou ze zichzelf er heel goed van kunnen overtuigen dat wat zij zag een soort heropvoering van het gebeurde was.'

'Wat zou het psychologische voordeel daarvan zijn?'

'Het schept een zekere afstand,' zei Audrah. 'Het maakt het veiliger, want de gebeurtenis wordt in het verleden geplaatst, en bovendien in een sfeer die niets met de werkelijkheid van doen heeft. Het wordt daarmee beheersbaar.'

'En dat is wat er volgens u gebeurd is?'

'Het is volgens mij de meest logische verklaring.'

Tate zei: 'En als ik u nu eens vertel dat wat Rachel zojuist verteld heeft, zou kunnen verklaren wat er is gebeurd met een vrouw die al enige tijd geleden op Lyndle vermist werd?'

'Hoe lang geleden?' vroeg Audrah.

'Achttien jaar,' zei Tate.

34

Het eerste dat Audrah zei, was: 'Dat is onmogelijk.' Het was een begrijpelijke reactie en Tate liet haar de argumenten opsommen. Er was nog geen autopsie geweest. Misschien was er ook minder lang geleden iemand als vermist opgegeven en waren er nog meer stoffelijke resten. Misschien had Rachel een fantasie gesponnen die per ongeluk heel dicht bij de waarheid kwam. Misschien had ze iemand horen praten over een moord die ook daadwerkelijk had plaatsgevonden.

Tate besloot Audrah nog wat meer op de proef te stellen, maar het leek hem wel zo eerlijk om haar eerst te vertellen wat hij van Veronica Lundy had gehoord.

Zodra Veronica Margo's noemde, herinnerde Tate zich die naam. Hij wist even niet waar hij hem gehoord had, maar toen herinnerde hij zich Williams, de bewaker die had opgebeld om te zeggen dat hij Francis Herrol ooit uit het modellenbureau had moeten verwijderen.

Veronica zei: 'Margo was in de zestig toen ik bij haar tekende. En toen ze stierf... nou ja, het bureau stierf met haar. Maar indertijd was Margo's het bureau waar je moest zijn. We wisten dat we geluk hadden.'

Veronica was een soort Naomi Campbell avant la lettre – misschien iets minder oogverblindend, maar het scheelde niet veel. Ze had zijn volle aandacht toen ze verderging: 'De meisjes worden nu vaak al aangenomen als ze nog kind zijn. Twaalfjarige modellen zijn niet ongewoon, maar toen was dat anders. Niet één gecontracteerd meisje was onder de zestien, en de meesten waren ouder. Ik was zestien,' voegde ze eraan toe. 'Ik kwam net van school. Ik wist nog helemaal nergens van. Gelukkig was Margo bijna overdreven beschermend. Ik vond dat heel lief van haar. Nu realiseer ik me dat ze gewoon haar investeringen koesterde. Sommigen van ons zouden haar op een dag verschrikkelijk veel geld opleveren.'

Tate vermoedde dat Veronica uiteindelijk meer waard bleek dan de meesten.

'De jongere meisjes noemde ze altijd haar "baby's" en haar baby's moesten contracten tekenen met restricties die aan de jaren dertig in Hollywood deden denken. U weet wel wat ik bedoel – ik zweer bij de Almachtige God dat ik om tien uur thuis zal zijn. Bepaalde bars en clubs waren voor ons verboden – vooral in Soho. We mochten niet samenwonen met onze vriendjes, en ga zo maar door. Ik voelde me eerlijk gezegd nog vrijer op de nonnenschool waar ik op gezeten had.'

Tate zag opeens een beeld van Margo voor zich, zo duidelijk alsof ze voor hem stond. Ze was een heel klein vrouwtje, iets te zwaar op haar gevorderde leeftijd, maar ze droeg extravagante kleding en enorme parelkettingen, net als Coco Chanel.

'Hoe kreeg ze het voor elkaar dat jullie dat ondertekenden?'

'Heel simpel. Om te beginnen waren de meeste meisjes nauwelijks zestien, net als ik. Margo beschouwde zichzelf als zijnde *in loco parentis*, en onze ouders waren maar wat opgelucht dat ze zo op ons lette. Het was tenslotte voor onze eigen bestwil. Jammer dat vrouwen als zij niet meer bestaan.'

Het beeld van Margo vervaagde terwijl Veronica verderging: 'Het was niet de angst dat een van ons zwanger zou worden, die haar zorgen baarde. Het was 1985. Abortus was een optie. Het was meer dat ze had gezien hoe makkelijk mannen vrouwen kunnen manipuleren – met name meisjes die voor het eerst van huis waren. Dus zag ze graag dat haar baby's in het begin een flat deelden met een van de oudere meisjes. Zo kon de oudere een beetje op de jongere passen en Margo vertellen hoe het met haar ging – of ze het een beetje aankon, of ze geen drugs gebruikte, of ze geen mannen ontmoette die bepaalde plannen met haar hadden.'

Dat klonk aannemelijk genoeg. Mooie meisjes waren altijd al kwetsbaar. En dat gold nog sterker als ze alleen in de grote stad woonden. Met twee of meer op een flat wonen, leek een goede voorzorgsmaatregel. 'Ik neem aan dat het ook de kosten wat drukte?'

Die opmerking viel niet in goede aarde. 'Margo had slechts het beste met ons voor, meneer Tate. We verdienden behoorlijk wat geld. En ik kon me best een eigen plek veroorloven. Maar Margo had gelijk. Meisjes van zestien kunnen beter met iemand anders samenwonen, en dan bij voorkeur niet met een hitsig vriendje – maar al te veel van die types blijken in onze business pooiers. Dus stelde ze me voor aan Nina.'

'Nina?'

'Bencini,' zei Veronica. 'Ze dacht dat wij het wel met elkaar zouden kunnen vinden. We hadden bepaalde dingen gemeen – moeders bijvoorbeeld die niet Engels waren. Nina was deels Italiaans. Ze was iets ouder dan ik. Ik weet niet precies meer hoe oud ze was – een jaar of vierentwintig, denk ik.'

'Niet direct een vrouw van de wereld,' zei Tate.

'Nee, maar ze wist meer dan ik. En ik keek tegen haar op. Ze was op dat moment al een heel succesvol model. Ik wilde net als zij worden. En ik luisterde naar haar. Als Nina me iets vertelde, maakte ik daar een aantekening van.'

'Het klinkt alsof ze een goede vriendin was.'

'Dat was ze ook,' zei Veronica. 'Ik besefte dat toen nog niet, maar nu weet ik het wel. In een wereld als de onze kom je in de loop der jaren duizenden mensen tegen die beweren dat ze je vriend zijn. Meestal willen ze iets van je. Echte vrienden maak je niet veel – ik mocht me gelukkig prijzen dat ik haar kende.'

Ze was de afgelopen minuten tamelijk emotioneel geworden en Tate gunde haar een moment om bij te komen. 'Maar Nina had een geheim – ze was doodsbang dat Margo erachter zou komen. Ze had een kind.'

'Hoe oud?'

'Drie, geloof ik. In ieder geval niet veel ouder.'

'Wie was de vader?'

'Een fotograaf,' zei Veronica. 'Een Italiaan, en eentje die in ons wereldje zeer hoog stond aangeschreven. Nina had al tijdens haar zwangerschap geen enkel contact meer met hem.'

'Was daar een speciale reden voor?'

'Ik denk dat hij eerst ontkende dat hij de vader was. Maar toen hij zich realiseerde dat ze er niet op uit was hem een poot uit te draaien, ontkende hij het niet langer. Hij heeft echter nooit geprobeerd het kind te zien.'

'Dat moet hard geweest zijn.'

'Ja, dat denk ik, maar ze praatte er weinig over.'

Er schoot Tate iets te binnen. 'Bencini,' zei hij. 'Was dat haar meisjesnaam?'

'Nee, het was zijn naam.'

'Vrouwen nemen toch meestal niet de naam van hun partner als ze niet getrouwd zijn?'

Veronica glimlachte. 'Ze heeft hem gestolen,' zei ze. 'Nina Bencini klonk heel wat beter dan Nina Kelsey. En het gaat in ons vak nu eenmaal om verbeelding.'

Daar kon Tate zich iets bij voorstellen.

'Nina was gek op haar kind, meneer Tate, maar ze was geen goede moeder. Af en toe zorgde ze er zelf voor, maar meestal liet ze dat over aan haar familie.'

Een onwettig kind zou in 1985 geen probleem mogen zijn. 'Waarom was ze zo bang dat Margo erachter zou komen?'

'Ze wilde het gewoon niet riskeren. Het was best mogelijk dat Margo er helemaal geen probleem mee zou hebben. Maar

Margo had ook wat je noemt nogal ouderwetse opvattingen. Je wist gewoon niet hoe ze zou reageren. Ze had ook kunnen besluiten dat ze geen ongehuwde moeder in haar boeken wilde hebben. En het was nog niet zo lang geleden dat een meisje haar Miss World-titel moest inleveren toen uitkwam dat ze een onwettig kind had.'

Tate begreep nu waarom Nina, wier carrière, wier leven in feite, min of meer in handen lag van een machtige en mogelijk hoogst onvoorspelbare matrone, het maar liever geheim hield.

'Dus Margo wist het niet,' zei Veronica. 'En toen ze er eindelijk achter kwam, maakte het niet meer uit. Nina stond niet langer bij haar ingeschreven. Er was iets gebeurd dat maakte dat ze bij het bureau wegging.'

Nina werd voorgesteld aan Francis Herrol. 'Hij nodigde ons uit op Lyndle voor een zomerfeest. Het was een hele gebeurtenis. Een tent op het gazon. Gratis champagne. We bleven er 's nachts.'

'Waar sliep u?'

'We sliepen niet. Het was een feest.'

Het was jaren geleden dat Tate naar een dergelijk feestje geweest was. Hij voelde zich plotseling oud.

'En de volgende ochtend vertrokken we weer.'

Dat was het? Meer was er niet gebeurd?

'Pas nadat we terug waren in Londen, gebeurde er iets.'

Francis Herrol was hen achterna gekomen. En omdat hij Nina's huisadres of telefoonnummer niet kende, hing hij rond bij het bureau in de hoop haar te zien. 'Maar het feit dat je bij een bureau ingeschreven staat, wil nog niet zeggen dat je daar ook woont. Er kunnen weken voorbijgaan, maanden soms, zonder dat je er een voet over de drempel zet. Margo handelde haar zaken voor het grootste deel telefonisch af en stuurde ons op die manier naar onze opdrachten. Dus begon hij het personeel lastig te vallen met verzoeken om Nina's adres.'

'Ik neem aan dat Margo daar niet blij mee was.'

'In het begin was ze heel beleefd. Ze legde uit dat ze het niet fijn vond dat hij zo ongeveer voor hun deur kampeerde. Maar na een paar dagen liet ze hem uit het bureau zetten. Ze dreigde met de politie als hij terug zou komen.'

'Dat klinkt nogal extreem.'

'U kunt dat niet begrijpen – hij was getrouwd en zoals ik al zei, had Margo nogal ouderwetse ideeën. Het idee dat een getrouwde man honderden kilometers reisde om achter een van haar meisjes aan te gaan, vond ze niet prettig.'

'Wat vond Nina er eigenlijk van?'

'Geen idee. Ze had het nooit over hem. Maar ik vermoed dat hij uiteindelijk toch haar nummer te pakken heeft gekregen, hoewel hij nooit gebeld heeft als ik er was en hij ook nooit naar de flat kwam in mijn aanwezigheid.'

Voordat Tate kon vragen hoe ze zo zeker wist dat Francis uiteindelijk toch Nina's nummer had achterhaald, voegde ze eraan toe: 'Toen vertrok Nina bij het bureau. Ze liep op een dag gewoon weg – niet alleen bij Margo, maar ook bij mij. Ze liet alles achter. Zomaar – en zij was wel de laatste van wie ik zoiets verwacht had.'

'Waar ging ze heen?' vroeg Tate.

Veronica pakte haar tas en haalde er een brief uit. Ze gaf hem aan Tate, die zag dat hij was verstuurd vanuit een hotel in Rome.

'Ze schreef me dat ze contact had gehad met de vader van haar kind. Hij had haar gevraagd om naar Italië te komen en het samen te proberen.'

'Wat vond u daarvan?'

'Volgens mij was het niet waar.'

'Waarom niet?'

Veronica antwoordde: 'Omdat ze het vrijwel nooit over hem had, en als ze dat wel deed, klonk ze niet echt verbitterd.'

Tate begreep niet goed wat ze daarmee wilde zeggen.

'Mensen proberen een relatie geen nieuw leven in te blazen als het ze onverschillig laat.'

'Misschien deed ze alleen maar alsof?'

'Dat geloof ik niet. Een paar maanden daarvoor had er een foto gestaan in een of ander tijdschrift – nu ik er nog eens goed over nadenk zou het wel eens *Harpers* geweest kunnen zijn. Maar goed, daarop stond hij op een podium om een prijs voor zijn werk in ontvangst te nemen. En aan zijn arm hing een fantastisch uitziende vrouw.'

'En?' zei Tate.

'En Nina zei dat haar jurk van Galliano was. Dat was zo ongeveer de enige interesse die ze voor die foto toonde. Begrijpt u het niet? Ze hield niet meer van hem.'

Tate begreep nu precies wat ze bedoelde.

'En waarom in een hotel logeren?' zei Veronica. 'Waarom niet bij hem intrekken?'

Opnieuw begreep hij waar ze heen wilde.

'Ze beloofde me weer te schrijven zodra ze een vast adres had.'

'En, heeft ze dat gedaan?'

'Nee,' zei Veronica. 'Dat was het laatste dat ik van haar gehoord heb.'

Tate kon wel begrijpen dat het zien van Francis Herrols naam in de kranten dit allemaal weer naar boven had gebracht. Maar wat hij niet begreep, was wat het met zijn huidige onderzoek te maken had. Hij wilde daar net iets over zeggen, toen Veronica verderging.

'Het klinkt u misschien vreemd in de oren omdat ik daarnet nog zei dat we heel goed met elkaar konden opschieten, maar van bepaalde aspecten in haar leven wist ik helemaal niets, en ik vroeg er ook niet naar. Ze was heel erg op zichzelf. Maar dat wil nog niet zeggen dat we niet heel goed met elkaar overweg konden.'

Tate beaamde dat je niet per se alles van iemand hoefde te weten om er toch goed bevriend mee te zijn. Veronica ging verder: 'Ik wist bijvoorbeeld dat ze een kind had, en ik wist wie de vader was. Maar ik wist niet waar haar familie woonde, dus via hen kon ik haar verblijfplaats niet achterhalen. Ik bleef maandenlang hopen dat ik iets van haar zou horen. Het leek me zo mooi om elkaar in Italië te ontmoeten en een paar dagen samen te zijn. Kinderlijk, ik weet het.'

Tate wilde zeggen dat je zorgen maken om wat er met iemand aan de hand was helemaal niet kinderlijk was. Nina was een vriendin geweest. Maar hij begreep nog steeds niet wat dit met zijn huidige onderzoek te maken had.

'En toen bleek dat ze, vlak voor ze... verdween, iets onvergeeflijks met haar kind gedaan had.'

Hoe onvergeeflijk? vroeg hij zich af. Hij hoopte dat ze niet zou gaan vertellen dat Nina het verwond had.

'Ze liet het ergens achter. Ze liet het gewoon achter en verdween.'

'Waar?'

'Heathrow Airport.'

Beelden van een kind dat door de terminals zwerft. 'Waar precies?'

'In een... hokje,' zei Veronica.

'Een openbaar toilet bedoel je?'

Ze knikte. 'Het is afschuwelijk, ik weet het.'

Het was inderdaad een verschrikkelijke daad, maar wanhopige mensen deden wanhopige dingen en het leek hem dat Nina wanhopig moest zijn geweest om zoiets te doen. 'U zei dat u na die brief nooit meer iets van haar gehoord had...'

'Niemand,' zei Veronica. 'En na een paar maanden begon men zich zorgen te maken – het bleek dat ik niet de enige was die niets meer van haar hoorde.'

De Italiaanse politie had een onderzoek ingesteld naar Nina's verdwijning. Ze ondervroegen de vader van het kind, maar kwamen tot de conclusie dat hij geen motief had om zich van haar te ontdoen. 'Uiteindelijk,' zei Veronica, 'moesten ze hem laten gaan.'

'Heeft iemand ooit ontdekt wat er met haar gebeurd is?'

'Nee,' zei Veronica zacht. 'Je hoort wel eens verhalen – van mensen die vermist raken – maar je denkt dat zoiets nooit de mensen in jouw omgeving overkomt. Iemand die je... liefhebt.'

Tate had dit in zijn carrière al zo vaak gehoord.

'En toen hoorde ik dat er stoffelijke resten gevonden waren in Lyndle en dat al bekend was dat die niet van het meisje waren naar wie u zocht, en toen leek opeens alles op zijn plaats te vallen.'

Veronica klemde de brief steviger vast dan de bedoeling was. Hij verkreukelde en Tate keek hoe hij verkreukeld werd.

'Ik was zestien toen Nina en ik hierheen kwamen. Toen ik zei dat ik nog nergens vanaf wist, sprak ik de waarheid – ik wist niets. Pas toen ik ouder werd, werd ik me bewust van die blik die zij tijdens het feest wisselden – een vluchtige blik. Het duurde hooguit een seconde en toch leek het wel een eeuwigheid. Daarom kwam Francis Herrol naar Londen. Daarom hing hij rond bij Margo's.'

'Wat wilt u precies zeggen?'

'Ik wil zeggen dat Nina niet naar Italië is gegaan, behalve dan misschien om een paar brieven op de post te doen – daarna is ze hierheen gegaan. Ze kwam naar Lyndle om bij Francis Herrol te zijn. Maar hij was getrouwd. Kennelijk wilden ze geen van beiden laten uitlekken dat ze iets met elkaar hadden en daarom loog ze over haar verblijfplaats.'

'Wilt u zeggen...'

'Ze kwam naar Lyndle om bij hem te zijn. En vervolgens verdween ze.'

Na Audrah de kans te hebben gegeven te verwerken wat hij te horen had gekregen, voegde Tate eraan toe:'Na mijn gesprek met Veronica heb ik er een paar van mijn mensen op gezet. Ze kwamen terug met de informatie die ik nodig had en het blijkt allemaal te kloppen. Een paar maanden nadat Nina die brief aan Veronica had geschreven, gaf haar familie hier en in Italië haar als vermist op.'

'Waarom wachtten ze daar zo lang mee?' vroeg Audrah.

'De familie in Engeland nam aan dat ze daar was, en vice versa, maar na een tijdje begon toch iedereen zich zorgen te maken. De Italiaanse politie deed zijn best om te bewijzen dat de vader van het kind er op de een of andere manier bij betrokken was, maar er was geen greintje bewijs tegen hem en niemand begreep ook wat zijn motief kon zijn. Hij had op dat moment een andere vriendin en hij leek niet geïnteresseerd in het voogdijschap over het kind.'

Toen Audrah geen commentaar gaf, besloot Tate haar een beetje te voeren.

'Een paar dagen geleden zei je dat er niets op aarde was dat niet rationeel verklaard kon worden.'

'Nou, en?' zei Audrah.

'Nou, dit is de kans om dat te bewijzen. Vertel me maar eens hoe Rachel getuige geweest kan zijn van een moord die achttien jaar geleden gepleegd is.'

35

De volgende ochtend werd Tate naar een cottage geroepen die vijfentwintig kilometer buiten Otterburn lag. Het woord 'cottage' riep beelden op van rieten daken in een serene omgeving, maar er was niets sereens aan het wonen in een pand dat aan het begin van de vorige eeuw was gebouwd voor een landarbeider.

De boerderij waar het huisje bij had gehoord, had het al heel lang geleden verkocht en het was nu in het bezit van een huisbaas die het verhuurde aan een gezin dat van de bijstand leefde. Het stond eenzaam op een helling in het ruige, heuvelige land. Het zag er somber, afgelegen uit. En het was er vooral koud.

Tate stond op het door onkruid overwoekerde pad en bonsde op de deur. Even later werd er opengedaan door een vrouw van in de dertig. Haar nietszeggende, ronde gezicht vertoonde al veel te veel rimpels voor haar leeftijd en haar dunne, sluike haar werd met een elastiekje bij elkaar gehouden.

Tate liet zijn legitimatie zien en ze liet hem binnen. De deur kwam direct uit op een kamer vol met wasgoed. Voor een gaskachel stond een droogrek en uit de kleren steeg een damp op die zich aan de wanden hechtte en langs het stucwerk omlaag droop.

Dit waren de omstandigheden waaronder Jacqueline Edmunds, haar twee jonge kinderen, haar bejaarde ouders en haar echtgenoot probeerden te overleven. En 'overleven' was het juiste woord. Je kon dit geen leven noemen.

Ze voelde zich beschaamd, zei ze, dat ze hem niet meer kon aanbieden dat een kopje poederkoffie – zwart. 'Melk is er niet.' En ze schaamde zich ook voor de vlekken op de bank. 'Ik had hem nog willen schoonmaken voor u kwam.'

Het gaf niet, stelde Tate haar gerust. Hij dronk zijn koffie graag zwart. En ze moest eens weten wat zijn eigen kinderen met zijn bank uitspookten.

Zijn Noord-Engelse accent stelde haar enigszins op haar gemak. 'U bent heel anders dan de agent die hier eerder was. Hij sprak zo keurig.'

De agent in kwestie was een knaap uit Manchester, maar Tate kon zich voorstellen dat hij voor haar zo ongeveer als de koningin-moeder klonk.

Alsof ze blij was eindelijk eens met iemand te kunnen praten, barstte ze plotseling los. 'U kunt zich niet voorstellen hoe het is om hier met zijn allen te leven.'

Tate wist maar al te goed hoe moeilijk het was om in dergelijke omstandigheden een gezin groot te brengen. Het verschilde niet zoveel van het gezin waarin hij zelf was opgegroeid. 'Hoe bent u hier terechtgekomen?'

'Dave en ik zijn in deze streek geboren,' zei Jackie. 'En trouwens, er is dan misschien wel werk in Newcastle, maar er zijn daar ook drugs – en we hebben twee opgroeiende kinderen van elf en veertien.'

Dan nog liever verhongeren. Dan nog liever bevriezen in een stuk niemandsland dan je afvragen wie je kinderen benaderde als ze 's middags de school uitkwamen.

'Maar het valt allemaal niet mee,' zei ze. 'Als Dave nu werk had, zou het anders zijn, maar zo is het nu eenmaal niet.'

Tate beaamde dat het inderdaad een andere zaak was als Dave werk had gehad. Dan hadden ze om te beginnen een groter huis kunnen huren – iets met voldoende kamers om twee opgroeiende kinderen in onder te brengen die in wezen ook recht hadden op een eigen kamer. Het leven was al moeilijk genoeg zonder ook nog eens de extra zorg voor een paar bejaarde ouders, waarvan er eentje bedlegerig was en de ander actiever dan goed voor haar, of voor wie dan ook, was. 'Ze is regelmatig zoek, meneer Tate. Het is onmogelijk om haar binnen te houden.'

Tate wist dat Jackie's moeder, Edith, de gewoonte had om het huis uit te gaan, een bus naar Otterburn te nemen, om vervolgens te proberen terug te lopen om een kaartje uit te sparen. Volgens de politierapporten was Edith al diverse malen als vermist opgegeven sinds zij en haar echtgenoot bij haar dochter waren ingetrokken. Ze werd meestal binnen enkele uren weer teruggevonden, voornamelijk omdat ze langzaam liep en de verharde weg volgde, dus het was niet zozeer Ediths verdwalen dat het probleem was. Het probleem was dat Edith een beetje dement aan het worden was. 'Ik zweer het, meneer Tate, je kunt haar gewoon niet vertrouwen. Een paar weken geleden vertelde ze tegen iedereen dat haar een hoofdrol in *Coronation Street* was aangeboden.'

Tate glimlachte.

'Dus u begrijpt,' ging Jackie verder, 'dat we er nauwelijks aandacht aan schonken toen ze zei dat ze een lijk had gevonden.'

Dat bracht Tate weer in herinnering waarom hij hier eigenlijk was. Hij hield op met lachen toen Jackie eraan toevoegde: 'Week na week gaf ze ons een nauwgezet verslag van hoe het ermee ging. Eerst was het gewoon dood. Toen begon het te ontbinden. Toen ging het verschrikkelijk stinken. Ik besteedde er niet veel aandacht aan. Dat zou u toch ook niet doen?'

Tate keek naar een brief die Jacqueline Edmunds had laten zien aan de knaap uit Manchester nadat ze de politie gebeld had. Haar moeder beweerde die op of bij het lichaam gevonden te hebben. Jackie wist niet of hij echt was, maar ze had in de krant gelezen wat er op Lyndle gaande was, dus toen ze de ondertekening had gelezen, had ze natuurlijk direct de politie gebeld.

'Waar is uw moeder nu?' vroeg Tate.

'Boven.'

'Denkt u dat ik haar even zou kunnen spreken?'

Edith Edmunds kwam met verbazende lenigheid de trap af. Ze was opmerkelijk fit voor haar leeftijd. Ze was ook goed gek.

'Ze heeft zeker weer over me lopen roddelen, niet?'

Tate gaf toe dat, ja, haar dochter had geklikt, maar dat Edith daar niet kwaad over hoefde worden. Hij begreep heel goed dat het lijk haar geheimpje was, maar toen haar dochter eenmaal die brief gelezen had, ze zich realiseerde dat het haar plicht was het aan de politie te melden. 'Denkt u dat u ons kunt aanwijzen waar u het lichaam gevonden heeft?'

Onmiddellijk keek Edith hem nogal verlegen aan. Er school niets kwaadaardigs in die blik. Ze speelde een spelletje met hem.

'Wat levert me dat op?' zei ze.

'Wat zijn uw lievelingssnoepjes?'

'Vruchtendrop.'

'Dan koop ik een paar ons voor u.'

'Vier,' zei Edith fel.

'U kleedt me wel uit, zeg,' zei Tate plagerig, en dat brak het ijs.

'Ik laat het niet zomaar aan iedereen zien.'

'Nee, dat begrijp ik.'

Normaal gesproken kostte het haar ruim een uur om de helling achter het huisje te beklimmen. Vandaag reisden zij en Tate in stijl en de terreinwagen bracht hen tot vlakbij een rotspartij.

Dit, zei ze, was als meisje een van haar favoriete plekjes geweest en toen Tate het uitzicht zag dat zich voor hem uitstrekte, kon hij begrijpen waarom. Hij kon ook begrijpen waarom ze herhaaldelijk de benauwde, somber makende sfeer van het huisje ontvluchtte. Maar Tate was hier niet om na te denken over Ediths motieven om weg te lopen; hij was hier om een lijk te vinden, en nu vroeg hij haar waar het lag.

Edith, een en al grootogige onschuld, zei: 'Vlak naast je, schat.'

Tate keek om zich heen, maar hij zag alleen maar rotsen. 'Edith,' zei hij, 'ik zie geen lijk.'

Ze wees naar een groepje kleine rotsblokken. Tate tuurde ertussen en zag iets uit de sneeuw steken wat op de ribbenkast van een schaap leek. Maar het was niet van een schaap – of dat schaap moest kleren aangehad hebben.

Er vlakbij lag een jasje; het was kennelijk door aaseters van de stoffelijke resten getrokken. Toen Tate ernaartoe liep, zei hij: 'Wanneer heb je dit gevonden, Edie?'

'Vlak nadat we bij onze Jackie zijn ingetrokken,' antwoordde Edith.

Tate herinnerde zich dat Jackie had verteld dat haar ouders ongeveer een maand geleden bij haar waren komen wonen. *Ze kon de zorg voor pa niet meer aan, dus ik had niet veel keus.*

Ze vond het vervelend dat het ten koste van de ruimte voor haar kinderen ging. Haar echtgenoot betreurde het verlies van zijn privacy. En Edith betreurde het verlies van haar huis, en haar onafhankelijkheid. Ze begon vrijwel onmiddellijk lange, eenzame wandelingen te maken. En ze vond bijna onmiddellijk het lichaam van Francis Herrol.

Sinds haar vondst was Edith regelmatig teruggekeerd voor een praatje. Hij kon goed luisteren, zei ze tegen Tate. Haar dochter leek nooit tijd voor haar te hebben, maar meneer Dood Lichaam leek blij met haar gezelschap. Op een gegeven moment hadden dieren de kleren van zijn lichaam gerukt en dat was ook het moment dat ze zijn zakken had doorzocht. Niet om te stelen, haastte ze zich eraan toe te voegen, maar om te kijken of er misschien iets was wat ze voor hem in bewaring kon nemen. Het enige dat ze vond, was een brief. Ze nam hem mee naar huis en verstopte hem onder haar bed. Haar dochter vond hem toen ze het bed verschoof om te stofzuigen.

Na wat Edith hem verteld had, dacht Tate zich een redelijk goed beeld te kunnen vormen van Francis Herrols laatste uren. Hij was hierheen gekomen en was met zijn rug tegen de rotsen gaan zitten. Vervolgens pleegde hij zelfmoord, na eerst een brief te hebben geschreven waarin hij de situatie uitlegde.

Tate keerde terug naar Lyndle in de wetenschap dat hij en Audrah, na Claudia het nieuws van Francis' zelfmoord te hebben verteld, al even verpletterend nieuws voor Rachel hadden. Audrah had hem vanochtend gebeld.

'U hebt me uitgedaagd,' zei Audrah. 'Ik neem de uitdaging aan.'

36

Na de Harveys te zijn voorgegaan naar de verhoorkamer, waarschuwde Tate Rachel dat wat Audrah op het punt stond te vertellen nogal een schok zou kunnen zijn.

Ze zag er onmiddellijk nerveus uit en Audrah probeerde haar te kalmeren. Ze hoefde zich nergens druk over te maken – het was alleen dat zij en Tate, na wat Rachel hun gisteren verteld had, een verklaring hadden gevonden voor wat ze gezien had.

Het was een benadering die niet erg bijdroeg tot een vermindering van de spanning. Rachel zocht de hand van haar echtgenoot en greep die stevig beet.

'Wat jij zag, had te maken met de moord op een vrouw die enige tijd geleden gestorven is.'

'Hoe lang geleden?'

Ze konden er niet langer omheen draaien. 'Achttien jaar.'

Het duurde even voor de implicaties verwerkt waren, maar toen stond Rachel resoluut op. 'Ik ga hier weg.'

'Rachel...' zei Audrah.

Ze begon te schreeuwen. 'Guy – zorg dat ze me laten gaan!'

Het kostte heel wat moeite om haar te kalmeren. Het was ook wat: een psychologe, in het gezelschap van een inspecteur van politie, die beiden leken te bevestigen wat zij allang vermoedde – dat ze een geest had gezien.

'Er zat een extra droevige kant aan de zaak,' zei Audrah, voorzichtig. 'Ze had een kind. We geloven dat het kind bij haar was op de dag dat ze werd vermoord.'

Guy zei: 'Wat heeft dat te maken met wat Rachel gezien heeft?'

Audrah antwoordde: 'We wisten dat ze in die pijp gekropen was om te sterven. Wat we niet wisten, was waarom. We weten nu dat ze probeerde aan haar moordenaar te ontsnappen. En dat weten we omdat... Rachel het zag gebeuren.'

'Maar dat kan toch helemaal niet,' zei Rachel. 'Niet als het achttien jaar geleden gebeurd is. En ik heb ook geen kind gezien. Er *was* geen kind.'

'Ik ben bang van wel,' zei Audrah.

'Nee – dan zou ik haar hebben gezien.'

Audrah drong heel voorzichtig door haar koppigheid heen. 'Je hebt dat kind niet gezien omdat jijzelf dat kind was.'

De boodschap werd gevolgd, zoals Audrah al had voorzien, door ontkenning. Rachel hield vol dat de feiten niet deugden.

'Guy, vertel het ze.'

'Ze was je moeder,' zei Audrah.

'Nee,' zei Rachel. 'U hebt het helemaal verkeerd. Mijn moeder stierf bij een roofoverval. En voor afgelopen zomer was ik nog nooit in Lyndle geweest.'

'Ik ben bang van wel,' zei Audrah.

'Dan zou ik het me toch herinneren?'

'Je was drie,' zei Audrah. 'Dan kan niet van je worden verwacht dat je je bewust iets herinnert. In je onderbewuste echter herinnerde je je heel veel dingen, zoals die opening tussen de bomen die naar de holle weg leidde.'

Rachel schudde haar hoofd. Het kon niet waar zijn. Ze wilde gewoon niet dat het waar was. Guy daarentegen was bereid de mogelijkheid in overweging te nemen.

'Rachel,' zei hij, 'ik denk niet dat de politie dit allemaal zou zeggen als ze de feiten niet hadden gecontroleerd.' Alsof hij er zelf niet helemaal van overtuigd was, voegde hij eraan toe: 'Nee toch?' Tate antwoordde: 'We hebben ze gecontroleerd.'

'Nee,' zei Rachel. 'Wat ik zag, was een geest.'

Ze had in zekere zin gelijk, dacht Audrah, hoewel misschien niet veel mensen het als een geest zouden bestempelen. Haar onbewuste herinneringen aan wat er met haar moeder was gebeurd, waren door haar terugkeer naar het huisje naar boven gekomen. Misschien zonder het zich te realiseren had ze de neiging gevoeld de tuin uit te lopen naar het pad dat naar de holle weg leidde. Eenmaal in de buurt van de pijp, die weliswaar niet meer zichtbaar was, begon haar onderbewuste al lang begraven herinneringen te reproduceren. Maar het onderbewuste kon soms heel vriendelijk voor je zijn. Het liet dergelijke herinneringen soms slechts stukje bij beetje naar boven komen. Soms kwamen ze in de vorm van dromen. Een andere keer manifesteerden ze zich als flashbacks. En heel af en toe was de persoon die deze herinneringen opnieuw beleefde, ervan overtuigd dat hij of zij getuige was van een bovennatuurlijk fenomeen.

'Waarom zou Ruth zeggen dat mijn moeder was omgekomen bij een roofoverval als dat niet waar was?'

'Ze probeerde waarschijnlijk jou in bescherming te nemen.'

Dat was maar een gok, maar het leek Audrah aannemelijk dat na verloop van tijd de hoop dat Nina nog ooit zou opduiken steeds meer vervaagde en Ruth zichzelf gedwongen zag de feiten onder ogen te zien: of haar zus was dood of ze had Rachel in de steek gelaten. Wat het ook was, ze had waarschijnlijk besloten Rachel te beschermen tegen dingen die ze volgens haar maar beter niet kon weten. Ze voegde eraan toe: 'Het is mogelijk dat door iets wat jij gezegd hebt, Ruth het vermoeden kreeg dat je getuige was geweest van een gebeurtenis die je maar beter kon vergeten. En je bent het vergeten. Heel jonge kinderen vergeten zoiets altijd.'

'Maar niet echt dus,' zei Guy.

'Nee,' zei Audrah. 'Niet echt. Dat geldt voor ieder van ons. We bergen onze herinneringen heel diep weg. En soms, als we ouder worden, komen ze weer naar boven. Heel oude mensen herinneren zich hun jeugd soms levendiger dan hun latere leven.'

Guy leek in ieder geval de mogelijkheid te willen accepteren dat dit waar was. Rachel echter volhardde in haar ontkenning. 'Maar je zou toch denken dat je je *iets* herinnerde?'

Ze zocht naar een andere verklaring en Audrah vermoedde dat het moeten toegeven dat ze een geest had gezien verre te verkiezen was boven de waarheid. Rationele verklaringen waren niet altijd even aangenaam, of geloofwaardig. Je had soms even tijd nodig om eraan te wennen.

Deze uitleg vinden, de feiten op een rij zetten, had Audrah tot in de vroege uurtjes uit haar slaap gehouden. En het was niet alleen de uitdaging van Tate die haar daartoe had aangespoord: integendeel, ze wilde zelf een verklaring vinden, want ze was geconfronteerd met iets wat ze niet kon verklaren en ze wilde niet gedwongen worden te erkennen dat bepaalde paranormale ervaringen misschien toch wel echt konden zijn.

De implicaties voor haar persoonlijk zouden te verontrustend zijn. Het zou kunnen betekenen dat ze toch nog contact kon krijgen met Lars en dat zou maken dat ze emotioneel aan hem gebonden bleef. Er zou nooit ruimte zijn voor een nieuw iemand in haar leven. De ruimte daarvoor zou worden ingenomen door een geest. Het zou haar ervan weerhouden een normaal leven te leiden, want je kon toch van niemand verlangen haar met een geest te moeten delen? Geen wonder dat een positief bewijs van een hiernamaals mensen van hun stuk bracht. Maar weinigen realiseerden zich hoe emotioneel destructief dat zou zijn.

Tate zei: 'Wat deed je vermoeden dat Nina weleens Rachels moeder kon zijn?'

Audrah antwoordde: 'Wat Rachel verder ook gezien had, het was zeker geen geest en het was ook duidelijk dat ze niet in de kranten kon hebben gelezen over de omstandigheden rond Nina's verdwijning, want er was niets over bekend. De enige verwijzing daaromtrent in de pers was dat een Engels model in Italië vermist was. Niets over Lyndle, of bloemen, of pijpen. En toch was Rachel zich van dit alles bewust. Bovendien kwam haar reactie, haar gedrag, erg overeen met wat we weten van kinderen die getraumatiseerd zijn...'

'Waarom was het voor haar zo moeilijk om te accepteren dat ze een geest had gezien?'

Audrah antwoordde: 'Parapsychologen zien heel wat mensen die beweren een geest te hebben gezien. We hebben al snel in de gaten wie dat echt geloven, want dat zijn degenen die het niet kunnen verwerken. Plotseling weten ze zeker – of misschien moet ik zeggen: denken ze zeker te weten – dat er een spirituele wereld is en dat gooit hun hele waardesysteem overhoop. Ze beginnen aan alles te twijfelen. Ze zien bijna alles waar ze naar streven als bovennatuurlijk. Ze willen grote veranderingen. Vaak betekent dat dat ze hun huidige leven volkomen afzweren – hun partner, hun baan, hun leefomgeving, *alles*. Het is de totale omwenteling en dat willen ze toch eigenlijk niet. De rode draad in hun gedachten is dan ook: ik heb hier niet om gevraagd. Hier was ik niet naar op zoek. Waarom ik?'

'De Weg naar Damascus-ervaring.'

Wober was de expert op het gebied van religieuze zieners – hetgeen haar eraan herinnerde dat hij een boodschap op haar mobiel had achtergelaten. Hij had met Goldman gesproken. Of zij hem wilde bellen.

Er waren bepaalde dingen die ze nooit zouden weten, zoals wat Ruth dacht toen ze ontdekte dat haar zus een huisje bij Lyndle had. Maar Nina was fotomodel en mannen gaven voortdurend geschenken aan mooie vrouwen. Auto's, kleren, juwelen, paarden, vakanties en huizen. Misschien zocht ze er niets achter, hetgeen jammer was, want als ze de plaatselijke politie had verteld dat haar zus was verdwenen kort nadat iemand haar een huisje had gegeven, hadden ze misschien kunnen nagaan van wie ze het gekregen had en dat zou hen naar Francis geleid hebben. Dat betekende nog niet dat ze voldoende bewijs zouden hebben gevonden om een zaak te beginnen, maar het zou hen in ieder geval de juiste richting op hebben gewezen. Maar goed, Ruth leek niets van dat al te hebben gedaan.

Het huisje had de afgelopen jaren al diverse malen te koop gestaan. Niemand had een bod gedaan. Het dorp waarin het stond, liep leeg; er was geen werk en Lyndle was geen plek die hordes toeristen trok. Het huisje was steeds verder in verval geraakt, net als de rest van het dorp, en aangezien ze het niet kon verkopen en niet wist wat ze er verder mee moest, had Ruth het aan Rachel nagelaten. Ze had onmogelijk kunnen voorzien dat Rachel het zou willen bekijken en zelfs als dat wel zo was geweest, kon ze niet hebben voorzien dat het terugkeren naar die streek zulke traumatische herinneringen zou oproepen.

'Er zijn nog steeds een paar dingen die ik niet begrijp,' zei Audrah.

'Zoals wat er met Rachel is gebeurd nadat haar moeder is gestorven?'

'Ja,' antwoordde ze. 'Het werd duidelijk als te riskant gezien om haar daar rond te laten zwerven – als iemand haar daar vond, zou haar moeders connectie met Lyndle aan het licht kunnen komen. En dat zou de politie naar het huisje hebben gebracht, en naar Francis. Maar waarom die moeite om haar ergens anders heen te brengen? Waarom zou je haar laten leven? Waar werd ze heen gebracht? Door wie? Dat zijn de vragen waar ik nog geen antwoord op heb gevonden.'

'Misschien dat Claudia Herrol ze voor ons kan beantwoorden.'

37

Claudia zat in de studeerkamer van Lyndle Hall. Buiten stopte de politie haar spullen weer in de auto's. Nog even, en ze waren vertrokken. De sneeuw zou komen en dan zouden ook hun sporen worden uitgewist. Het zou zijn alsof er helemaal nooit politie geweest was. Maat niets zou meer hetzelfde zijn. Al snel zou ook zij hier weggaan, zij het dan niet uit vrije wil.

Het was nog maar enkele uren geleden dat ze over Francis had gehoord en het speet Tate dat hij dat had moeten vertellen op een moment dat het voor haar toch al zo moeilijk was.

Audrah bleef een beetje op de achtergrond, maar Tate ging naast haar zitten. De inhoud van de zelfmoordbrief onthulde wie Nina had vermoord, en waarom. Hij nam daarom aan dat ze wist wat er zou komen.

'Hebt u een advocaat?' vroeg hij. 'Iemand die u erbij zou willen hebben?'

Ze stak haar hand op, een futiel gebaar, maar voldoende om duidelijk te maken dat ze geen enkele behoefte aan een advocaat had. Toen, na enkele ogenblikken, zei ze: 'Ik kan heel goed begrijpen wat hij in haar zag. Ze was heel mooi, weet u. En zij was natuurlijk ook gecharmeerd van hem. Francis kon verschrikkelijk charmant zijn.'

Tate kon zich dat wel voorstellen.

'Hij maakte haar tot zijn minnares. Hij was er heel open

over. Hij begreep niet waarom je daar moeilijk over zou moeten doen. We waren allemaal volwassen, beschaafde mensen. Vrouwen uit alle sociale lagen hadden er helemaal geen probleem mee. Dus waarom ik dan wel?'

Je begrijpt toch wel dat ik haar moet hebben? Ik houd van haar.

'U moet toch beseft hebben dat het risico bestond dat we haar zouden vinden,' zei Tate.

'Ik denk dat ik het wist op het moment dat u naar Ginny begon te zoeken.'

Tate gaf daarop geen commentaar, en ze voegde eraan toe: 'Ik heb weleens gehoord dat mensen die moorden vaak de behoefte hebben erover te praten. Al die jaren heb ik gewild dat iemand het zou begrijpen.'

Tate zei niets.

'Ze heeft het totaal niet zien aankomen, weet u. Dat vond ik eigenlijk wel jammer. Iets in mij wilde haar confronteren, haar laten smeken. Ik had er de moed niet voor. Ik was bang, weet u – bang dat ik de moed zou verliezen. Ik zag al voor me hoe ik haar uitschold, haar beledigde, haar bedreigde, zonder uiteindelijk toe te steken. En ik was bang dat ze me uiteindelijk zou uitlachen. Dus stak ik haar in de rug.'

Tate sloot zijn ogen.

'Ze deed wankelend een paar passen. En toen draaide ze zich om en bracht haar hand naar achteren.. Ik geloof echt dat ze zich op dat moment niet realiseerde dat ze een mes in haar rug had gekregen. 'O, jij bent het,' zei ze. Dat klonk op dat moment zo raar. Ze moet gedacht hebben dat ik haar een klap op haar rug had gegeven. En toen keek ze naar haar hand, en er zat bloed op. En toen besefte ze het pas.'

Tate stelde zich voor hoe ze over de holle weg liep en iets voelde wat zij voor een harde duw in de rug hield. Ze had zich omgedraaid naar Claudia en direct begrepen dat dit een soort confrontatie was. 'Hoe hebt u haar daarheen weten te lokken?'

'Dat was helemaal niet nodig. Francis gaf haar als blijk van zijn gevoelens het huisje, maar zodra zij dachten dat ik weg was, gebruikten ze het echtelijke bed.'

'U had haar neergestoken,' zei Tate. 'En daarna?'

'Het was nogal een anticlimax eigenlijk. Ze stond daar, en ik ook, en het leek wel of er niets gebeurd was. Ze bleef maar achter zich reiken, alsof ze het nog steeds niet kon geloven. Misschien dacht ze dat het verf was, een akelige grap. En toen kwam plotseling de pijn. Ze zei: "O," en dat was alles.'

'En u?'

'Ik verloor de moed, zoals ik al gevreesd had. Bijna zei ik dat het me speet. Bijna hielp ik haar zitten en zei: "Sorry, ik begrijp niet wat me bezielde. Blijf hier zitten, dan ga ik hulp halen. Probeer zo min mogelijk te bewegen." Toen besefte ik dat er al geen weg terug meer was. De mensen zouden niet simpelweg zeggen: "O, arme Claudia. De spanning werd je zeker te veel." Hoe erg ook de provocatie, niets rechtvaardigt dat je een ander met een mes van vijftien centimeter in de rug steekt. Het gezichtsverlies. De onvermijdelijke gevangenisstraf. Maar vooral Francis, en het feit dat ik niets meer kon doen om te voorkomen dat hij van me zou gaan scheiden. Ik was alles kwijtgeraakt.'

Het leek wel of ze na al die jaren een onweerstaanbare behoefte had om uit te leggen hoe ze het had gedaan.

'Ik weet dat het onnozel klinkt, maar zo ging het nu eenmaal. Ze begon achteruit te lopen en ik maakte de hele tijd een soort danspasjes in haar richting. Af en toe haalde ik met het mes naar haar uit. Het maakte geen diepe wonden, alleen wat sneetjes. Ik had niet het lef om...'

Echt op haar af te gaan. Om te doen wat een getrainde soldaat zou doen en er snel een eind aan te maken. Ze wist niet hoe ze moest doden, dus deed ze wat jonge roofdieren doen: ze maakte er min of meer een spelletje van. Ze experimenteerde. Ze werd wanhopig van haar eigen onvermogen om een dodelijke steek toe te brengen. Maar ze bleef het proberen.

'Ik heb ooit eens iets nogal afschuwelijks gelezen,' zei Claudia. 'Een vrouw liep in haar eentje door een nationaal park in Amerika. Er zijn daar beren, weet u. Verschrikkelijke dieren. Vergeet die sentimentele onzin over hoe mooi het is om ze weer in het wild te kunnen uitzetten. Over dinosaurussen zou je min of meer hetzelfde kunnen zeggen. Ze horen bij een tijdperk dat nog veel gewelddadiger is dan we ons kunnen voorstellen. Maar beren bestaan in het hier en nu. En eentje ervan viel haar aan.'

Tate ving Audrahs blik op. Ze vroegen zich af waar dit heen moest.

'Het was een zwarte beer, geloof ik. Geen grizzly. Een grizzly zou haar binnen enkele seconden gedood hebben. Het beest bleef maar op haar afkomen. Ze weerde hem af met haar arm en hij rukte in één keer het vlees van haar botten. Ze verloor haar arm. Maar door kalm te blijven, overleefde ze het. Dat is wat ik nu moed noem, en tegenwoordigheid van geest. Nina bezat ook die tegenwoordigheid van geest. Ze bleef volkomen kalm. Ze probeerde me zelfs tot een gesprek te verleiden: "Ik begrijp dat je heel erg van streek bent en ik besef nu dat niemand jouw kant van de zaak heeft willen zien. Kunnen we er misschien over praten en deze hele toestand uit de wereld helpen?"

Op dat moment kwam Rachel aanrennen. Ik wist niet dat ze bij haar was. "Mammie,"' zei ze. "Je zit helemaal onder het bloed!" En Nina vertelde haar dat zij en de dame een gesprek voerden. Ze zei dat ze ergens moest gaan spelen.' Ze zweeg even. 'Kinderen zijn niet gek, inspecteur. Ze stond daar en keek toe hoe ik eindelijk het mes in de maag van haar moeder dreef. Toen pas viel ze. Toen pas lag ze kronkelend op de grond. Ze rolde op haar buik en bleef zo liggen. Maar na enkele ogenblikken begon ze weg te kruipen.'

Tate herinnerde zich wat Rachel had gezegd – dat ze zich omdraaide en een vrouw door het struikgewas zag kruipen.

'De pijp lag enkele meters verderop. En ze kroop zo langzaam.'

'Hebt u haar nogmaals gestoken?'

Claudia schudde haar hoofd. 'Daar kon ik mezelf niet toe brengen.'

'En waar was Rachel?'

'Die stond een eindje verderop. Zwijgend, zoals dat gaat als ze iets niet begrijpen en doodsbang zijn.'

'En toen ze de pijp bereikte?'

'Het leek wel een droom. Een van die dromen waarin mensen hele vreemde dingen doen. En nadat ze was verdwenen, nadat ze... erin gekropen was, u zult het niet geloven – binnen enkele seconden moest ik mezelf ervan overtuigen dat ze hier ooit geweest was. Zonder het bloed en dat kind...'

'U hebt Rachel niet gedood. Waarom niet?'

Claudia antwoordde: 'Ik mag dan misschien een moordenaar zijn, maar ik ben ook een moeder. Nicholas was nauwelijks twee jaar ouder. Ik kon het niet... ik kon het gewoon niet...'

'U hebt haar op Heathrow achtergelaten,' zei Tate. 'Dat is nogal een eind rijden.'

'Ik wist niet wat ik anders met haar moest. Ik wist dat Nina een zus had, maar ik wist niet waar ze woonde. En ik kon haar niet door die bossen laten dwalen. Ze was drie. Er kon haar van alles overkomen. Maar ik kon ook niet riskeren dat ze ergens in de buurt van Lyndle gevonden werd. Ik hoopte waarschijnlijk dat de mensen zouden denken dat Nina haar had achtergelaten en naar een of andere plaats in het buitenland was gevlogen.'

'En haar spulletjes?' vroeg Tate.

'Ik ben naar het huisje gegaan en heb dat uitgeruimd.'

'Was u niet bang dat iemand u zou zien?'

'Ze hebben me ook gezien,' zei Claudia.

'Vroegen ze niet waar u mee bezig was?'

'Nee.'

'Waarom niet?'

'Omdat ik ben die ik ben en het kwam gewoon niet bij ze op om het te vragen. Ze vroegen het zich misschien wel af, maar vragen – nee. En de mensen wisten ook dat het huisje van ons was. Alles was van ons. De school, de kerk, de winkel. Ze dachten waarschijnlijk dat ik eindelijk voet bij stuk had gehouden en zijn minnares de deur uit had gezet.'

'En Francis?' zei Tate. 'Ik neem aan dat hij wist wat u gedaan had?'

'Het betekende het einde van ons huwelijk. Hij ontweek me. Zei nog nauwelijks iets tegen me. Hij kon zelfs af en toe mijn aanblik niet verdragen.'

'En toch bleef u getrouwd?'

'We hadden Nicholas met wie we rekening moesten houden. Francis wilde niet dat hij de gevolgen zou ondervinden van... wat ik had gedaan en... het was in zekere zin nog heel achtenswaardig van hem – hij was bereid zijn deel van de verantwoordelijkheid te nemen. Hij had haar tenslotte hierheen gehaald. Hij had haar tot zijn minnares gemaakt.' Na enkele ogenblikken voegde ze eraan toe: 'Maar hij kwam nooit meer in de buurt van de holle weg, behalve om af en toe een bos bloemen bij de pijp te leggen. Hij... hij is haar nooit vergeten...'

'En afgelopen augustus,' zei Tate, 'zag hij Rachel tussen de bomen.'

'Hij wist direct wie ze was. Ze lijkt kennelijk op haar moeder. Lang, donker en exotisch. Hij dacht dat ze het zich herinnerd had. Hij dacht dat ze daarom was teruggekomen.'

'Wist u dat hij van plan was zelfmoord te plegen?'

'Ik vermoedde iets.'

Tate herinnerde zich dat Francis was gestorven met uitzicht op een bepaald gedeelte van het landschap. 'Ik neem aan dat hij verkoos te sterven op een plek die een bijzondere betekenis voor hem had?'

Dat prachtige licht. Het lijkt me een ideale ochtend om eropuit te trekken.
Je bent van plan haar te ontmoeten.
Ik heb geen tijd, en ook geen geduld, voor hysterische toestanden.
Ik vermoord haar... ik zweer het, Francis...
'Ja,' antwoordde ze.

38

Cranmer had besloten terug te keren naar de States. Eerder die dag was Tate hem wezen opzoeken in het Grange Hotel. Hij was aan het pakken. Toen Tate verscheen, vroeg hij de receptie hem naar zijn kamer te sturen. Die werd gedomineerd door een hemelbed. Tate ging erop zitten en zei: 'Gisteren heeft de psychiater die Nicholas behandelt een ontmoeting gehad met een meneer Wober. Hij is professor in–'

'Ik weet wie Wober is,' zei Cranmer, nogal kortaf.

Iets in zijn stem – misschien dat paragnosten en parapsychologen elkaar van nature wantrouwden. De paragnost wist dat de parapsycholoog wilde bewijzen dat hij een oplichter was en de parapsycholoog wist dat de paragnost wilde bewijzen dat hij toch op zijn minst van zichzelf geloofde dat hij paranormaal begaafd was.

Tate wist niet wat hij van Cranmer moest denken. Zoals Goldman al had gezegd: misschien was hij wel paranormaal begaafd. Of misschien was hij schizofreen, dat kon ook. Of gewoon een pure oplichter. In dat laatste geval had zijn giswerk goed uitgepakt. Maar zoals Audrah al had uitgelegd, hoefde je geen genie te zijn om te bedenken dat als een meisje bij een huis als Lyndle Hall vermist werd, het voor de hand lag om haar lichaam in het omliggende bos te verbergen in plaats van in het huis zelf of in de slotgracht.

Tate zei: 'Ik dacht dat u wel geïnteresseerd zou zijn in wat Wober te zeggen had.'

'U gaat het me kennelijk toch wel vertellen.'

Tate ging in gedachten terug naar Audrahs verslag van Wobers ontmoeting met Goldman. Hij had Goldmans kantoor gezien en kon zich dus makkelijk voor de geest halen waar de ontmoeting had plaatsgehad. Maar aangezien hij Wober nooit had ontmoet, moest hij van die man een beeld oproepen op basis van het weinige dat hij van hem wist. Toch was het niet al te moeilijk om zich een erudiete academicus voor te stellen die voor de boekenkast stond die de muur achter Goldmans bureau in beslag nam.

In zijn hand had hij het boek dat Goldman de dag ervoor aan Audrah had laten zien. Het was opengevallen op een bladzij met daarop een afbeelding van een doodsbange, bijna hysterische Jeanne d'Arc op de brandstapel.

Cranmer zou ongetwijfeld hebben beweerd dat ze een medium was. Wober had beweerd dat Jeanne d'Arc een schizofrene transseksueel was.

Volgens Audrah had Goldman het met een glimlach aangehoord. 'En hoe zit het met mijn patiënt?' zei hij. 'Wat is volgens u Nicholas Herrols probleem?'

Nicholas had zo onder de kalmerende middelen gezeten dat Wober niet zelf met hem had kunnen praten, maar de rapporten over hem bleken interessante lectuur. 'Als ik het goed zie,' zei Wober, 'dan lijdt Nicholas aan een psychose die nog zeldzamer is dan transseksuele schizofrenie.'

Hij legde uit dat extreme emotionele uitingen onveranderlijk resulteerden in een fysieke reactie. Soms ging het niet verder dan wat blozen, of was het zoiets natuurlijks als een erectie, maar de reacties konden ook net zo heftig en onaangepast zijn als de stigmata. Soms namen de wonden de vorm aan van gaten in handen en voeten en werd het slachtoffer ingehaald als een heilige. Ook het tegendeel kon gebeuren, namelijk dat men dacht dat ze bezeten waren. 'Als Nicholas een religieus persoon was geweest,' zei Wober, 'dan zouden zijn wonden meer overeengekomen zijn met Christus' lijden aan het kruis. Bij afwezigheid van een religieuze roeping nemen de wonden een andere vorm aan.'

Cranmer vouwde onder het luisteren een kasjmieren trui op en legde hem in de koffer, en toen duidelijk werd dat hij niet van plan was commentaar te geven, zei Tate: 'Ik zou graag uw mening hierover horen.'

Cranmer klikte de koffer dicht. 'Als u denkt dat ik u ga vertellen dat Nicholas is overgeleverd aan een kwaadaardige entiteit, dan zal ik u moeten teleurstellen. Paranormaal begaafde mensen gaan er niet automatisch van uit dat mensen als Nicholas bezeten zijn. Sommigen zijn gewoon ziek. Hij is daar een van.'

Tate was lichtelijk teleurgesteld, moest hij toegeven. Hij vond dat Cranmer het aan de mensen verschuldigd was om her en der op het platteland rond te wandelen en te verkondigen dat dit of dat bezeten was. Waar werd hij anders voor betaald? Na enig nadenken zei hij: 'U heeft er geen probleem mee als parapsychologen met een rationele verklaring komen?'

'Ik heb er pas een probleem mee als ze met hun rationele antwoorden alles denken te kunnen verklaren,' zei Cranmer.

Dat klonk Tate niet onredelijk in de oren. 'U denkt dat de meeste parapsychologen eropuit zijn u in diskrediet te brengen.'

Cranmer antwoordde: 'Weet u... het heeft enige tijd geduurd voor ik het me realiseerde, maar na jarenlang onderworpen te zijn geweest aan hun kritische onderzoeken, alleen maar om uiteindelijk door de meesten beledigd te worden, kwam ik tot de conclusie dat een heleboel parapsychologen gefrustreerde paragnosten zijn. Ze haten diegenen die wel een echte gave hebben.'

Hij voelde in zijn zak en haalde er een rubberbal uit. Hij gooide hem naar Tate en zei: 'Mocht u weer eens neigen naar het idee dat ik een oplichter ben, vraagt u zich dan eens af hoe ik kon weten wat Audrah tegen u gezegd heeft.'

Tate was uit het veld geslagen, maar slechts voor even. 'U hebt ons afgeluisterd,' zei hij.

'Echt?' zei Cranmer.

Tate kon dat onmogelijk zeker weten. En dat was nu juist het probleem. Bewijzen van een hiernamaals zouden ertoe leiden dat de meeste mensen hun leven moesten veranderen. Bewijzen dat de dood het einde was, zouden resulteren in sociale chaos.

Nu stond hij op de binnenplaats, samen met Fletcher en Bevan. De deuren naar Lyndle Hall waren vergrendeld en hij was van plan ervoor te zorgen dat er een oogje op het huis werd gehouden tot het moment dat er een beslissing over de toekomst ervan werd genomen. Niet dat de aanwezigheid van de politie een strikte noodzaak was. Als die massieve deuren eenmaal dicht waren, was Lyndle ongenaakbaar. Barbaren konden zich voor de poort verzamelen, maar hun kansen om er binnen te komen waren nu nog even gering als zeshonderd jaar geleden. Zijn mening was dat huizen als deze aan het land toebehoorden. Ze waren tenslotte gebouwd en onderhouden met het zweet van de laagst betaalden. Het feit dat ze nog steeds eigendom konden zijn van particulieren was in zijn ogen een belediging voor elke fatsoenlijke arbeider in Groot-Brittannië.

Er bestonden subsidies voor restauratie en onderhoud en hoewel een deel van hem het bijna stuitend vond dat mensen als de Herrols daar aanspraak op konden maken en er toch de eigenaar van bleven, vond een ander deel het nog stuitender dat ze zich niets aan het huis gelegen hadden laten liggen. Zoals Bischel had geschreven: Lyndle was een obsceniteit, een belediging voor alles wat goed en rechtvaardig en puur was.

Maar je zou kunnen zeggen dat het ook een sinistere schoonheid bezat. Het verdiende beter dan het aan de tand des tijds over te geven.

39

Marion sloop het pad op naar een huis dat ze nog nooit eerder had gezien. Het leek in veel opzichten op de diverse andere huizen waarin Reeve had gewoond sinds Kathryns dood – een kleine, nogal donkere twee-onder-één-kap met een simpel gazonnetje ervoor.

Ze had nooit ook maar de geringste moeite om hem te vinden. Hij had steeds de behoefte gehad om zijn oude werk weer op te pakken, om zich vast te klampen aan het soort leven dat hij had geleid voor zij aan haar kruistocht tegen hem was begonnen.

De laatste keer dat ze hem had opgespoord, had ze benzine door zijn brievenbus gegooid, er een brandende lucifer achteraan gegooid en van een afstandje gekeken hoe de zaak afbrandde. Dit keer belde ze aan.

Reeve deed open en zodra hij haar zag, drukte hij op de alarmknop naast de deur. Het zei nogal wat dat de autoriteiten het nodig hadden geacht een volwassen man in de kracht van zijn leven uit te rusten met een apparaat dat de plaatselijke politie zou waarschuwen als een vrouw half zo groot als hij op zijn drempel verscheen.

Dergelijke voorzieningen waren meestal voorbehouden aan de partners van gewelddadige mannen. Zij, in haar legging en trui, zag er nauwelijks als een bedreiging uit, maar ze werd wel als zodanig gezien. De geschiedenis had bewezen dat ze in staat was tot gedrag dat door de rechtbank als 'ontspoord' werd aangemerkt. Zoals Reeves advocaat eens had aangevoerd tegenover de rechter die haar beperkte bewegingsvrijheid had opgelegd: alles wees erop dat ze een mogelijk gevaar was. Hij ging zelfs zo ver dat hij zei dat als dit een land was geweest waar je makkelijk aan een vuurwapen kon komen, zijn cliënt misschien al dood was geweest. En dat was niet denkbeeldig. De autoriteiten waren er totaal niet gerust op dat hij op zeker moment niet toch dood zou worden aangetroffen. En haar vastbeslotenheid de hele goegemeente tegen hem in het harnas te jagen, maakte dat er dan heel wat verdachten zouden zijn. Men zou naar haar wijzen, maar men zou ook moeten wijzen naar elke groep ouders die ooit een actie waren begonnen tegen een veroordeelde pedofiel. En dan had je ook nog de rechts-extremistische groeperingen die een heel lage dunk van Reeve hadden, en zij had er de afgelopen jaren wel voor gezorgd dat ze wisten waar hij woonde. Het was onthutsend zoveel groepen als er waren die niets anders wilden dan mensen kwetsen of lastigvallen; was het geen individu dan wel een minderheidsgroepering. En het was alarmerend hoeveel van die groepen ertoe konden worden overgehaald hun woede te richten op iets wat niets met hun eigen situatie van doen had. Ze zochten gewoon een uitlaatklep voor hun frustraties en het deed er niet toe wat of wie daarvan de dupe was. Marion besefte dat heel goed en ze had die woede ten eigen voordeel aangewend en het leek wel of Reeve die woede proefde in de manier waarop ze haar vinger op de bel gedrukt hield.

In vergelijking daarmee was het geluid van de alarmbel niet meer dan een klagerig piepje. Het hield op zodra hij zijn hand van de knop haalde. 'Het kost ze twee minuten om hier te komen. Twee minuten is niets,' zei hij.

Zijn stem klonk iel. Heel anders dan zijn oude stem. Ooit was deze een bariton en klonk er het zelfvertrouwen in door van een goede afkomst, een uitstekende opleiding en fantastische vooruitzichten in het beroep van je keuze. Nu was zijn stem iets van zijn timbre kwijtgeraakt en klonk er angst voor de toekomst in door.

Twee minuten mocht dan niet veel zijn, het was alles wat ze nodig had. Het was verbazend wat je in twee minuten niet allemaal kon doen. Een paard dat door het hoofd werd geschoten, stierf binnen een seconde. Een dodelijke botsing had nog een sneller effect. Twee minuten waren een eeuwigheid als je dood was. Wat zou Kathryn niet hebben gegeven voor die twee minuten?

Hij probeerde de deur weer dicht te doen, maar Marion zette haar voet ertussen. Hij had hem best kunnen verbrijzelen, maar dat deed hij niet – het was bijna verontschuldigend zoals hij probeerde haar tegen te houden, alsof hij zich er niet toe kon brengen fysiek geweld tegen haar te gebruiken, ondanks alles wat ze hem had aangedaan. Hij was vriendelijk en dat had ze nog niet eerder bij hem gezien.

'Mag ik binnenkomen?' vroeg ze.

Hij was bang voor haar en Marion, die af en toe bang voor zichzelf was, schaamde zich. 'Alsjeblieft,' zei ze. 'Ik wil dat je me vergeeft.'

40

Terwijl Audrah toekeek hoe politieduikers zich in hun wetsuits worstelden, beleefde ze bijna een déjà vu. Het was nog geen drie dagen geleden dat ze vergelijkbare mannen in vergelijkbare uitrusting kopje onder had zien gaan in de slotgracht van Lyndle Hall. Dit keer echter was het doel van de duikers iets wat op een gat in de grond leek. Het was de opening van iets dat daar al meer dan een eeuw aanwezig was, maar waar tot nu toe geen enkele melding van bestond. Dat zou van nu af anders zijn, want nog maar enkele dagen geleden had iemand het leven verloren als gevolg van het bestaan ervan.

Steven Harris had eerst gedacht dat zijn vrouw in een mijnschacht was gevallen. Haar geschreeuw leidde hem naar een zwart gat in de sneeuw en hij richtte een felle lichtbundel in de diepte. Hij verwachtte houten balken te zien, de restanten van een spoorlijntje misschien, in onbruik geraakt nadat het tin met vrachtwagens werd afgevoerd.

Geen spoorrails. Geen balken. Alleen maar water.

Het was een bron.

Het wemelde in deze omgeving van de lang vergeten bronnen. Rond sommige was een waterput opgetrokken, maar bij de meeste waren er gewoon wat planken overheen gelegd, net als bij deze. De wind had er aarde overheen geblazen en daarop waren zaadjes ontkiemd. Een en ander werd nu door gras en mos aan het oog onttrokken. Jarenlang hadden er mensen overheen gelopen en de planken hadden hun gewicht gedragen. Maar zelfs solide eiken planken hadden niet het eeuwige leven. Het was onvermijdelijk dat er op een dag iemand overheen zou lopen en de planken onder het gewicht zouden breken.

Paula's gewicht had ervoor gezorgd dat twee brede planken het hadden begeven, waardoor er een gapend gat was ontstaan. Toen Harris zijn zaklamp op het gat richtte, zag hij zijn vrouw tien meter lager rondspartelen in het water. Hij rende naar het dichtstbijzijnde dorp om hulp te halen, maar tegen de tijd dat er een reddingsploeg was geformeerd, was ze dood. De klap van de val, het koude water, de tijd die verstreek voordat er hulp aanwezig was...

Na haar gesprek met Jochen had Audrah contact opgenomen met Stafford om hem te laten weten dat ze aanwezig wilde zijn als duikers de bron onderzochten. 'We weten dat hij diep is,' zei hij. 'En we weten ook dat hij zichzelf voedt.'

Daarmee bedoelde hij dat er geen ondergrondse rivier doorheen liep, maar dat het water door de wanden naar binnen sijpelde. De politie had niet openbaar gemaakt wanneer het onderzoek zou plaatsvinden, want ze wilden er geen pers of publiek bij hebben. Niet dat het veel uitmaakte. Beide waren in groten getale aanwezig.

Het was niet moeilijk om te bedenken hoe de pers erachter was gekomen – er was altijd wel iemand die voor wat geld informatie doorspeelde. Maar Audrah maakte bezwaar tegen hun aanwezigheid, want als Lars' stoffelijk overschot gevonden zou worden, wilden de duikers het naar boven halen. Dat zou een enorm schokkende ervaring voor haar zijn en ze wilde niet dat haar reactie werd vastgelegd.

Het leek wel of al die mensen uit het niets waren opgedoken. Onder hen bevond zich een vrouw in een geruite wollen jas met een schoothondje in een bijpassende outfit. Het ijle geblaf van het belachelijk uitziende beest echode tussen de bomen.

Jochen en Eva Sidow stonden binnen de afzetting en werden afgeschermd van zowel pers als publiek. Toen Jochen Audrah zag, knikte hij haar even toe. Eva, luisterrijk in haar zwarte mantelpak, vermeed demonstratief haar blik.

Het kordon werd gevormd door geüniformeerde agenten. Op een gegeven moment kwam een van hen op de Sidows af en wees hen op een van de aanwezigen.

Zelfs voor het kordon even uiteenweek om hem door te laten, wist Audrah al dat het Cranmer was. Toen ze hem zag, liep Eva glimlachend op hem af. Nu wist Audrah waar Cranmer zijn informatie over haar bureau van walnotenhout vandaan had.

Er werd een duiker omlaag gelaten in de bron. Zijn collega's tuurden in de diepte terwijl hij omlaag zakte, en Audrah, die zich er nog niet toe had kunnen brengen om in de put te kijken, kon alleen maar raden wat ze daar zagen. Stafford had gezegd dat als hier de stoffelijke resten van Lars zouden worden aangetroffen, ze zouden zijn bedekt door een dikke laag drab. Een duiker zou daarin moeten wroeten om hem te vinden.

Ze wilde dat niet zien. Ze wilde die hele bron niet zien. Ze stond er een flink eind vanaf en hield haar blik gericht op de zwaar berijpte bomen. Het duurde enkele minuten voor de duiker weer bovenkwam en hij keek haar niet aan. Hij sprak even kort met Stafford en direct daarop kwam Stafford haar kant op.

Ze zocht op zijn gezicht naar een aanwijzing voor wat hij haar zou gaan vertellen en zag het antwoord onmiddellijk.

'Het spijt me,' zei hij.

De hond was weer gaan blaffen, staccato en onophoudelijk.

'Hij is daar niet.'

Na dat te hebben bevestigd, liep Stafford naar de Sidows om ook hun het nieuws te vertellen. Even later ving Audrah Cranmers blik. Geamuseerde minachting. Hij legde een hand op

Eva's arm en ondersteunde haar terwijl ze in wanhoop het hoofd boog.

Het was iets meer dan een week geleden dat Audrah hier samen met Jochen was geweest. In de tussentijd had ze zich beziggehouden met het schrijven van wat ze hoopte dat de allerlaatste brief aan Lars was.

Al mijn onderzoek aan het Instituut heeft voor mij bewezen dat als er al een hiernamaals is, niemand er nog ooit in is geslaagd de grens te overschrijden die deze wereld van de volgende scheidt. En dus moet ik je loslaten, want er zijn nog zoveel dingen die ik wil doen in wat ik nu zie als het enige leven dat ik ooit zal kennen.

Niemand zal ooit de leemte kunnen opvullen die jij hebt achtergelaten en dat wil ik ook niet, maar ik hoop een nieuw doel te vinden in een leven dat te lang geen richting, geen doel heeft gekend...

Lars, als ik het verkeerd heb, als je me kunt horen, vergeef me dan.

Ze had de brief verbrand en de as in een envelop gedaan. Nu haalde ze de envelop uit haar zak. Terwijl ze er een hoekje afscheurde en er de as uit schudde, stelde ze zich voor hoe Lars er de laatste keer dat ze hem zag had uitgezien.

De as bleef even zweven op de wind, maar dwarrelde toen omlaag naar de sneeuw. Daar bleef hij liggen, nat en zwart. En plotseling kon ze de aanblik ervan niet meer velen. Ze vertrapte de as en liep weg.